Je suis une PERSONNE, pas une MALADIE!

Marie-Luce Quintal, *psychiatre*
Luc Vigneault, *pair aidant*
Marie-France Demers, *pharmacienne*
Cécile Cormier, *travailleuse sociale*
Yolande Champoux, *travailleuse sociale*
Louise Marchand, *gestionnaire en santé mentale*
Marc-André Roy, *psychiatre*
Hubert-Antoine Wallot, *psychiatre*

Je suis une PERSONNE, *pas une* MALADIE!

LA MALADIE MENTALE L'ESPOIR D'UN MIEUX-ÊTRE

 CP du Tremblay, C.P. 99066
Longueuil (Québec) J4N 0A5
450 445-2974

info@performance-edition.com
www.performance-edition.com

Distribution pour le Canada : Prologue Inc.
1650, Lionel Bertrand
Boisbriand (Québec) J7H 1N7

Diffusion pour l'Europe : DG DIFFUSION
Z.I. de Bogues, Rue Gutenberg
31750 ESCALQUENS
France

Distribution pour la Suisse : Transat, S.A.
5, rue des Chaudronniers
C.P. 3625
1211 Genève, 3

© 2013 Performance Édition, pour l'édition en langue française
ISBN : 978-2-923746-34-0

Illustrations de la page 295 créées par Fannie Grégoire
Révision : Françoise Légaré-Blanchard
Couverture et mises en pages : Pierre Champagne, infographiste

Dépôt légal 1er trimestre 2013
Bibliothèque et Archives nationales du Québec
Bibliothèque nationale du Canada
Bibliothèque nationale de France

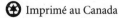 Imprimé au Canada

L'effet papillon

Se pourrait-il que le seul battement d'ailes d'un papillon
puisse déclencher une tornade au bout d'un certain temps?
Selon les travaux du météorologue Edward Lorenz,
une infime variation d'un élément d'un système météorologique
peut s'amplifier progressivement,
jusqu'à provoquer des changements énormes
au bout d'un certain temps.

Petite cause, grande conséquence,
chante Benabar sur ce thème.

Quoi qu'il en soit, si on l'applique aux sociétés humaines,
cela voudrait dire que des changements d'attitude,
même s'ils semblent insignifiants au départ,
peuvent déclencher des bouleversements à grande échelle.

Il en va ainsi pour les personnes atteintes d'une maladie mentale
et pour ceux qui les entourent :
une rencontre qui suscite l'espoir
devient le battement d'ailes qui provoque
le grand vent du rétablissement...

TABLE DES MATIÈRES

D^re Marie-Luce Quintal exerce comme psychiatre à l'Institut universitaire en santé mentale de Québec depuis 1991. Dès le début de sa pratique, elle s'est intéressée à la réadaptation psychiatrique et a été amenée à participer à la mise en place de ressources de traitement et de réadaptation dans la ville. Leur but : soutenir les personnes atteintes d'un trouble psychotique grave sur le chemin du rétablissement. Forte de son expérience, elle offre depuis 2006, en collaboration avec Luc Vigneault, des formations sur le rétablissement au personnel du réseau de la santé et des services sociaux du Québec.

D^re Quintal s'est également intéressée au champ de l'éthique clinique. En tant que présidente du comité d'éthique clinique à l'Institut universitaire en santé mentale de Québec, elle a élaboré avec son équipe, un nouveau code d'éthique qui reflète les valeurs du rétablissement.

Elle partage ici le fruit de son expérience de psychiatre et de professeure et aussi celui de femme qui a été touchée par le courage des personnes qui sont aux prises avec une maladie mentale.

Psychiatre
Responsable médicale du Centre de traitement et de réadaptation de Nemours
Présidente du comité d'éthique clinique à l'Institut universitaire en santé mentale de Québec
Professeure de clinique à l'Université Laval, Québec

Luc Vigneault se retrouve du jour au lendemain aux prises avec une maladie mentale qui, pendant plusieurs années, le prive de sa vie et le condamne à la chaise berçante. Au cours de sa lutte acharnée, il rencontre des gens qui font le choix de miser sur lui, sur ses forces. De là nait un espoir qui va le stimuler et le conduire à une vie *merveilleusement ordinaire*.

Aujourd'hui, Luc Vigneault est pair aidant consultant à l'Institut universitaire en santé mentale de Québec. Formateur et conférencier reconnu du réseau de la santé mentale, Luc est une référence en matière de rétablissement. Autodidacte, il met son expérience au profit de ses pairs, et cela, dans le but d'améliorer les conditions de vie et de soins des personnes atteintes de maladie mentale.

Pair aidant
Consultant à la direction des programmes-clientèles et des soins infirmiers de l'Institut universitaire en santé mentale de Québec
Chargé de cours aux Facultés de médecine de l'Université Laval et de Montréal
Vice-président, Les Porte-voix du Rétablissement (Association québécoise des personnes vivant ou ayant vécu un trouble mental)

Marie-France Demers, pharmacienne, prati-que dans une clinique externe spé-cialisée de l'Institut universitaire en santé mentale de Québec, la Clinique Notre-Dame des Victoires. Elle interagit quotidiennement avec des jeunes, leurs familles et leurs équipes soignantes. Elle aborde notamment des stratégies visant l'optimisation des approches pharmacologiques, mais aussi les croyances, les difficultés, les enjeux autour de la prise de la médication.

Férue d'interdisciplinarité, elle est co-auteure d'une approche de soutien à l'adhésion au traitement, *Les choix du DJ*.

Impliquée dans l'enseignement à l'Université Laval, formatrice à de nombreuses tribunes et chercheure associée au Centre de recherche de l'Institut universitaire en santé mentale de Québec, elle poursuit la quête de son propre rétablissement : le lancement de ce présent ouvrage marquera les dix ans de sa rémission d'un cancer.

Pharmacienne à la Clinique Notre-Dame des Victoires
Coordonnatrice de la recherche au Département clinique de
pharmacie de l'Institut universitaire en santé mentale de Québec
Chercheure associée, Centre de recherche de l'Institut universitaire en
santé mentale de Québec
Professeure de clinique, Faculté de pharmacie, Université Laval

Cécile Cormier, travailleuse sociale, féministe et syndicaliste, travaille depuis 1993 auprès d'adultes ayant des troubles mentaux à l'Institut universitaire en santé mentale de Québec, dont le Centre de traitement et de réadaptation de Nemours.

Son mémoire de maîtrise en service social de l'Université Laval traite de l'espoir d'un mieux-être, malgré la schizophrénie.

Enseignant la pratique du travail social dans le réseau des Universités du Québec, elle est aussi formatrice pour la CSN sur le thème de l'entraide et de la santé mentale au travail.

Impliquée dans des groupes communautaires dès l'âge de 17 ans, elle a contribué à la mise sur pied d'un centre pour femmes victimes de violence conjugale. Elle a aussi développé l'intervention de groupes pour les femmes ayant vécu des abus sexuels, travaillé à la direction de la Protection de la Jeunesse et contribué au partenariat et à la recherche sociale notamment, sur la parentalité et les troubles mentaux, clin d'œil à sa mère qui souffrait de schizophrénie.

Travailleuse sociale
Centre de traitement et de réadaptation de Nemours, Institut universitaire en santé mentale de Québec
Professeure invitée en travail social, Campus de Lévis, Université du Québec à Rimouski
Chargée de cours en travail social, Université du Québec à Chicoutimi

Yolande Champoux, formée en service social et en andragogie, a un parcours professionnel diversifié. Elle a débuté comme organisatrice communautaire au Centre local de services communautaires, a poursuivi dans un organisme de coopération internationale, puis dans l'enseignement aux adultes en alphabétisation communautaire.

Elle a terminé sa carrière au service social de l'Institut universitaire en santé mentale de Québec. L'engagement dans les groupes communautaires, l'implication auprès de personnes vulnérables marquent ses expériences de travail.

La recherche constante d'une plus grande justice sociale, le travail pour mener au développement de l'autonomie de l'individu et de son pouvoir d'agir, à la coopération et à la solidarité, l'ont amenée à former et animer des groupes d'entraide pour les personnes atteintes de troubles mentaux et leurs proches. Elle nous partage les fruits de ces précieuses rencontres et du travail d'équipe réalisé au Centre de traitement et de réadaptation de Nemours à Québec.

Travailleuse sociale à la retraite
Institut universitaire en santé mentale de Québec

Louise Marchand, après avoir étudié en éducation spécialisée, est devenue intervenante auprès de personnes souffrant de troubles psychotiques. Détentrice d'un baccalauréat général individualisé de l'Université Laval axé sur les approches de réadaptation psychosociale et communautaire, elle exerce un rôle de pionnière de sa profession en psychiatrie où elle va conjuguer son intuition à sa personnalité, sa créativité à ses connaissances, pour s'approprier une vision conforme à ses valeurs et à ses convictions, celle du rétablissement.

Dès ses débuts comme gestionnaire, elle en fait son cheval de bataille, toujours en quête de nouvelles façons de faire pour mettre en valeur et exploiter le potentiel de son personnel, mais aussi les forces de chaque personne, et ce, malgré les obstacles ou les difficultés engendrés par la maladie.

Co-auteure du « Guide interactif du plan d'intervention - Maître d'œuvre de mon projet de vie », Louise prend pour point de départ son expérience à l'hôpital St-Michel-Archange, au cours des années '70, pour mieux illustrer le chemin parcouru depuis à l'Institut en faveur du rétablissement.

Gestionnaire
Chef d'unité par intérim et gestionnaire-coach clinique à l'Institut
universitaire en santé mentale de Québec

Dr **Marc-André Roy** a complété ses études de médecine et psychiatrie à l'Université Laval. Il a par la suite acquis une formation complémentaire de trois ans en psychiatrie génétique aux Etats-Unis. À son retour au pays, il a pratiqué à l'Hôpital Robert-Giffard, tout en poursuivant ses recherches en psychiatrie génétique.

Ce parcours ne le prédisposait pas particulièrement à s'intéresser au rétablissement… jusqu'à ce qu'il commence à travailler dans un programme dédié aux personnes en début d'évolution d'une psychose, ce domaine étant maintenant son champ d'expertise, à la fois à titre de clinicien, d'enseignant, de formateur et de chercheur. Il essaie tant bien que mal de faire le grand écart, ayant un pied en sciences biomédicales, en recherche, et un autre dans la pratique de la psychiatrie dans la communauté, où il fait quotidiennement face à la complexité de la rencontre avec des jeunes, parfois récalcitrants, et leurs familles en détresse.

Psychiatre
Professeur agrégé de psychiatrie et neurosciences
Faculté de Médecine, Université Laval
Directeur, Axe de neurosciences cliniques et cognitives
Centre de recherche Institut universitaire en santé mentale
de Québec
Chef de service, Programme des troubles psychotiques à l'Institut
universitaire en santé mentale de Québec

Dr Hubert-Antoine Wallot a étudié aux universités de Montréal (BA, BPh, MA, CAPES), Paris (CES, Scol.Doc), Sherbrooke (MD, Scol. MSc), McGill (MA, Diplomas 2e cycle en Management et en psychiatrie), MPH (Harvard), Laval (MBA, PhD). Il a été sur les conseils d'administration de plusieurs universités (Sherbrooke, UQAC, Téluq, Assemblée des Gouverneurs).

Il compte plusieurs bourses, prix, conférences et communications dans les congrès avec arbitrage et plusieurs publications (articles, chapitres de livres et livres dont *La Danse autour du fou*).

Auteur poétique ayant publié et artiste-peintre ayant exposé, il est président du conseil d'administration d'un organisme caritatif, Les Pinceaux d'Or, qui s'est mérité le prix d'humanisme de l'Association des psychiatres du Québec (2009); il est professeur à la Téluq et psychiatre à l'Institut universitaire en santé mentale de Québec. Historien en psychiatrie, il a toujours été associé aux pratiques innovantes dans son milieu.

Psychiatre
Professeur titulaire, Télé-Université du Québec
Professeur agrégé de clinique, Faculté de Médecine, Université Laval
Psychiatre, Institut universitaire en santé mentale de Québec
Chercheur clinicien, Centre de recherche Institut universitaire en santé mentale de Québec

Tous les droits d'auteurs
dus à la vente de ce livre seront remis à la

www.institutsmq.qc.ca/fondation
fondation@institutsmq.qc.ca

REMERCIEMENTS

Nous tenons à vous remercier, vous, toutes ces personnes que nous côtoyons tous les jours et qui doivent composer avec la maladie mentale. Vous êtes la source de notre inspiration et de notre engagement au quotidien. Vous êtes aussi à l'origine de notre folie d'écrire un livre sur le rétablissement! Votre courage nous transforme et nous enseigne la force de l'humain, sa résilience, mais surtout l'espoir! Vous nous aidez à devenir de meilleures personnes.

Nous remercions aussi vos familles et amis, aux premières loges du soutien à déployer : cet appui indéfectible est précieux. Alors que nous ne sommes présents que pour un chapitre de votre vie, vos proches y seront du prologue jusqu'à l'épilogue!

Nous remercions nos collègues de l'Institut universitaire en santé mentale de Québec (IUSMQ), particulièrement, les équipes de professionnels du Centre de traitement et de réadaptation de Nemours (CTR) et de la Clinique Notre-Dame des Victoires (CNDV) où nous œuvrons, qui alimentent nos réflexions à l'égard du rétablissement à travers nos actions quotidiennes.

Nous soulignons aussi la contribution de nos partenaires œuvrant notamment dans les organismes communautaires, les centres de santé et de services sociaux, les partenaires de l'Association québécoise de la réadaptation psychiatrique (AQRP) et ceux de plusieurs autres organismes impliqués dans les soins et services offerts aux personnes touchées par la maladie mentale : merci de parfois nous bousculer. Vous nous avez tant enseigné.

Ce collectif a été rendu possible grâce à la contribution financière de la Fondation de l'IUSMQ, de l'IUSMQ, de l'Association des personnes utilisatrices des services de santé mentale de la région de Québec (APUR) et de l'Association québécoise des programmes de premiers épisodes psychotiques (AQPPEP).

Un merci tout particulier au Dr Simon Racine, directeur général de l'IUSMQ et à Caroline Busque, directrice générale de l'APUR, qui ont soutenu et encouragé la réalisation de ce projet. Merci aussi pour leurs magnifiques textes d'introduction et de conclusion. De la même façon, nous remercions Maryse Beaulieu, directrice générale de la Fondation de l'IUSMQ et son équipe pour leur appui au projet.

À Louise Latraverse, actrice, un merci tout particulier de s'être associée à notre aventure et d'avoir partagé avec nous son parcours de combattante avec autant de générosité.

Nous soulignons le travail de révision linguistique et de soutien à la rédaction de Danielle Fortier, Hélène Viau et Nicole Quintal, respectivement, pour le chapitre sur la gestion de Louise Marchand, celui sur la pharmacothérapie de Marie-France Demers et le texte d'André Perreault.

Nous remercions Bernadette Dallaire, professeure à l'école de service social de l'Université Laval et directrice du mémoire sur l'espoir de Cécile Cormier, ainsi que Céline Dubord et Christiane Bergeron-Leclerc pour leur soutien indéfectible dans l'élaboration de ce mémoire, à l'origine du chapitre Encore de l'espoir.

Nous remercions le Dr Pierre Laliberté et Me Hélène Carrier pour leurs conseils et précisions dans la rédaction du chapitre du Dr Marc-André Roy qui aborde notamment certains aspects légaux et recours possibles.

Nous soulignons l'apport inspirant de Raymond Décary, producteur et réalisateur.

Nous remercions Julie Vincelette, coauteure du livre *L'effet Popcorn* et auteure du livre *La mission secrète de Julia Léveillée,* un livre qui s'adresse aux enfants à propos de la schizophrénie, qui nous a si gentiment guidés vers le choix de notre maison d'édition. Dans la même foulée, nous remercions chaleureusement la famille Blanchard, principalement Marie-Josée, ses parents André et Françoise, de Performance Édition qui nous ont adoptés et conduits jusqu'au lancement de cet ouvrage, et cela avec enthousiasme et confiance.

Les personnes suivantes ont aussi contribué de diverses façons au bon déroulement du projet : Éric Lepage et Réjeanne Tremblay, respectivement, chef et secrétaire du Département clinique de pharmacie de l'IUSMQ; Simon Lecompte photographe à IUSMQ; Francois Giroux du service des communications de l'IUSMQ et son équipe.

Nos proches doivent aussi être remerciés pour leur patience et leur compréhension : nous avons passé de nombreuses heures à délirer en équipe sur ce projet, le week-end, le soir, empiétant sur nos vies de famille et nos obligations au cours des deux dernières années. Mais bien au-delà, ce projet nous habite et nous anime tant que nous devons les remercier aussi pour leur partage et leur ouverture.

Ce projet est une idée originale de Luc Vigneault et Dre Marie-Luce Quintal et il a été coordonné par Luc Vigneault et Marie-France Demers.

Les auteurs cèdent leurs droits à la fondation de l'IUSMQ pour le développement et le soutien de projets axés sur le rétablissement des personnes atteintes de maladie mentale.

INTRODUCTION
DR SIMON RACINE

Quel privilège que celui d'écrire la préface d'un livre sur le rétablissement émanant d'un groupe de passionnés qui, avant toute chose, mettent l'espoir au-dessus de l'ensemble des actions d'accompagnement qui pourraient viser le rétablissement d'une personne atteinte d'une maladie mentale!

Le rétablissement, c'est bien plus que le chemin de la guérison et ce n'est pas une philosophie de soins au goût du jour. C'est avant tout une façon d'être, une conception de l'être humain qui, en période de grande difficulté, a d'abord besoin de retrouver l'espoir, de reprendre possession de tous ses moyens et d'être accompagné afin de poursuivre son développement et son épanouissement dans une vie citoyenne pleine et entière. Le rétablissement implique également, tout comme le concept de résilience, que ce n'est pas nécessairement le retour à l'état précédant la maladie qui importe, ou encore l'atteinte d'un palier de récupération particulier, mais la définition d'un véritable projet de vie. Rien de moins!

La maladie mentale, contrairement à la plupart des autres maladies, n'atteint pas seulement un organe ou un système : elle atteint le centre opérationnel de la personne, son cerveau, un peu comme le serveur d'un système d'information devenant défectueux, laissant la personne atteinte entièrement démunie dans la façon de reprendre le contrôle de ses émotions, de sa personne et de sa vie.

Dans ce livre, dont le titre un peu provocateur invite à aller au-delà des préjugés, le concept du rétablissement est abordé simplement et à travers les yeux et le vécu de personnes atteintes et d'intervenants qui travaillent pour le faire vivre dans leurs activités quotidiennes.

C'est aussi un concept qui dépasse largement les seuls aspects reliés aux soins. Il englobe également, pour un institut de santé mentale comme le nôtre, le processus décisionnel de tous ceux et celles qui sont impliqués dans la gestion des soins et des services. Ils ont eux aussi à susciter l'espoir auprès des personnes qu'ils dirigent et à adapter toutes nos façons de faire afin de créer un environnement... rétablissant!

Simon Racine, M.D., M.Sc., FRCP(C)
Directeur général
Institut universitaire en santé mentale de Québec

PRÉFACE

LOUISE LATRAVERSE

J'ai eu dans ma vie beaucoup plus de rencontres que je ne l'aurais souhaité avec les maladies mentales. J'ai pris la mesure de la complexité de ces maladies, de l'impact qu'elles ont pour les personnes atteintes et leur entourage, des préjugés qui les entourent, des peurs qu'elles engendrent, des deuils qu'elles font vivre. Ces maladies qui changent le parcours de l'enfant de tous les espoirs, celui du conjoint tant aimé, du parent admiré ou de l'ami avec qui on a tout partagé... Ces maladies qui vous changent, qui font que les gens se demandent si aujourd'hui, vous êtes dans une bonne journée... On comprend qu'il devient facile de devenir un diagnostic dans le regard des autres.

Et pourtant, comment mener le combat, comment lever les obstacles, où trouver l'espoir et le susciter; finalement, comment se rétablir?

J'ai retrouvé dans cet ouvrage quelques ingrédients inspirants : d'abord, voir au-delà de la maladie, les forces de la personne. Les mettre à profit, même ses défauts d'ailleurs, pour réagir face à la maladie. Est-il possible, par exemple, qu'être une tête de cochon puisse devenir de la détermination lors d'un chemin difficile vers le rétablissement? Et s'associer aux soignants pour chercher la voie. Car trop souvent, l'accès aux soins constitue en soi un parcours de combattant. Et, une fois dans le système, être entendu, accueilli, considéré, peut être une épreuve! Pourtant, chacun ne mérite-t-il pas de recevoir un traitement approprié dans des délais raisonnables, être entouré d'attitudes respectueuses et porteuses d'espoir, continuer de croire que ça vaut la peine de se battre? Ce livre décrit des expériences, des façons de faire et d'être, des attitudes, qui peuvent aider à dénouer l'impasse que peut représenter ces maladies et leurs traitements.

Ce texte se nourrit notamment des expériences de Luc et Marie-Luce qui se donnent la réplique, oserais-je dire, dans des rôles qu'on croyait bien définis, celui du patient et de la docteure, mais où finalement se confondent humanité et empathie dès le lever du rideau! Il met en scène des acteurs privilégiés du traitement, des médecins, une pharmacienne, des travailleuses sociales, une gestionnaire et aussi, bien sûr, dans le rôle principal, des personnes atteintes et leurs proches. Et chacun y va de son savoir, de son expérience, de son expertise, pour alimenter notre réflexion sur le rétablissement et soutenir l'espoir d'un mieux-être.

Tels des artistes, les artisans des soins, les intervenants ou les proches, doivent puiser en eux l'empathie, la capacité de devenir l'autre : c'est en quelque sorte à quoi sont conviées toutes les personnes qui croient au rétablissement.

Ce livre fait tellement de bien et répond à toutes mes questions et même plus. Merci, à vous tous pour votre grande générosité.

On se sent moins seul après l'avoir lu.

Louise Latraverse,
actrice

AVANT-PROPOS

Un homme, Luc Vigneault, se retrouve du jour au lendemain aux prises avec une maladie mentale. Il lutte de toutes ses forces pour s'en sortir, et surtout pour ne pas en être stigmatisé. Le chemin est ardu. Malgré l'ostracisme provoqué par les préjugés entourant la maladie mentale, il a réussi, à force d'acharnement, à retrouver une bonne santé mentale.

Cet homme a non seulement réussi à se rétablir, et non à guérir, mais il a aussi relevé le défi de devenir intervenant à son tour et d'aider ses pairs, et ce, grâce entre autres, au soutien constant d'hommes et de femmes qui ont troqué la chaise berçante[1], à laquelle il était condamné, contre l'espoir instauré par le rétablissement. On le reconnaît à son rire retentissant et à son intelligence créatrice.

Dans un autre lieu, une jeune femme psychiatre, Marie-Luce Quintal, fraîche émoulue de l'Université, se retrouve parachutée sur une unité de réadaptation psychiatrique. Peut-être a-t-elle eu des absences, mais elle ne se souvient pas avoir étudié cette matière! De fil en aiguille, elle découvre un monde fascinant où l'espoir et le rêve sont permis et où le rétablissement remplace la chronicité.

Comme le hasard fait souvent bien les choses, leurs chemins se croisent. Ensemble, ils décident alors de partir à la rencontre de ceux et celles qui vivent avec une maladie mentale et de tous ceux qui les soutiennent afin de partager leur folie du rétablissement. Ils réunissent un groupe d'hommes et de femmes, touchés par la maladie mentale, de près ou de loin, à titre de malades, de parents, d'intervenants, d'administrateurs ou d'experts et leur vient l'idée

---

[1] Chaise berçante à vendre, DVD, 22 minutes, Idée originale : Luc Vigneault.
Réalisation : Raymond Décary; Production : Communication Décary-APUR

d'écrire un livre afin de faire du rétablissement la pierre angulaire du traitement et du soutien des personnes atteintes d'un trouble mental grave.

Dans cet ouvrage, D^re Marie-Luce Quintal et Luc Vigneault, proposent un modèle illustrant le parcours du rétablissement. Il sera question d'espoir, de reprise du pouvoir d'agir, de quête de la saine partie de soi, de reprendre une position de sujet puis, celle de citoyen à part entière. Ensemble, les auteurs parleront d'attitudes, de modèles, de valeurs, d'organisation, de traitement et de qualité des soins. Ils tenteront aussi de comprendre les impacts personnels et organisationnels liés au processus du rétablissement. Par moment, sous forme de dialogues, souvent sur un ton très intime, ils proposeront au lecteur un partage de leurs expériences et de leurs expertises, alimentées et enrichies de leurs échanges, pour en arriver à cet enchevêtrement dynamique et inspirant permettant ainsi de démystifier le parcours menant au rétablissement.

Autour du modèle proposé sur le rétablissement se greffe les propos des autres auteurs.

Ceux-ci ont parfois adopté une lorgnette plus personnelle pour aborder cette question, une sorte de plongeon singulier dans l'univers du rétablissement qui comporte une parcelle de leur propre parcours.

Le psychiatre et philosophe Hubert-Antoine Wallot nous parle de l'histoire de la psychiatrie, de l'origine et de l'évolution du concept de rétablissement. Il formule aussi quelques commentaires sur le rétablissement.

Cécile Cormier, travailleuse sociale, nous entretient de l'espoir puis, avec sa collègue Yolande Champoux, d'approches intégrées auprès des familles.

Louise Marchand, gestionnaire, aborde les enjeux ainsi que les tenants et aboutissants d'une gestion qui veut soutenir le rétablissement en milieu de la santé.

Marie-France Demers, pharmacienne, partage sa philosophie de soins à l'égard de la médication.

Marc-André Roy, psychiatre et chercheur, nous invite à une réflexion quant au fragile équilibre qui existe entre le respect des droits et libertés et le devoir de protection.

André Perreault nous parle de son chemin vers le rétablissement et Micheline Bergeron, de son parcours de mère qui se rétablit à travers l'expérience de son fils.

Chemin d'espoir, chemin de souffrance, de découvertes, d'amitiés, de créativité, où le mot possible devient force de loi. Et pourtant, tout reste à faire! Nous souhaitons que ces réflexions permettent de faire naître l'espoir et qu'elles posent un jalon de plus dans la mise en place d'un système de soins qui soutient véritablement le rétablissement des personnes!

Marie-Luce Quintal, *psychiatre*

Luc Vigneault, *pair aidant*

Marie-France Demers, *pharmacienne*

Cécile Cormier, *travailleuse sociale*

Yolande Champoux, *travailleuse sociale*

Louise Marchand, *gestionnaire en santé mentale*

Marc-André Roy, *psychiatre*

Hubert-Antoine Wallot, *psychiatre*

Vocable en santé mentale

Vocable en santé mentale

Les mots pour désigner une personne aux prises avec un problème de santé mentale sont très disparates. Un bref survol de ceux-ci nous amène de fou, à malade mental, en passant par usager, bénéficiaire, client et citoyen. Une grande question se pose avant même de commencer la rédaction du livre. Quel vocable utiliser? Doit-on dire *malade mental, trouble mental, handicapé du psychisme* ou bien *personne vivant ou ayant vécu avec un problème de santé mentale*?

Pour répondre à cette question, nous vous proposons un survol des différents vocables de la *folie* au Québec.

« Je suis une personne, pas une maladie! ». Ce cri du cœur est à l'origine de l'orientation première de la politique de santé mentale qui, dès la parution du rapport du comité concernant la politique de santé mentale en 1987, donnait la préséance à la personne.[2]

Avant 1960, les personnes aux prises avec un problème de santé mentale étaient tout simplement des *fous ou des folles* alors qu'à cette époque, la société en général, considère la *folie* comme une fatalité envoyée par Dieu.

Les années '60 marquent le développement social du Québec. Dans le domaine de la santé mentale, on note un accroissement de la clientèle institutionnalisée, le nombre annuel d'admissions dépasse de beaucoup le nombre de sorties, les listes d'attente s'allongent. Suite à la publication du livre *Les fous crient au secours* de Jean-Charles Pagé, le gouvernement provincial met sur pied la Commission d'enquête Bédard qui, dans son rapport, considère la *folie* comme une maladie mentale.

Et voilà, le vocable de *maladie mentale* fait partie de notre vocabulaire et vient remplacer celui de *fou*. Puis, nous assistons alors à une série de changements au niveau de la prise en charge de la *maladie mentale* par l'État. Les travailleurs sociaux, psychologues et ergothérapeutes joignent les rangs de l'équipe soignante. L'ac-

---

[2] Bilan d'implantation de la politique de santé mentale, Ministère de la santé et des Services

cent est mis sur le traitement de la *maladie mentale* et sur les possibilités de réadaptation.

En 1966, la Commission Castonguay-Nepveu poursuit la logique du rapport Bédard, en considérant la *maladie mentale* au même titre que toute maladie. En suivant les recommandations de la Commission, le gouvernement freine l'Institutionnalisation des personnes en centre psychiatrique et prône le maintien dans leur milieu. La porte d'entrée du *malade mental* dans le réseau devient l'urgence d'un centre hospitalier de courte durée et le cabinet du médecin. Tous les centres hospitaliers se dotent de services psychiatriques, de façon à répondre aux besoins de la population.

Avec l'avènement de la psychiatrie communautaire au cours des années '70, tout un réseau de ressources et d'interventions, extérieur au milieu hospitalier, se développe. Le concept de *trouble de santé mentale* voit le jour et remplace petit à petit celui de *maladie mentale*.

En 1985, le gouvernement annonce une autre commission d'enquête sur les services de santé et les services sociaux, laquelle est présidée par monsieur Jean Rochon et promeut le *virage ambulatoire*. Dans le domaine de la santé mentale, c'est en 1987 qu'un comité portant sur la santé mentale est mis en place. Cette enquête, présidée par Dr Gaston Harnois, s'est conclue par le Rapport Harnois avec la fameuse phrase : « *Je suis une personne, pas une maladie* »[3]. Le concept de santé mentale vient d'apparaître. Le vocable de personnes *vivant avec un problème de santé mentale vient changer celui de maladie mentale*.

Le Dr Gaston Harnois, qui était psychiatre à l'hôpital Douglas et fervent promoteur de l'*emporwerment* (se réapproprier le pouvoir sur sa vie) donnait le ton à la politique de santé mentale de 1989, toujours aujourd'hui le guide en matière de service dans le domaine de la santé mentale.

Dans le même esprit et pour donner suite à la Commission Rochon et au rapport Harnois, le Ministre de la santé et des services

---

[3] Idem 1

sociaux, Marc-Yvan Côté, propose une révision complète de la loi sur les services de santé et les services sociaux.

La loi (loi 120 adoptée le 4 septembre 1991) vient réaffirmer que les lignes directrices guidant la prestation des services de santé et des services sociaux doit être : art. 3.

La primauté de la personne (l'usager est la raison d'être des services).

Suite à la nouvelle loi, le vocable employé devient *usager ou personne usagère*. Ce vocable ne faisait toujours pas le consensus auprès des personnes vivant avec un problème de santé mentale.

Lors du colloque Travail et santé mentale qui s'est tenu en 1998 à Trois-Rivières, le président de l'Office des personnes handicapées du Québec, Norbert Rodrigue, a pris l'engagement, et ce, à la demande des personnes vivant avec un problème de santé mentale et du mouvement associatif, de changer le vocable *handicapé du psychisme* pour un autre qui sera déterminé prochainement.

La venue des cliniques externes de psychiatrie ainsi que les services de première ligne dans les CLSC au cours des années 1990 a donné naissance à de nouvelles appellations. Nous sommes passés de bénéficiaires à clients.

Le regroupement des ressources alternatives en santé mentale du Québec, avec l'élaboration de son Manifeste lors des congrès d'orientation de 1991 et de 1998, a favorisé le vocable *personne*.

Le Ministère de la santé et services sociaux met sur pied un forum national sur la santé mentale qui a eu lieu en septembre 2000. À cette époque, le vocable très en vogue était *personne utilisatrice de services en santé mentale*. Par la suite, l'avènement du Plan d'action en santé mentale 2005-2010, *La force des liens,* place le rétablissement comme trame de fond. Dès lors, les personnes utilisatrices parlaient de *personnes en rétablissement*. Récemment, des personnes vivant avec un problème de santé mentale qui collaborent à l'alliance de recherche université communauté santé mentale/citoyenneté-Canada-Brésil ont opté pour celui de citoyens et citoyennes.

Selon les textes de loi sur la santé au Québec, actuellement, quelqu'un qui reçoit des services de santé mentale et physique est un usager. Or, malgré cette orientation, les auteurs de ce livre ont choisi d'utiliser différents termes pour désigner cette personne, par exemple, patient, personne atteinte, et autres.

Ce choix repose davantage sur la pratique courante et les communications dans la vie de tous les jours, selon le travail et l'expérience de chacun. Quoi qu'il en soit, les auteurs conviennent de l'importance que, peu importe le vocable utilisé, il doit réfléter respect et dignité en toute circonstance. *Je suis une personne, pas une maladie!* se veut le reflet unanime de cet engagement.

OSER

Qui que nous soyons,
Chacun de nous a été, un jour ou l'autre,
Étonné, Perplexe, Touché, Réveillé, Interpellé ou même Confondu
Par des mots, une rencontre surprenante.

Pour s'assurer que personne ne tombe,
Chut! chut! Et si on s'écoutait!
Et si on s'ouvrait à une empathie constante
Face aux tourments des uns et des autres!

Pour ne jamais dire :
« J'aurais dû... Il est trop tard... Si seulement... Avoir su...! »

Pour plusieurs,
C'est comme marcher sur un sol sans fondation,
On tombe dans un trou,
Dans la vacuité de la vie sans vie.

Il y a longtemps que je prête mon nom,
Des instants de vie,
Aux sans mots, Aux sans noms, Aux sans voix!
On travaille dans l'urgence de dire ces mots
Pour ne plus jamais garder en silence les maux,
Pour ne jamais taire sur cette terre
Les mots pour dire les maux.

Pour les faire entendre,
Je garderai toujours près de moi
Des couleurs, des silences, des images
Pour dire l'impossible.

Pour vous entendre dire l'indicible,
Toujours pour toujours,
Jour après jour,
Laissons la parole à un de ces passeurs de vie,
Pour qu'on entende ceux-ci et celles-là.

Merci Luc d'être ce que tu es,
À l'écoute de tes maux
Pour dire tout simplement...

Merci à vous tous de croire à l'ESPOIR
Raymond Décary, 10 février 2009

Les allers-retours d'un battant

Luc Vigneault

Les allers-retours d'un battant

J'ai rencontré des personnes significatives dans ma vie. Ces personnes étaient, comme vous, à l'affût de nouvelles pratiques. C'est pour donner espoir à des gens qui se croient condamnés à vie ainsi qu'à leurs proches que je prends la parole aujourd'hui, et cela, au nom des innombrables rescapés des troubles mentaux que je connais. Le rétablissement n'est pas une autre folie, mais un processus réalisable.

Henri Laborit (1914-1995) qui fut l'inventeur des neuroleptiques, aussi connus sous le nom d'antipsychotiques, disait : « Devant l'épreuve, nous ne disposons que de trois choix : Combattre, Ne rien faire, Fuir. » Mon histoire ressemble beaucoup à cette citation, mais à l'envers. J'ai d'abord fui, rien fait et finalement, j'ai combattu.

Je me souviens que je voulais mourir pour sortir de ma souffrance qui était insupportable. C'était l'époque du *prenez-moi et faites ce que vous voulez!* C'est à ce moment-là que j'ai connu des pharmaciens ambulants (*pushers*) qui sont devenus mon nouveau réseau d'amis. La drogue s'est avérée alors être ma bouée de sauvetage, ma délivrance, ma vie, mon univers. C'est là que débuta ma descente aux enfers.

En fait, mes problèmes de santé mentale sont apparus à l'âge de dix-sept ans ans. J'étais un jeune adulte ou un vieil adolescent, ça dépend du point de vue. J'ai commencé à entendre des voix, à jeun. Je le souligne, car la consommation de drogues est venue plus tard. Une ombre noire avait pris l'habitude de me suivre à distance et de me dévisager quand je me retournais. Des mots et des bruits inattendus me surprenaient sans que je puisse savoir d'où ils parvenaient. Je perdais le contact avec la réalité et même avec ma vie. Au fil des jours, je m'enfonçais dans mon délire, la souffrance devenait aiguë, intolérable.

J'avais peur, je souffrais, j'avais envie de crier ma douleur. J'ai appris à me réfugier dans un monde qui n'appartenait qu'à moi seul où je me sentais bien. Je m'inventais des histoires avec différents personnages. L'égarement mental était également difficile sur le plan physique. Qui aurait pu se douter que je souffrais autant? La délinquance et quoi d'autre encore, ma vie était devenue chaotique, folle.

J'étais soumis à la maladie et, plus que jamais, je me réfugiais dans mon monde.

À ce moment-là, j'étais camionneur. J'avais une voiture, un bon logement, deux enfants que j'aimais, mais qui souffraient des hauts et des bas de ma vie émotive et de ma vie de couple. Puis, un accident de travail est survenu, une hernie discale occasionnée en soulevant des caisses. Incapable de marcher normalement, j'ai dû rester à la maison pendant quatre ans. Je voulais mourir! Ma femme a fini par s'enfuir avec les enfants et j'ai tout perdu.

Vous m'avez peut-être déjà rencontré dans les rues, hirsute et hagard, criant des injures à l'intention d'interlocuteurs invisibles. Oui, le fou que vous avez vu, c'était peut-être moi.

Avant de vous raconter très brièvement mes aléas avec la psychiatrie, je dois souligner que j'ai connu deux types d'équipe soignante. Une équipe qui croyait que la maladie mentale dont je souffrais était irrécupérable. Puis, une autre équipe qui croyait au rétablissement. À mon avis, il existe une condition *sine qua non* pour réussir le rétablissement; il faut d'abord y croire! Selon un proverbe polonais : *Pour croire avec certitude, il faut commencer par douter.* Donc, mettre en doute la réussite du rétablissement est tout à fait humain. Prendre le temps d'y réfléchir, avant de se lancer tête baissée dans le processus, est très sage.

Pour y arriver, les alliances sont essentielles. J'ai rencontré des personnes extraordinairement passionnées qui m'ont permis de vivre des découvertes et de vivre de magnifiques expériences.

Revenons à mon parcours avec la psychiatrie. Comme je vous le disais, j'étais alors dans un état lamentable. C'est par amour que mes proches ont décidé de m'amener à l'hôpital. Tous les préjugés envers les hôpitaux psychiatriques et leurs résidents, je les avais. C'était une *gang* de fous! J'avais la fausse croyance qu'une fois admis dans un tel établissement, on n'en sortait plus. J'avais en tête Émile Nelligan, entre autres, ce qui fait que je ne voulais pas aller dans un *asile de fous*. Mes proches m'amènent donc dans un autre centre hospitalier de Montréal. La première chose qu'on nous demande, c'est notre code postal. « Ah! désolé, il n'est pas au bon hôpital! »

Nous étions vraiment stupéfaits, dans l'incompréhension totale. On nous informe par la suite que mon code postal correspond au secteur desservi par l'hôpital psychiatrique[4].

Une petite anecdote : j'ai dû aller magasiner récemment dans un magasin de fournitures de bureau et la première chose que la caissière m'a demandée, c'était mon code postal! Cocasse, tout de même. Bref, ma famille et moi sommes repartis vers l'autre hôpital. Ça n'a pas été facile de me convaincre, ce fut même très pénible. Vous savez, cette histoire de code postal est toujours en vigueur dans plusieurs centres hospitaliers au Québec. C'est seulement en psychiatrie que cette règle illégale existe. Dans aucun autre service médical les patients sont ostracisés à ce point. Je me demande toujours la raison pour laquelle le gouvernement laisse ainsi aller les choses.

Une fois admis à l'hôpital, on m'a déshabillé et on m'a affublé de la légendaire jaquette bleue avec la craque en arrière. On m'a ensuite demandé de m'asseoir et de patienter dans la salle d'attente. Là, on attend, attend, et attend encore! Je crois que c'est dans une salle d'attente qu'ils ont inventé le mot *patient*!

A un moment donné, j'ai entendu mon nom dans les haut-parleurs de la salle d'attente. Je suis entré dans le bureau de consultation et j'ai vu le psychiatre avec les résidents et les internes en médecine. Tous mieux vêtus les uns que les autres et moi, nu sous une jaquette. Je serrais la jaquette près de mon corps pour être certain qu'il n'y avait aucun petit bout de peau qui dépassait! J'étais très mal à l'aise ainsi vêtu devant eux. Je me demande souvent pourquoi ils nous dévêtissent systématiquement lors d'une entrevue avec un psychiatre à l'urgence?

J'aimerais bien tenter l'expérience lors d'une réunion dans le réseau de la santé mentale. Je demanderais à une personne de passer toute la réunion nue sous une jaquette d'hôpital. On peut imaginer que la personne en jaquette n'aurait pas beaucoup de crédibilité devant ses collègues bien vêtus. Sans parler du malaise de la personne en jaquette qui serait très certainement palpable.

---

[4] Dans certaines villes comme Montréal et Québec, les services psychiatriques sont organisés selon des secteurs dans la ville. Ceux-ci sont jumelés avec des hôpitaux de soins généraux ou psychiatriques.

On m'a donc gardé sous observation à l'urgence pour la nuit puis, libéré le lendemain matin. Malheureusement, j'ai dû être réhospitalisé rapidement. Connaissant maintenant le système des codes postaux, j'ai utilisé un subterfuge en donnant le code postal correspondant à l'hôpital où je voulais être traité. Pas si fou que ça finalement!

Après une interminable attente, j'ai enfin vu un médecin. Je dois admettre que j'étais peu cohérent dans mes conversations, car j'étais en pleine crise. Je me souviens, la psychiatre n'arrivait ni à me comprendre ni à m'apaiser. J'ai donc décidé de quitter son bureau et de la laisser parler toute seule. Je marchais dans les corridors de l'urgence, puis j'ai entendu à l'interphone *code blanc à l'urgence!* J'ai vu courir cinq ou six gaillards vêtus d'un uniforme blanc. Ces préposés prenaient à mes yeux l'aspect d'une *équipe de football* très bien entraînée. Je me suis collé contre un mur, en prenant soin de rentrer mon ventre, pour les laisser passer, parce que je croyais qu'ils couraient après un ballon. Je me suis vite rendu compte que le ballon, c'était moi!

Aujourd'hui, ce genre d'incidents se produit de moins en moins grâce, entre autres, à l'initiative de quatre valeureuses personnes de notre institut en partenariat avec l'Institut Douglas et du Centre hospitalier de Charlevoix. Ils ont initié la méthode OMÉGA, et ce, vers la fin des années '90. OMÉGA est l'acronyme des mots : Observer, Mesurer, Évaluer, Gérer et Accompagner. Cette méthode d'intervention de crise fait appel à la pacification de la crise et interpelle l'émotion de l'individu plutôt que son comportement. Cette formation est offerte par l'Association paritaire pour la santé et la sécurité du travail du secteur affaires sociales, communément appelée l'ASSTSAS. Je tiens à rendre hommage aux concepteurs de la méthode OMÉGA puisqu'ils sont aussi des précurseurs du rétablissement. Il s'agit de Sylvain Pouliot, Bruno Guillemette, André Harkois, Martine Dion et Clermont Sévigny. Par ailleurs, Clermont qui est aujourd'hui un collègue de travail, m'expliquait que j'avais été alors victime de l'ancienne méthode d'intervention de crise, la méthode PAP. C'est-à-dire *pogne – attache – pique*.

Cette façon de procéder est extrêmement traumatisante pour ceux qui la subissent. Quand les grands gaillards m'ont agrippé sans aucune explication, je croyais que j'étais agressé par des voyous et que je devais me défendre. J'étais terrorisé, je hurlais comme une bête traquée. La tentative a d'abord échoué, ils n'arrivaient pas à me maîtriser. Une deuxième équipe est arrivée et là, à 10 contre 1, ils ont réussi, mais avec difficulté. Placé en chambre d'isolement, ficelé comme un saucisson, piqûre d'Haldol[5] à libération rapide dans une fesse, porte barrée, j'étais humilié. À partir de ce moment-là, j'ai même eu droit à un service V.I.P., car on me suivait partout, encadré par un service privé au cas où....!

Le traumatisme subi lors de l'hospitalisation laisse des séquelles et nuit au lien thérapeutique essentiel au rétablissement. Souvent, lorsque je discute avec des personnes atteintes d'un trouble grave de santé mentale, ils me parlent du traumatisme subi lors de leur première hospitalisation. Pour certains d'entre eux, cela fait un an, cinq ans, dix ou même trente ans. Malgré tout, le traumatisme de la première rencontre avec l'hôpital perdure. Il faut changer cette mentalité. La violence de cet épisode me marquera profondément et engendrera très longtemps une grande méfiance envers les intervenants censés m'aider.

Je suis une personne, pas une maladie!

Je me souviens encore des heures passées dans la salle d'isolement, mis sous contention. Toutefois, je me souviens aussi de doux moments passés avec les membres du personnel, car il n'y a pas eu que de tristes jours. Je vais vous raconter de quelle façon je suis devenu la personne que je suis maintenant.

À ma sortie de l'hôpital, je vivais de la stigmatisation et j'étais prisonnier des effets iatrogènes de ma médication, c'est-à-dire induits par eux. J'étais alors un adepte fidèle du phénomène de la porte tournante, pris dans le cercle vicieux des allers-retours en institution. Lors d'un de mes nombreux voyages en institution psychiatrique, j'ai reçu un verdict sans équivoque :

---

[5] Haldol, nom commercial pour halopéridol

« Vous êtes fini. Votre proche est fini. Votre proche ne pourra plus jamais travailler, ni avoir une vie sociale ou sentimentale. »

Autour de la table, mes proches, le travailleur social, tous les soignants et le psychiatre restent silencieux. Le verdict est sans appel soutient le psychiatre. Tout se bouscule dans ma tête. Je suis un homme jugé, condamné qui ne peut et ne doit pas résister. Avec tous les médicaments que j'ai dans le corps, pourrait-il en être autrement?

« Votre proche souffre d'une maladie mentale grave. » Tout à coup, pris de vertige, mes proches sont complètement abattus, impuissants. Ils pensent : tous ses rêves s'écroulent, ses projets et ses ambitions : F-I-N-I! Même son souhait d'être admis à l'Université disparaît, et cela, d'une seule parole, se disent-ils.

Les bruits dans le couloir, c'est l'équipe de soignants, l'équipe de football, la porte s'ouvre et une seconde plus tard, ils m'amènent pour toujours dans ces couloirs lugubres, sans vie et ternes de l'hôpital.

L'enfermement, c'est tout un traumatisme! Être nu sous une jaquette, mis en contention, avoir peur des autres, ne pas comprendre le rôle du personnel, est-ce que j'étais hospitalisé ou enfermé?

J'ai connu la révolte d'avoir tout perdu et on ne le reconnaissait même pas! Je découvre que la psychiatrie a été pour moi une agression. J'y ai vécu la peur et la violence.

> *J'en suis venu à croire que j'étais dangereux,*
>
> *que ma vie était finie,*
>
> *que plus jamais je n'aurais une vie normale.*
>
> *Entouré de professionnels de la santé qui ne croyaient plus en moi,*
>
> *nous formions toute une équipe!*

Les privilèges

Arrivé sur le département de psychiatrie, j'ai été sidéré d'apprendre que je devais *gagner des privilèges*. Après une période d'évaluation par le personnel afin de vérifier si on représente un danger pour soi ou pour les autres, commence la longue quête des privilèges. Je n'aime pas ce mot. Être soigné est un droit au Canada comme dans plusieurs pays occidentaux, un droit fondamental. Si je suis admis sur une unité de soins physiques, je n'ai pas à gagner le privilège d'être traité, alors...pourquoi faudrait-il que ce soit le cas en psychiatrie?

Pouvoir circuler dans l'établissement, mettre mes vêtements, avoir un calepin et un crayon pour écrire, tout devient un *privilège* en psychiatrie. Si mon attitude est bonne, on m'accorde des *privilèges* : une sortie au bingo ou aux ateliers de dessin ou encore une visite de quelques heures à la maison. Mais puisqu'on me dit fini, ces avantages ne réussissent pas à me redonner du courage. De plus, les rapports humains à l'hôpital sont pour le moins difficiles. J'en ai marre des sempiternelles questions au sujet de la médication et des négociations autour des *privilèges* pour tout et pour rien!!! Il y en a qui pètent les plombs et on se demande pourquoi.

Dans mon travail actuel, j'aime bien taquiner mes collègues médecins en leur disant que les seules personnes qui doivent avoir des *privilèges* à l'hôpital, ce sont les médecins eux-mêmes. Pratiquer la médecine au Québec n'est pas un droit, mais bel et bien un privilège![6] Je pense que la notion même de *privilège* est potentiellement abusive et dans une approche de rétablissement, elle doit être questionnée. Je suis bien conscient qu'une question de sécurité peut suspendre temporairement l'exercice de certains droits comme celui de circuler librement à l'intérieur et à l'extérieur de l'hôpital. Nous devons alors discuter avec les personnes hospitalisées des raisons thérapeutiques qui limitent la circulation dans un établissement de santé, comme en infectiologie par exemple. Les *privilèges* ne doivent pas être utilisés comme punitions, mais en accord avec la personne pour des raisons thérapeutiques.

---

[6] Loi sur les services de santé et les services sociaux (LSSSS), articles 237, 238, 241, 242, 243

Une approche thérapeutique novatrice...

J'en avais marre et j'étais si mal en point que ma famille a fait des pressions pour qu'on change l'approche du traitement. De guerre lasse, la direction de l'hôpital transfère mon dossier à une autre équipe qui prend les *causes désespérées.*

La première séance avec ma nouvelle équipe ne se passe pas du tout comme je l'avais imaginée. Elle se déroule en fait très bien.

L'équipe m'expose d'emblée que la maladie mentale n'est pas un mal incurable. Selon plusieurs études, une grande proportion des patients pourrait espérer avoir une très belle qualité de vie, et ce, en utilisant un traitement approprié.

Au cours de cette rencontre, les membres de l'équipe ne me demandent ni de résumer mon diagnostic ni de décliner la liste de mes médicaments : un miracle! De plus, on me parle doucement et ouvertement comme si on jasait entre amis au café du coin. La meilleure médecine pour recouvrer un équilibre, me dit-on, est de trouver un sens à sa vie.

Dans une autre rencontre une intervenante me demande :

« *As-tu des rêves, des projets, des ambitions, Luc? Cette souffrance que tu vis, penses-tu qu'elle peut servir à quelque chose? Penses-tu qu'elle peut avoir un sens?* »

Durant deux secondes, je pense être tombé sur une folle à lier. Elle est folle celle-là, elle est plus malade que moi. Peut-être qu'elle aussi prend des pilules, mais qu'elle a oublié de les prendre ce matin!

À ce moment-là, je prenais trente-deux pilules par jour, je ne me lavais pas, je dormais quinze heures par jour, pourquoi aurais-je des rêves ou des ambitions? J'étais FINI de toute façon!

« *Trouve une chose qui te passionne et tu reviendras m'en parler* », me dit-elle.

Toute la semaine, je me creuse la caboche, ça me travaille. J'essaie de répondre aux questions de mon équipe soignante. La tête me tourne, tourne et, assis dans la cuisine de mon un et demi, je cherche. Je décide de regarder la télé. Je n'ai d'ailleurs qu'à pivoter de 90 degrés avec mon fauteuil et je suis maintenant rendu au salon.

Pour me détendre, je regarde les débats de l'Assemblée nationale à la télé. Marie-Luce me taquine souvent en conférence en disant aux participants : « *On voit bien qu'il lui reste quelques symptômes.* » Depuis longtemps, j'aime voir les politiciens s'obstiner et argumenter. Il y a plus! Pour moi, la politique est une façon de se remonter les manches pour changer les choses, changer le monde. Soudainement, un flash! La politique est une passion pour moi. Je me dis que je peux être député! Par contre, dans mon dépliant de promotion, sous la rubrique CV on retrouverait : *schizophrène!* Est-ce que la population est prête à voter pour quelqu'un qui affiche ouvertement avoir un diagnostic de schizophrénie? Est-ce qu'elle est prête à reconnaître que le rétablissement est possible? Je n'en suis vraiment pas certain. Je pourrais plutôt devenir conseiller politique et ça me passionnerait tout autant.

Lors de ma deuxième rencontre, je ne suis toujours pas rasé, emmuré par la médication, je marche en tanguant et je n'ai qu'une seule idée : retrouver mon lit. J'annonce pourtant à mon intervenante mon désir de devenir conseiller politique. Elle me regarde avec ses beaux grands yeux qui brillent et me répond : « Ça va leur faire du bien! » Tout le monde se montre enthousiaste, puis elle m'élabore un plan d'intervention en lien avec mon nouveau projet.

Plutôt que de lutter à éliminer les symptômes de la maladie,

l'équipe prône un traitement

qui tient compte du projet de vie de la personne.

Je sens monter en moi un sentiment depuis longtemps disparu, proche de l'excitation. Je suis maintenant convaincu que ma souffrance peut servir à d'autres et qu'en l'exprimant, elle pourrait contribuer à ma propre guérison. Est-il possible d'essayer de changer notre façon de voir la maladie?

Un projet de vie, ça ne se discute pas! Une passion, c'est propre à chacun. Je connais un membre de l'APUR[7] qui a une passion : l'aménagement paysager, alors que moi je suis nul et même très nul dans ce domaine. Si on m'avait imposé de devenir paysagiste, il y a de grosses chances que vos terrassements auraient été très laids. De la même façon, si on demande à mon ami de vivre ma passion, il y a aussi de fortes chances que ça ne lui dise rien.

Mon intervenante me parle de mon projet de vie. Je ne me perçois plus comme n'étant qu'un malade avec des faiblesses, mais plutôt un futur conseiller politique avec d'innombrables forces. Au lieu de me rappeler constamment mes limites, elle axe ses interventions sur mes forces.

« *On va aller dans des assemblées, tu pourras croiser des politiciens, des gens impliqués dans leur milieu.* »

Quelques semaines plus tard, découragé, je dis à mon intervenante : « *Personne ne m'approche, comme s'ils avaient peur de moi!* ». Elle réplique : « *Mais Luc, tu pues, tu ne te laves pas, ton hygiène corporelle est catastrophique.* » Avant, je ne voyais pas de motivation à me laver. Tout à coup me laver prenait un sens. Au fur et à mesure de ma réinsertion, je découvrais de nouvelles perspectives de vie.

Un jour, je fais la rencontre d'une femme, et je sens que nous avons une attirance l'un pour l'autre. Ça fait si longtemps que j'ai fait du charme à une femme que je ne me souviens même plus comment faire! J'ai soudainement l'idée de l'inviter à la maison et de lui préparer un bon repas. Mais voilà, j'ai perdu l'habitude de concocter de merveilleux repas puisque je mange souvent dans les organismes caritatifs. Cela me permet de boucler mes fins de mois! Je retourne voir mon intervenante et je lui dis : « Tu sais, tes ateliers de cuisine dont tu me parles depuis si longtemps et que je refuse tout le temps ...et bien là, ça m'intéresse! » Redécouvrir mes habiletés de cuisinier avait soudainement un sens. Je me suis mis à la tâche et ma stratégie a superbement bien fonctionné avec ma nouvelle conquête. L'am-

---

[7] Association des personnes utilisatrices des services de santé mentale de la région de Québec

biance parfaite, puis on se retrouve au lit. Un léger détail me stupéfia : pas d'érection! Je retourne voir mon intervenante et je lui dis : « Tu sais tes formations sur la médication, et bien cette fois-ci je suis très, très intéressé à mieux gérer ma médication. »

Imaginez, un beau jeune homme comme moi privé de sa vie sexuelle! À l'aide d'un pharmacien, j'ai pu déterminer quel médicament causait ce problème. Je me suis donc rendu chez mon médecin pour négocier avec lui un changement de médication. Suite aux changements, mes fonctions érectiles sont revenues à la normale! Ce qui m'a amené à constater l'importance d'une vie sexuelle saine pour garder un équilibre mental!

> *Seule la personne est apte à décider pour elle de ses projets de vie.*
>
> *On retrouve toujours une partie saine en chacun de nous.*

Le Savoir, c'est le Pouvoir

Grâce à cet épisode, j'ai réalisé que plus nous possédons de connaissances, plus nous possédons le pouvoir d'agir sur notre vie. J'ai poursuivi ma quête de savoir en me rendant au groupe d'entraide entre pairs de ma région. J'y ai découvert un univers riche et diversifié. De plus, cette activité est essentielle; j'ai été accueilli sans jugement. Pour eux, j'étais *une personne et non une maladie!* Le seul fait d'être une personne a changé toute la perception que j'avais de la vie et de moi-même. J'ai réalisé que les diagnostics psychiatriques sont probablement très pertinents dans le cadre de recherches scientifiques, mais ils peuvent vite devenir stigmatisants dans le cadre d'interventions cliniques. Dès lors, je n'étais plus seul.

Mes pairs et moi avons réuni nos forces pour continuer notre quête d'informations à propos de nos problèmes de santé mentale et de pharmacothérapie. Nous qui étions des buveurs de café avons découvert dans nos recherches que les molécules chimiques de la caféine et celles des neuroleptiques ne font pas bon ménage. En modifiant ainsi notre consommation de caféine, nous avons optimisé l'effet thérapeutique des médicaments.

Malgré toutes ces démarches, une souffrance incommensurable continuait de m'habiter. C'est elle qui m'a amené à rendre visite à un prêtre, et cela, même si au fil des années, j'étais devenu athée. Ce prêtre m'a remis une pierre et il m'a demandé de la tenir dans ma main durant toute la durée de notre rencontre. Je lui ai donc raconté ma vie pendant près de deux heures trente, une pierre à la main, et le prêtre restait là, à m'écouter. À la fin, je lui ai dit que j'étais profondément persuadé que Dieu ne pouvait pas me pardonner toutes les choses que j'avais faites dans ma vie que je jugeais moi-même impardonnables. C'est alors qu'il m'expliqua que nos fautes impardonnables se trouvent tout au fond de notre cœur et elles sont un poids embarrassant à porter telle la pierre que je tenais dans ma main depuis deux heures et demie. Alors, il me demanda de lui remettre la pierre qui contenait les choses que je jugeais impardonnables dans ma vie. Je lui ai remis la pierre et le poids que je traînais au fond de moi s'est envolé. Une sensation de légèreté m'a envahi et, sans savoir pourquoi, ma santé mentale s'est spontanément améliorée.

Fort de cet éveil spirituel et d'une armada d'informations sur ma santé mentale, j'ai décidé de créer une échelle d'évaluation de mon état mental. Je la cotais de 1 à 5, 1 signifiait que j'étais bien et 5 que j'étais hospitalisé. À chaque étape, j'ai élaboré des solutions, par exemple :

Étape 1

Je suis bien. Qu'est-ce que je fais pour être bien? Je vois ma famille, mes amis, mon groupe d'entraide, mon médecin, mon travailleur social, mon infirmière. De plus, je fais de la marche, de la lecture, du dessin, de la méditation et je fais l'amour!

Étape 2

Je néglige mon hygiène personnelle, mon réseau social. J'oublie, de façon répétée, mes rendez-vous avec mes divers intervenants. Solution : je contacte une personne significative pour moi dans mon réseau social ou mon réseau d'intervenants. Je discute avec cette personne et je vois la meilleure solution pour revenir à l'étape 1.

Étape 3

Je souffre d'insomnie, mon niveau d'angoisse est très élevé, je m'isole de plus en plus, j'ai une baisse de libido. Solution : je contacte une personne intervenante, possédant une expertise plus spécialisée au niveau de la santé mentale. Cette personne peut travailler dans un centre de crise ou dans un centre de traitement spécialisé, le but étant d'apporter des correctifs à mon état mental.

Étape 4

Je souffre de plus en plus d'insomnie ce qui engendre des idées noires, de l'obsession mentale, de la paranoïa, etc.... Solution : je contacte mon médecin traitant dans le but d'obtenir une médication temporaire qui m'aidera à retrouver le sommeil. Cette médication qu'on appelle un PRN vient du latin *pro re natta*. Moi j'appelle cela *pour rendre nono!* Mais, parfois, il vaut mieux prendre le PRN pour devenir *nono* et dormir que de laisser la place à la maladie. Par la suite, je contacte mon intervenante psychosociale pour qu'elle effectue un suivi plus intensif. De plus, je demande à un de mes pairs de venir passer quelques nuits à la maison pour me sécuriser.

Étape 5

Je suis hospitalisé; j'ai donc négligé les étapes 1, 2, 3 et 4. Je dois réviser mes solutions des 4 étapes antérieures afin d'éviter de revenir à l'étape 5 ultérieurement. Il est important de noter que quand je parle de personnes intervenantes, ces dernières peuvent aussi bien oeuvrer dans le réseau communautaire, alternatif ou public.

Après avoir conçu cette échelle, j'ai réalisé que je devais aussi trouver des moyens ou un outil pour évaluer rapidement à quelle étape je me situais. Le premier outil que j'ai utilisé fut de tenir un journal de bord quotidien qui m'aidait à voir, jour après jour, où je me situais sur mon échelle. Ce journal de bord fut d'une grande utilité, mais il m'est arrivé quand même de sauter des étapes à mon insu. Des personnes de mon entourage essayaient, à l'occasion, de discuter avec moi pour savoir où je me situais, mais en vain, je ne les écoutais pas. Afin de mieux gérer ma santé mentale avec mon échelle de 1 à 5 et mon journal de bord, j'ai conclu une entente avec trois personnes très significatives pour moi. Je me suis engagé à les écouter et elles, se sont engagées à respecter mes décisions quelles qu'en soient les conséquences. Ces personnes, je les ai affectueusement surnommées mes *garde-fou*.

Mes *garde-fou* étaient en fait deux amis proches et une professionnelle de la santé. J'avais maintenant mon échelle de 1 à 5, mon journal de bord et mes *garde-fou*. Mais il me manquait encore quelque chose, sans que je sache très bien ce que c'était. Un jour où j'étais avec mon groupe d'entraide, un homme aux yeux brillants qui dégageait des ondes vibratoires positives arriva et s'assit à côté de moi. J'ai découvert que cet homme avait eu un parcours sensiblement semblable au mien. Il me proposa d'être mon mentor. Il me fut d'une aide sans commune mesure! Il m'a aidé à cheminer vers mon équilibre mental. Il m'a donné l'espoir d'avoir une vie dite normale et il m'a accompagné dans mon projet de vie.

Même si les outils que j'ai développés sont les miens et non ceux des autres, ils peuvent toutefois être adaptés selon les besoins de chacun. J'ai présenté mes outils et mon plan d'action aux membres de mon groupe d'entraide, aux membres de ma famille qui, soit dit en passant, ont toujours été présents dans mon cheminement. Je les ai également présentés aux professionnels de la santé qui m'accompagnaient. Ils ont accepté mon plan d'action, non sans contester, mais c'était ma décision. Cette façon de faire a eu l'effet d'optimiser les interventions lors de situations de crise. Par exemple : quand je téléphonais à mon médecin traitant et que je lui disais que j'étais à l'étape 4, ce dernier me prescrivait sur-le-champ des médicaments pour mon insomnie et nous prenions rendez-vous pour le lendemain ou le surlendemain.

Ce processus d'appropriation du pouvoir sur ma vie a eu pour effet d'augmenter ma qualité de vie et ainsi rompre l'élastique qui me retenait au centre hospitalier.

Finalement, le Ministère de la santé et des services sociaux du Québec m'a demandé d'écrire un texte sur le sujet. Je dois souligner que le Ministère fait de plus en plus appel à l'expertise des personnes qui vivent avec un trouble mental. Vous pouvez visiter leur site Web www.masantementale.gouv.qc.ca et ainsi avoir accès à d'autres outils. Je vous réfère au chapitre sur la reprise du pouvoir d'agir du présent ouvrage pour plus de détails.

Les hauts et les bas d'une psychiatre

Dre Marie-Luce Quintal

Les hauts et les bas d'une psychiatre

Pourquoi une psychiatre ferait-elle un témoignage sur son rétablissement? Cela semble paradoxal, une psychiatre ça s'occupe du rétablissement des autres, elle doit donc être *rétablie!*

Quelle erreur de se croire *immunisée* contre les affres de la maladie mentale quelle qu'elle soit! Dans les faits, je n'étais même pas bien préparée à soutenir le rétablissement des autres puisque je n'avais même jamais entendu parler de cette réalité. Ces nombreuses années d'étude m'ont permis d'acquérir d'innombrables connaissances toutes plus utiles les unes que les autres, mais je pense qu'elles m'ont peut-être aussi un peu déformée et qu'elles ont même pu augmenter mes préjugés. Il a donc fallu me rétablir d'une certaine façon de cette formation afin d'être capable par la suite d'accompagner les personnes sur leur parcours vers le rétablissement. Permettez-moi de partager avec vous ma petite histoire.

Septembre 1980

Première journée d'université en *médecine*, je suis déguisée en sorcière puisque c'est le thème de l'initiation de l'année. Assise dans l'autobus avec mon balai et mon chapeau, je me sens plutôt mal à l'aise. Heureusement, un autre sorcier monte à son tour. Le costume favorise les échanges et nous resterons amis durant toute la période de nos études. Mais cela est une autre histoire. Finalement arrivée au pavillon Vandry, je suis assise avec 160 futurs médecins dans le grand amphithéâtre. Le doyen vient nous souhaiter la bienvenue. Il nous dit, entre autres, une phrase qui restera gravée dans ma mémoire : « Vous êtes la crème de la société. »

La crème... rien de moins! Moi, qui vient d'une famille de classe moyenne, qui n'a jamais fait partie de l'élite, je fais maintenant partie de la *crème* de la société. Ça fait un petit velours de se faire dire qu'on est *crémeux!* Mais quand j'y repense un peu, tous mes amis qui étudient à l'université le sont probablement autant que moi. Bien des années plus tard, alors que je suis en train de tenter d'imiter le bruit de mon moteur à un garagiste compréhensif, je repense à cette phrase du doyen et je ne me sens plus du tout la *crème de la société.*

Tout est une question de circonstances. Parfois je donne, d'autres fois je reçois. Chaque personne est unique et essentielle à la société, ni plus ni moins.

Début des années '90

Les années passent, je suis résidente en psychiatrie, j'étudie beaucoup, et on me fait comprendre que ce que j'apprends correspond à l'ensemble des connaissances des autres intervenants en psychiatrie quels qu'ils soient : infirmières, éducateurs, psychologues, travailleurs sociaux, etc. Même si ça peut paraître difficile à croire au premier abord, je finis par adhérer à cette façon de voir puisque je fais partie de l'élite! D'ailleurs, en janvier 1991, lorsque je commence à travailler sur une unité de longue durée à l'hôpital psychiatrique, les intervenants présents à ce moment-là agissent comme si je savais tout. Je vous donne un exemple : nous sommes assis autour d'une table et discutons des personnes hospitalisées depuis des années, des personnes qu'ils connaissent et avec qui ils ont établi des liens et ils se retournent vers moi, nouveau psychiatre, quêtant une solution aux problèmes présents depuis très longtemps. Je me dis alors : *Allez hop docteure, puise dans ta mémoire, la réponse doit se trouver quelque part dans tes nombreuses heures d'études.* J'ai dû sauter quelques pages ou avoir dormi lors d'une présentation, mais je ne me souvenais pas d'une formule magique, celle qui règle tout. Tout paraissait si simple, des symptômes, un diagnostic, un traitement (pilules, thérapie) et voilà le miracle se faisait, les personnes étaient reconnaissantes et pouvaient à nouveau goûter aux joies de la santé mentale! Ce fut un dur contact avec la réalité, de la toute-puissance médicale, presque divine, à l'impuissance, et cela, en moins de temps qu'il n'en faille pour l'écrire!

Mon premier réflexe est d'attribuer l'échec aux autres. Et si c'était eux, les intervenants, qui ne savaient pas me présenter adéquatement le problème ou appliquer la solution selon les règles de l'art? Ou bien, ce sont ces personnes, usagères, patientes, clientes…, qui ne collaborent pas bien au traitement. Voilà, une bonne façon de se tirer de l'impuissance, ne pas être responsable des échecs!

L'apprentissage de la réadaptation psychiatrique

Heureusement, cette unité de longue durée faisait également de la réadaptation psychiatrique. Un projet de sortie de cette unité à l'extérieur de l'hôpital sous la forme d'appartements de réadaptation était sur la table. Comme je ne connaissais pas grand-chose à la réadaptation psychiatrique, je me suis présentée à un colloque organisé par l'AQRP[8] et là, j'ai eu un choc, peut-être même plus fort qu'un électrochoc! Imaginez, je me suis retrouvée au milieu de près de 800 personnes, intervenants de toutes sortes du réseau traditionnel et communautaire, de proches de personnes atteintes, de gestionnaires et... d'usagers!!! Ma première réaction est de me demander mais que font-ils tous ici? Quel drôle de colloque! Que diraient les autres psychiatres, ceux qui ne se présentent pas dans de telles assemblées? Que dois-je penser? Je décide de rester, mais sans savoir que les psychiatres n'ont pas toujours bonne réputation dans ce milieu. Ce n'est pas qu'on ne reconnaisse pas leur expertise, non, c'est plutôt qu'on aimerait qu'ils soient plus présents et surtout qu'ils descendent de leur piédestal.

Au départ, je prends la position de tenter de défendre tous mes collègues et je me sens visée par toutes les remarques, qui ne sont pas si nombreuses que ça dans les faits. Puis, je décide de ne pas jouer au sauveur et de ne prendre que ce qui pouvait me concerner. J'ai adoré ce colloque. J'y ai rencontré des personnes formidables, passionnées qui travaillent sans cesse à l'amélioration de la qualité de vie des personnes atteintes d'une maladie mentale grave. J'ai compris que nous avons à travailler ensemble, dans la même équipe contre la maladie et non les uns contre les autres en laissant la maladie compter des buts. J'ai réalisé que, malgré mes nombreuses connaissances, j'avais encore beaucoup à apprendre. Ce fut un premier pas sur le chemin du rétablissement.

Puis, j'ai été prise dans le tourbillon, incapable de dire non, j'ai travaillé au sein du CA de l'AQRP pendant plusieurs années et ce fut une école formidable.

---

[8] Association québécoise pour la réadaptation psychosociale

L'univers du CLSC

Parallèlement aux unités de longue durée, j'ai aussi été appelée à travailler au CLSC où le syndrome de la blouse blanche n'existait pas! Je n'étais pas attendue comme un sauveur, mais comme un partenaire. Je dois dire que la position d'égalité est beaucoup plus facile à tenir. Ils ont été des collègues de travail exceptionnels et même des amis. Voilà un deuxième pas sur le chemin du rétablissement!

Le mur

J'ai trouvé ma voie. J'adore mon travail et je m'investis sans compter avec les équipes pour mettre sur pied des ressources de réadaptation psychiatrique dans la ville. Nous avons le vent dans les voiles et nous commençons à récolter les fruits de notre labeur. Tout le monde est content... puis, un jour... des changements dans l'organisation et on parle de couper les services : « Vous pouvez faire la même chose avec la moitié du budget. » Comment faire la même chose avec la moitié du budget? C'est impossible! Me voilà sur le sentier de la guerre afin de faire valoir le travail et l'expertise développés au cours des années. Et j'y mets du cœur jusqu'au jour où sans trop réaliser ce qui se passe, je *pète* les plombs sur une unité, moi qui suis si tolérante! Un collègue s'assoit à côté de moi et me demande : « Est-ce que ça va? » Non, ça ne va pas, est-ce que ça se voit tant que ça?

On travaille dans le domaine de la santé mentale, on n'a donc aucun préjugé, vraiment aucun préjugé, mais je dois avouer que la discussion avec mon médecin de famille à propos de *ma* santé mentale a été plutôt difficile. J'ai bien tenté de donner le change en *négociant* mon diagnostic, merci docteur d'avoir joué le jeu, mais la réalité restait la même. Je retournais chez moi avec un papier médical me mettant en arrêt de travail pour un problème de santé mentale! De la toute-puissance sur la vie des autres à l'impuissance dans ma propre vie, c'est ce qu'on appelle une *débarque*.

Me voici à la maison, avec beaucoup de temps pour me reposer, mais avec un vague sentiment de culpabilité. Qu'est-ce que je fais ici alors que les autres travaillent? Je me sens faible et un peu honteuse, mais je sais que je n'étais plus capable de donner un rendement acceptable. La batterie est à plat, le citron est vidé de son jus, tout me semble être une montagne.

La remontée

Le repos, beaucoup de repos, puis réfléchir à ce qui s'est passé. Qu'est-ce qui m'a amenée dans ce cul-de-sac? Des choses personnelles bien sûr, le travail n'est qu'une partie de ma vie. Mais dans cette part du travail, j'entrevois une partie de mon impuissance qu'il m'est bien difficile d'accepter : je ne peux pas tout décider! Je ne suis pas la directrice générale de l'hôpital et je n'ai pas l'intention de briguer le poste, je n'ai qu'un pouvoir d'influence. Ce n'est pas rien, mais c'est limité comme pouvoir.

Si je ne veux pas retomber aussitôt relevée, je me dis qu'il faut que je sois prête à envisager la fermeture des ressources qui me tiennent tant à cœur. Comme c'est facile à dire, mais combien difficile à faire! Je m'encourage comme je peux en me disant que de toute façon, ce ne sera pas la fin du monde, que je continuerai à travailler dans un métier que j'aime, mais ailleurs, ni plus ni moins. Je finis par me convaincre que le deuil est fait et que l'on ne m'y reprendra plus.

Le retour

Quelques mois plus tard, me voici de retour au travail, dans une version améliorée de moi-même. Du moins, c'est ce que je crois jusqu'à ce que je fasse une entrevue où un usager sort de mon bureau parce que je ne comprends pas ce qu'il veut me dire. Vous savez, il y a les bonnes entrevues et les moins bonnes. Celles que l'on voudrait léguer à la postérité en exemple pour tous les futurs psychiatres, celles où l'on espère que personne n'a pu nous entendre et toutes les autres qui font partie de la bonne moyenne. Celle que je venais de faire devait appartenir à la catégorie à oublier.

J'en suis là, à me demander ce qui vient de se passer et à chercher ce que j'ai pu manquer quand un autre usager s'arrête à ma porte, me regarde, puis dit : « Docteure, des fois vous prenez ça trop à cœur. » Voilà, résumée en une phrase, une grande vérité : je ne pourrai pas tous les aider, je ne sais pas tout, des fois je suis fatiguée, des fois je suis en pleine forme, parfois je trouve exactement ce qu'il faut faire et d'autres fois je suis dans *le champ*. La toute-puissance est simplement une façon de cacher notre impuissance.

Le véritable pouvoir

Graduellement, je poursuis la quête de mon véritable pouvoir d'agir. Comme pour les utilisateurs de services, je pense qu'il s'agit de la clé qui ouvre la porte du rétablissement. Celui qui fera de moi une personne accomplie. Le processus est long. En fait, il n'y a que le processus qui compte puisqu'il n'a pas de fin.

Je dois avouer que cette position est beaucoup plus facile à tenir même si elle est moins glorieuse. En effet, il est agréable de se penser tout-puissant, mais beaucoup moins fatigant de reconnaître nos limites!

Métissage d'expériences menant à une théorie du rétablissement

Dre Marie-Luce Quintal et Luc Vigneault

Métissage d'expériences menant à une théorie du rétablissement

Marie-Luce : Il est difficile de parler de théorie quand on aborde le processus du rétablissement, car celui-ci est, d'abord et avant tout, une expérience de vie. Par le fait même, il peut revêtir différents aspects selon la personne qui le vit. Comment alors faire ressortir les points communs pour le décrire sans perdre la richesse de la diversité des expériences individuelles? Le défi est de taille!

Je pense également qu'en tant qu'intervenants, nous avons aussi à faire, d'une certaine manière, l'expérience de ce processus en laissant de côté nos repères habituels et nos certitudes rassurantes. Cela demande une grande capacité d'adaptation pour les intervenants. On peut dire qu'il s'agit d'un changement de paradigme. Je ne suis plus celui ou celle qui sait tout et qui doit dire à l'autre ce qu'il faut faire, mais simplement une personne qui partage son savoir avec une autre personne qui, elle-même, a un autre savoir. Vous avez bien lu, travailler pour favoriser le rétablissement des personnes implique que je reconnaisse que la personne a non seulement son mot à dire dans les décisions qui la concernent, mais qu'elle a un savoir que je n'ai pas malgré toutes ces années d'étude!

Mais de quel savoir est-il question me demanderez-vous? Par exemple, il n'y a que la personne elle-même qui sait ce qu'elle aime et ce qu'elle n'aime pas. Comme elle vit avec la maladie et les symptômes, elle est souvent capable de les reconnaître et de voir l'effet positif de la médication et les effets secondaires qui en résultent. Elle sait aussi ce qui la motive, ce qui est important pour elle, ce qui a du sens, ce qu'elle est prête à laisser tomber et ce qu'elle ne peut absolument pas perdre. Surtout, elle seule, peut trouver son chemin vers **son** rétablissement.

Cette identification du savoir de l'autre ne m'empêche pas de reconnaître mes propres connaissances, scientifiques, professionnelles et toutes celles que j'ai accumulées au cours de mes années de travail.

Ensemble, la personne en rétablissement et moi comme intervenante, nous formons une équipe. Notre but : le rétablissement.

Celui-ci ne peut pas être seulement défini par la diminution des symptômes, la quête d'autonomie, le travail ou la fidélité au traitement. L'objectif ultime du rétablissement appartient à la personne et non à ce que je pense qu'elle doit obtenir pour être rétablie.

Nos outils dans cette lutte à finir contre la maladie sont les expertises particulières que nous mettons en commun. Et comme dans tout sport d'équipe, il faut se faire confiance, développer une complicité et éviter de compter dans nos buts!

Luc : Longtemps, avoir une maladie mentale a signifié frapper un mur, aboutir dans un cul-de-sac, une vie sans issue. Depuis la reconnaissance du processus de rétablissement, nous avons découvert qu'il existe une multitude de chemins permettant à la personne de vivre une vie pleine d'espoir. Le rétablissement ce n'est pas une utopie, il existe des études qui prouvent son existence. Laissez-moi d'abord vous parler de la personne qui est à l'origine des statistiques que je veux présenter ici : Patricia Deegan. Elle est une personne atteinte de schizophrénie. Elle avait un rêve : devenir psychologue. Elle a décidé un jour de poursuivre ses études jusqu'au doctorat. C'est formidable direz-vous, mais il faut savoir qu'elle a fait tout cela à l'insu de son médecin traitant, car elle craignait qu'il ne la décourage. Elle lui en a fait l'annonce seulement lorsqu'elle a obtenu son doctorat. Par la suite, Patricia Deegan est devenue chercheure et conférencière et c'est dans ce contexte qu'elle a réalisé une méta-analyse concernant différents résultats de recherches sur le rétablissement[9] à partir de sept études à long terme. Elle a trouvé un taux de rétablissement pour les personnes ayant une maladie mentale grave, y compris la schizophrénie, variant de 46 à 68 %.

Marie-Luce : Est-ce que ça veut dire qu'il n'y a que 46 à 68 % des personnes qui peuvent espérer se rétablir?

Luc : En fait, pas vraiment. Les chercheurs ne s'entendent pas encore sur une définition commune du rétablissement surtout que l'on pense que chaque personne a sa propre définition de son rétablissement. Ça complique un peu les recherches!

---

[9] Deegan,P.E., phD, Le rétablissement en tant que processus autogéré de guérison et de transformation, 2001 traduction Hubert Carbonnelle août 2005, p.9, Socrate Réhabilitation ® - www.espace-socrate.com

Marie-Luce : En effet! Ce qui veut dire que si nous utilisons des critères très stricts, nous obtiendrons un taux de rétablissement plus bas que si nos critères sont moins élevés. Il faut aussi ajouter que se rétablir ne signifie pas guérir, même si cette possibilité n'est pas exclue. Il ne faut pas confondre les critères de guérison avec ceux du rétablissement.

Luc : Dans les recherches en train de se réaliser, entre autres au Québec, on utilise les histoires des personnes qui se sont rétablies pour en arriver à mieux comprendre le processus du rétablissement. C'est ce qu'on appelle la théorisation ancrée[10]. De cette façon, on reconnaît l'expertise des personnes qui se sont rétablies, celle de leurs proches en plus de celle des intervenants qui les ont accompagnées. On arrivera sûrement de cette manière à une définition qui colle davantage à l'expérience vécue. Nous vous présentons tout de même quelques définitions qui sont loin d'être exhaustives, mais qui nous aideront à mieux cerner le concept du rétablissement.

Les définitions du rétablissement

À tout seigneur, tout honneur, commençons par celle de Patricia Deegan :

Deegan (1988)[11]

« *Le rétablissement est un processus, non pas un résultat ou une destination. Le rétablissement est une attitude, une manière d'approcher ma journée et les défis auxquels je fais face. Être en rétablissement signifie que je sais que j'ai certaines limitations et qu'il y a des choses que je ne peux pas faire. Mais plutôt que de laisser ces limitations devenir une occasion de désespérer et de renoncer, j'ai appris qu'en étant consciente de ce que je ne peux pas faire, je peux aussi m'ouvrir à toutes les possibilités des choses que je peux réaliser.* »

---

[10] La théorisation ancrée est une traduction de l'anglais (grounded theory). Cette méthodologie qualitative en recherche permet de développer un modèle théorique substantif, c'est-à-dire se rapportant à la dimension concrète des situations. Par ailleurs, elle préconise plusieurs sources de données. La théorisation ancrée exige de pousser l'objet d'étude au-delà d'une analyse descriptive en définissant les concepts et les théories et en les mettant en relation. Cette approche permet de pousser l'objet d'étude au-delà d'une analyse descriptive en définissant les conditions qui influencent le rétablissement, puis en les mettant en relation dans un modèle (schéma) qui a pour valeur une proposition minutieuse et raffinée (Strauss & Corbin, 1990). Sources : Sylvie Noiseux Ph. D. Présentation PowerPoint, 6 décembre 2006 et Méthodes de recherche en psychologie, Robert J. Vallerand et Ursula Hess. Édition Gaétan Morin. 2000.

[11] Deegan,P., Recovery :The Lived Experience of Rehabilitation, Psychosocial Rehabilitation Journal, 1988, vol. 11, no.4, p.11-19.

Marie-Luce : On pourrait parler ici du verre à moitié vide ou du verre à moitié plein. Quand je mets l'accent sur les forces, sur ce que la personne peut faire, sur ses capacités plutôt que sur ses incapacités, sans nier ses limites, je vois le verre à moitié plein. Par contre, lorsque je fais un plan d'intervention en insistant sur les difficultés et en passant vite sur les forces, comme si c'était une perte de temps, je vois alors le verre à moitié vide. Quand je mets l'accent sur les forces, je me sers d'un levier extrêmement puissant et c'est grâce à lui que la personne peut avancer et se rétablir.

Luc : Voici maintenant la définition du Docteur William Anthony, psychiatre et chercheur à l'Université de Boston :

Anthony (1993)[12]

Le rétablissement est un processus unique et profondément personnel concernant les aptitudes, valeurs, émotions, buts, habiletés et rôles de la personne. C'est une façon de vivre une vie satisfaisante pleine d'espoir et de participation, malgré des limites causées par la maladie. Le rétablissement nécessite le développement de significations et de buts nouveaux dans la vie de la personne qui grandit au-delà des effets catastrophiques de la maladie mentale.

Marie-Luce: J'aime beaucoup cette définition, car elle reconnaît le fait que la personne puisse grandir, sans nier les effets parfois catastrophiques de la maladie mentale. Elle met l'accent sur l'espoir d'un avenir meilleur, d'une vie satisfaisante.

Et puis, qu'est-ce qu'une vie satisfaisante? Si nous faisions un tour de table, chacun de nous aurait possiblement une définition tout à fait différente. Il y a des gens qui ne vivent jamais de vie satisfaisante. De l'extérieur, ils semblent pourtant tout avoir : un travail, un conjoint, une auto, de l'argent, mais ils ne sont pas encore heureux parce qu'ils n'arrivent pas à être satisfaits de ce qu'ils vivent, de ce qu'ils ont et de ce qu'ils font. Vivre une vie satisfaisante ne concerne pas l'avoir, mais l'être.

---

[12] Anthony, W. A., Recovery from mental illness : the guiding vision of the mental health service system in the 1990s, Psychological Rehabilitation Journal, 1993, vol. 16, p.11-24

Luc : Regardons maintenant ce qui se fait au Québec avec la définition d'Hélène Provencher, professeure et chercheure à l'Université Laval à Québec :

Provencher (2002)[13]

> *Le rétablissement est ici défini comme la transcendance des symptômes, des limites fonctionnelles et des handicaps sociaux rattachés au trouble mental. Cette transcendance se manifeste par des transformations d'ordre multidimensionnel et implique l'activation de processus personnel, interpersonnel et sociopolitique permettant le renouvellement d'un sens à l'existence, la performance de rôles sociaux significatifs et l'amélioration du bien-être et de la qualité de vie.*

Marie-Luce : La transcendance signifie dépasser, aller au-delà. On pourrait comprendre ici passer par-dessus ou ne pas s'arrêter aux symptômes et aux limites produits par la maladie.

On remarque encore l'emphase mise sur les parties saines de la personne plutôt que ses limites. Madame Provencher ajoute que le rétablissement ne concerne pas seulement la personne qui doit s'impliquer activement dans son processus de rétablissement, mais également les personnes autour d'elle, proches, amis, voisins, et cela, sans oublier l'organisation des services et l'ensemble de la communauté.

Il est intéressant de noter ici l'implication de toute la société dans le processus du rétablissement.

Luc : Et maintenant celle de Sylvie Noiseux, malheureusement décédée en 2011.

Madame Noiseux était professeure à l'université de Montréal et chercheure au centre de recherche du Centre hospitalier universitaire de Montréal.

---

[13] Provencher, H., L'expérience du rétablissement : perspectives théoriques, Santé mentale au Québec, 2002, XXVII, 1, p. 35-64.

Noiseux (2004)[14]

Le rétablissement est un processus caractérisé par des mouvements intrinsèques non linéaires qui résident principalement dans le rôle d'acteur que la personne adopte pour se reconstruire un sens de soi ainsi que pour manœuvrer le jeu du rapport inégal des forces intérieures et extérieures dans le but de se tracer des voies dans le monde social et de ressentir un mieux-être dans toutes ses dimensions biopsychosociales. »

Marie-Luce : Dans cette définition, Sylvie Noiseux met la personne en mouvement, mais ces mouvements ne sont pas toujours faciles à suivre, car ils ne sont pas linéaires. Il ne faut pas alors s'étonner des allers-retours! On imagine souvent une sorte de spirale pour illustrer le résultat de ces mouvements. Un deuxième accent est mis sur les batailles que doit mener la personne dans un rapport de forces qui l'amènent à aller plus loin dans son processus ou au contraire la ramènent en arrière. Ces forces peuvent venir de l'intérieur d'elle ou elle peut les subir de l'extérieur.

Avec toutes ces définitions, on constate que le rétablissement reste un concept en évolution qui s'enrichit des différents savoirs expérientiels et professionnels.

Luc : Dans cette foulée de la mise en commun des savoirs, Marie-Luce et moi vous proposons cette définition du rétablissement.

Le rétablissement prend d'abord racine dans la souffrance incommensurable d'un univers devenu chaotique, puis il germe à partir des rêves et des désirs qui surgissent.

Il se développe souvent sans bruit à partir des actions posées quotidiennement avec détermination et combativité et il est soutenu par les compagnons rencontrés sur la route.

Il atteint sa maturité avec la paix qui s'installe graduellement à l'intérieur de la personne qui ose alors, malgré ses peurs, être à nouveau elle-même, c'est-à-dire une personne – merveilleusement ordinaire.

Vigneault – Quintal (2008)

---

14 - Noiseux S: Élaboration d'une théorie du rétablissement de personnes vivant avec la schizophrénie. In PhD thesis Montreal University, Faculty of Nursing; 2004

Luc : D'entrée de jeu, on remarque Vigneault - Quintal, normalement on devrait lire Quintal - Vigneault, selon l'ordre alphabétique. Mais ce que Marie-Luce souligne et met en perspective, c'est l'usager qui est au premier plan. Il se rétablit d'abord avec le soutien de l'intervenant, il doit donc venir en premier. Ça envoie un message clair! Et puis le psychiatre ne peut pas prescrire le rétablissement.

Marie-Luce: Ce serait plus simple!

Luc : Ce serait plus simple, mais ça ne fonctionne pas. Laisse-moi te raconter une anecdote. Un jour où j'étais avec Dr André Delorme, directeur de la santé mentale au Ministère de la santé et des services sociaux du Québec, alors qu'il donnait un cours auquel je participais, il a posé cette question aux étudiants en psychiatrie : « Qui fait du rétablissement ici? » Spontanément, ils ont tous levé la main. Dr Delorme a souri, puis il leur a dit en me pointant du doigt : « Le seul qui fait du rétablissement autour de cette table, c'est lui. » Il a ensuite rajouté : « Ce sont seulement les usagers qui font le processus de se rétablir, nous, les psychiatres, nous ne sommes que les accompagnateurs. » Il a surenchéri en disant : « Les véritables spécialistes du rétablissement, ce sont les usagers. » Ce discours met en évidence le rôle central des usagers qui doivent être au cœur des décisions qui les concernent afin de pouvoir enclencher leur processus de rétablissement.

Marie-Luce : Voilà pour le début de la définition, passons maintenant à la fin, pourquoi le *merveilleusement ordinaire*, Luc?

Luc : J'ai lu l'expression *merveilleusement ordinaire* dans le mémoire de Claude Charbonneau, directeur général d'Accès Cible[15], mais qui est d'abord un ami sincère et fidèle. Claude répète cette expression *merveilleusement ordinaire* depuis une dizaine d'années. Il veut ainsi décrire un état d'être et une forme de statut constituant un idéal à atteindre pour des gens qui vivent dans l'enfer des problèmes de santé mentale. Cette expression lui est venue suite aux entrevues qu'il a réalisées dans le cadre de son mémoire de maîtrise auprès de trois personnes vivant des problèmes de santé mentale qui avaient pour objectif d'intégrer le marché du travail et de s'y maintenir. C'est lors

---

[15] Accès Cible est un organisme situé à Montréal, Québec et voué à l'intégration au travail des personnes ayant eu un trouble de santé mentale.

du travail intensif de retranscription et d'analyse du discours de ces personnes que cette expression a finalement germé.[16]

Pour ma part, je me suis approprié cette expression en discutant avec Claude. Elle collait à ce que j'avais vécu. Quand j'ai commencé à être malade, je voulais tellement être comme tous les autres, c'est-à-dire une *personne ordinaire* qui marche dans la rue, qui va travailler, qui a une conjointe et des enfants. C'était mon but, devenir une personne ordinaire, mais plus je m'approchais de mon but plus je trouvais que devenir une personne *ordinaire* ...

Marie-Luce : C'est ordinaire!

Luc : Tout à fait, c'est banal, alors que l'expression *merveilleusement ordinaire* exprime beaucoup mieux la réalité. Revenir de la souffrance incommensurable d'un trouble mental ne fait pas de toi une personne ordinaire, mais plutôt *merveilleusement ordinaire*.

Marie-Luce : Dans la définition, nous soulignons la souffrance, car on ne peut pas passer à côté d'elle. Luc nous l'a bien dit dans son témoignage, la souffrance est malheureusement très présente dans la maladie mentale. C'est à travers cette souffrance-là que débute le rétablissement. Il débute souvent simplement quand les gens commencent à nouveau à reprendre espoir, à rêver, à désirer. Tout cela se fait sans bruit, dans le quotidien des petites et grandes actions qui demandent pourtant beaucoup de courage.

De l'extérieur, ça peut avoir l'air banal de se lever, faire son lit, faire un petit peu de ménage, aller prendre une marche dans la journée. Il me semble qu'il n'a pas fait grand-chose aujourd'hui! Mais, pour la personne qui ne se sent pas bien, ces petites actions, c'est peut-être beaucoup.

Luc : Les compagnons rencontrés sur la route, ce sont d'abord les membres de notre famille et nos amis, sans oublier les intervenants, bien sûr. Tous ces gens-là nous accompagnent et nous soutiennent. Malheureusement, il arrive trop souvent que les personnes atteintes de maladie mentale grave ne voient que des *amis payés*.

---

[16] Si vous voulez en savoir plus sur ce mémoire intitulé : Travail et santé mentale-perspectives et défis, rendez-vous au lien Internet suivant : http://www.larepps.uqam.ca/Page/Document/pdf_insertion/cahier04_01.pdf

Marie-Luce : Qu'est-ce que tu veux dire par des *amis payés?*

Luc : Tous les intervenants qui viennent nous voir et qui nous aident au quotidien sont tous bien gentils, mais ils sont payés pour venir nous voir, ce ne sont pas de *vrais* amis. Un véritable ami n'est pas payé quand il prend un café avec moi. Avec un ami, on est d'égal à égal, il n'y a pas la *distance thérapeutique* nécessaire à la relation avec un intervenant. Tu vois comme il est important de tout mettre en œuvre afin que nous puissions rencontrer de *vrais* amis. Cela peut se faire par exemple via les centres communautaires ou de loisirs. Quand nous développons un véritable réseau social, nous arrivons alors à moins recourir aux services sociaux. Bien entendu, tout cela dans le but de nous permettre de vivre un processus de rétablissement et non de nous maintenir dans un état stationnaire.

Marie-Luce *:* Finalement, lors de nos discussions, Luc et moi nous revenions souvent sur la question : « Quand peut-on dire qu'une personne est rétablie? » Cette question est loin d'être facile à répondre, mais l'élément qui revenait sans cesse dans nos échanges, c'était le bien-être intérieur ou cette idée de paix qui s'installe à l'intérieur de soi. Même si la personne vit encore des symptômes de la maladie, elle a appris à les gérer et elle a trouvé une façon de vivre qui lui convient. On se dit que le rétablissement doit ressembler un peu à cela. Il ne s'agit pas de guérison, mais de rétablissement, ne l'oublions pas!

Luc *:* Bien sûr, rien n'est facile. Il est parfois même plus difficile de vivre le processus du rétablissement que de vivre avec un problème de santé mentale. Quand tu as atteint une certaine zone de confort, tu n'as pas envie de revivre le chaos et la désorganisation, ça te fait peur de franchir la porte, d'aller plus loin. C'est un peu comme quand tu as eu une grosse peine d'amour, des fois, tu es hésitant avant de t'embarquer dans une nouvelle relation. C'est un peu la même chose avec le rétablissement.

L'organigramme du rétablissement

Marie-Luce : Qu'en est-il du processus de rétablissement maintenant que nous avons revu quelques définitions? Comment s'insère-t-il dans le parcours de la maladie? Pour tenter de mieux le cerner, nous allons d'abord suivre l'histoire de Mario[17]. À partir de cette histoire, nous placerons les différentes étapes qui nous conduirons au processus de rétablissement. Dans les chapitres subséquents, nous prendrons le temps de décortiquer le processus de rétablissement lui-même, mais avant d'aller plus loin, entrons dans l'univers de Mario.

Mario a 20 ans, il vit chez ses parents et poursuit des études en technique informatique. Alors qu'il avait l'habitude de décrocher des notes dans la bonne moyenne, sa dernière session a été difficile. Il a échoué deux cours et passé les autres *sur la fesse*, comme on dit. Le cœur n'y était pas, et cela, sans parler de la concentration qui avait foutu le camp. Il sort de moins en moins avec ses amis qui ont cessé de l'appeler et il passe beaucoup de temps à lire la bible. Cet intérêt pour la religion, c'est nouveau pour lui. Son *trip* à lui, c'était le hockey. Mais cela c'était avant qu'il vive sa conversion, comme Paul sur le chemin de Damas[18]. Lui, c'était en revenant de l'école, un soir, l'hiver précédent.

Il faisait froid, la nuit était déjà tombée même s'il n'était que 18 heures. Il était seul et il a entendu quelqu'un qui l'appelait par son prénom : « Mario! ». Il n'y avait pourtant personne autour, mais il a entendu cette voix qui l'a appelé, cette voix qu'il a entendue d'ailleurs à plusieurs reprises. Il a d'abord été effrayé, puis a tenté de minimiser l'importance de cette expérience en se disant qu'il avait probablement mal entendu, qu'il était fatigué et qu'il a peut-être inventé tout cela.

Par la suite, la voix est revenue, d'abord douce, en répétant son nom. Puis, elle s'est mise à passer des commentaires sur ce qui se passait autour de lui et même, elle lui donnait des conseils sur ce qu'il devait faire pendant la journée. Mario a compris que c'était Dieu qui lui parlait et il a ressorti la bible qu'il avait reçue dans son enfance lors de sa première communion. Il ressent qu'il est choisi par Dieu et qu'il doit se convertir, se purifier afin de devenir parfait et digne de la mission qui lui a été confiée : *devenir le nouveau Messie*. Il a commencé par lire la bible à tous les jours de plus en plus longtemps.

---

[17] Mario est une personne fictive, son histoire sert à illustrer le propos de l'auteure

[18] Paul de Tarse, envoyé à Damas pour persécuter les premiers chrétiens, dit avoir vu le Christ en apparition sur le chemin de Damas. Les Écritures disent qu'il eut la révélation de la foi. L'épisode, rapporté dans les Actes des Apôtres (chapitre 9 versets 1-20) symbolise depuis tout lieu où un retournement subit de convictions permet l'accès à la religion. (tiré de Wikipedia : http://fr.wikipedia.org/wiki/Paul_de_Tarse)

Puis, Dieu lui a fait comprendre qu'il fallait qu'il fasse plus, car il a parfois des mauvaises pensées qui sont l'œuvre du Démon. D'ailleurs, il ne voit plus Christine, sa copine, car le Démon passe par elle pour lui donner ses mauvaises pensées. Pour faire pénitence, il a jeûné d'abord une journée par semaine, puis deux et maintenant, il ne mange presque plus. Ses muscles ont fondu et son teint est devenu grisâtre. Pour ne pas que ses parents l'achalent avec la nourriture, il ne mange plus avec eux et passe la plus grande partie de son temps dans sa chambre. Il se fâche lorsqu'ils tentent de le faire sortir de là.

Ses parents sont inquiets, mais il s'en fout, car il a réalisé qu'ils ne sont pas ses vrais parents, mais d'autres personnes qui ont pris leur place et qui ont été envoyées par le Démon. D'autres personnes voulant le détourner de sa mission. Dieu lui a demandé de devenir comme Lui et il sait que pour cela, il doit porter les stigmates dans ses mains et dans ses pieds, les mêmes marques que Jésus. Ce serait le signe que tout le monde comprend!

Maladie	*La maladie psychotique s'installe souvent insidieusement. La personne se referme sur elle-même, les croyances délirantes[19] et les hallucinations[20] deviennent envahissantes et prennent alors une logique qui leur est propre. La famille ou les amis ne voient que le comportement parfois bizarre, non congruent au comportement habituel de la personne, sans comprendre ce qui le soutient. On ne veut pas s'imposer surtout chez un jeune adulte qui tente de se définir de manière autonome. Qu'est-ce qui est normal et qu'est-ce qui ne l'est plus? Quand est-il temps d'agir? Comment le faire? Les proches se sentent souvent seuls et démunis face à la maladie qu'ils ne comprennent pas.*

[19] Délires : Ce sont des erreurs de jugement logique : s'imaginer que la personne qui me regarde dans l'autobus ou qui me croise dans la rue est là pour m'espionner; se sentir surveillé, persécuté, en danger ou croire que la télévision envoie des messages personnels; être convaincu d'avoir le pouvoir d'influencer les événements dans le monde, d'être contrôlé par une force ou qu'on peut lire dans les pensées des autres, ou que les autres lisent dans ma tête, etc.

[20] Hallucinations : Ce sont des perturbations des perceptions, le plus souvent auditives (entendre une voix qui fait des commentaires ou profère des insultes, des menaces, donne des ordres), mais parfois aussi visuelles, olfactives ou tactiles.

Ces 2 définitions du Dr Pierre Lalonde, psychiatre, proviennent du site web de l'Association des médecins psychiatres du Québec http://www.ampq.org/

Alors qu'il était si près du but, des policiers sont arrivés et ont fait irruption dans sa chambre. Il avait commencé à percer ses mains. La voix de Dieu l'encourageait à poursuivre et on l'a amené comme un criminel, lui, le nouveau Messie. Après un séjour à l'urgence où il s'est bien gardé de parler à qui que ce soit, comme Dieu lui demandait, il se retrouve à l'hôpital des fous. Il n'a plus sa bible et quelqu'un le surveille sans arrêt. Il ne peut même pas sortir dehors prendre l'air. Il étouffe. Il a peur. Que va-t-il se passer s'il cesse de lire la bible? Dieu va être en colère, c'est certain. Il se détournera de lui. D'ailleurs, il n'entend plus Dieu, juste le Démon qui rit de lui sans arrêt.

Mario crie. On tente de le calmer. Il se débat. On tente de le maîtriser. Il a peur, il crie plus fort. On le pique et on l'enferme dans une chambre. Il sombre dans un sommeil sans rêves.

Il a pris les pilules qu'on lui offrait, il n'avait pas la force de résister. Il n'entend plus le Démon, ni Dieu d'ailleurs. Il se sent seul, abandonné. Ses parents sont venus le visiter. Ils ont l'air soulagé de le voir à l'hôpital des fous. Christine aussi est venue, mais elle n'est pas restée longtemps.

Échecs, perte de contrôle, impuissance, désespoir

Le premier contact avec la psychiatrie lors d'une situation d'urgence est malheureusement souvent traumatisant. La plupart du temps ça tient davantage aux circonstances et au contexte institutionnel qu'aux intervenants. Tout semble se dérober sous les pieds de la personne qui se retrouve enfermée avec d'autres personnes qui sont souvent aussi malades qu'elle. Cette expérience est aussi difficile à vivre que la maladie. Sans compter qu'avant d'être capable d'identifier les voix comme étant des hallucinations qui sont produites par le cerveau et non une véritable personne qui parle, ça prend du temps et de la confiance envers les soignants.

On lui a dit qu'il était malade. Il serait schizophrène paraît-il. Il devra prendre une médication toute sa vie et faire attention au stress. On lui déconseille de reprendre ses études tout de suite. Mais s'il ne retourne pas en septembre, il perdra ses amis. De toute façon, il se sent bien maintenant. Il quitte l'hôpital aujourd'hui. Il reste encore deux semaines avant le retour à l'école, ce sera suffisant pour se reposer et être en forme pour la reprise des cours. Il a recommencé à s'entraîner et il sera peut-être capable de reprendre sa place dans l'équipe de hockey du collège.

Il n'y a pas de maladie!

Quand les symptômes ont disparu, que la routine reprend sa place et qu'on a 20 ans, il est difficile de croire que la maladie est encore là. À cet âge, on est invulnérable! D'ailleurs, les expériences passées vont dans ce sens. Les seuls contacts avec la maladie se résument souvent à des infections qui ont guéri avec des antibiotiques. Pas question de rester un malade!

Mario est content de sa session, il a réussi tous ses cours. Il fréquente à nouveau Christine et il peut recommencer à jouer avec l'équipe en janvier.

L'autre soir, il était avec Christine et la soirée s'annonçait parfaite. Elle était belle et semblait prête à s'abandonner à lui. Pourtant, il ne ressentait rien, aucune érection! Avant, il bandait en moins de 10 secondes et là, rien à faire. Au diable les pilules, se dit-il, de toute façon, cette histoire de schizophrénie, ce n'est pas vrai. Il est aussi en forme qu'avant sauf que les médicaments lui causent des effets secondaires.

Pour ne pas être achalé par ses parents, il continue d'aller chercher ses pilules à la pharmacie et jette la médication dans la toilette en respectant la posologie.

> *Il faut combien d'expériences de maladies et d'hospitalisations pour que la vérité s'inscrive : j'ai une maladie? Pour certaines personnes, cela n'aura jamais lieu. Cette réalité est intolérable! De toute façon, il faut combattre si on veut s'en sortir. La personne lutte parfois de façon désordonnée, confondant maladie et personnes soignantes. On se tient loin de la psychiatrie, peut-être est-ce la façon de se tenir loin de la maladie? Mais il y a encore de l'énergie dans cette bataille : la révolte est un signe que l'on refuse l'impuissance!*

Négation

Deux ans plus tard, Mario en est à sa 5ième hospitalisation. Christine fréquente maintenant Jean-Christophe. Il n'est pas retourné au CEGEP depuis plus de six mois. Il passe ses journées à lire la bible. Il ne croit plus qu'il pourra travailler, avoir une auto, une copine, bref, une vie comme les autres.

Il n'y a que la maladie!

> *On a beau se cacher la vérité, parfois elle nous rattrape. Quand les hospitalisations s'accumulent avec des rechutes, on ne peut parfois plus nier qu'il existe vraiment une maladie et qu'elle est en train de nous voler notre vie.*

Mario vient de se réveiller, il est aux soins intensifs, une marque rouge autour du cou témoigne de ce qui s'est passé récemment. Il sait qu'il retournera à l'hôpital pour un bout de temps. Les portes barrées, la promiscuité, les chaises berçantes, le temps qui s'étire, la médication toujours plus forte. Il n'en a pas envie, il voudrait être mort. La mort semble beaucoup plus douce que cette vie qui n'a plus de sens.

> *Avoir une maladie chronique à 20 ans, une maladie qui obligera à prendre une médication à long terme, entrer dans la catégorie des fous, avoir perdu ses amis, ses rêves, ses espoirs... la mort est malheureusement une alternative qui sera parfois envisagée. Heureusement, la majorité des personnes ne décideront pas de passer à l'acte. Le désir de vivre est une force puissante.*

Mort

Le regard de sa mère qui vient de quitter sa chambre empêche Mario de poser à nouveau un geste de suicide. Elle ne survivrait pas à sa mort et il ne peut se résoudre à lui faire mal. Il s'enfonce alors dans une vie qui n'en est pas vraiment une. Il fume de plus en plus, se berce, attend les repas, se laisse pousser la barbe, se lave pour avoir la paix lorsque quelqu'un insiste, et rêvasse toute la journée.

> « *J'avais démissionné, Pour moi, démissionner était une solution. Les personnes qui travaillaient avec moi percevaient mon absence de motivation comme un problème. Mais, pour moi, démissionner n'était pas un problème, c'était la solution. Une solution qui me protégeait contre tout désir. Je ne désirais rien, donc personne ne pourrait m'enlever quoi que ce soit. Je ne faisais aucune tentative, donc je n'aurais pas à subir d'autres échecs. Je m'en fichais, donc rien ne pourrait plus me blesser. Mon cœur s'était figé.* »
>
> *Patricia Deegan[21]*

Le cœur se fige

Voilà pour la partie sombre du tableau. Heureusement, l'histoire de Mario et de nombreuses personnes se poursuivent à travers le processus de rétablissement. Que se passe-t-il maintenant dans

---

[21] Deegan, P., Un itinéraire du cœur, Le Partenaire, vol 5 n.1, printemps 1996, p. 2

cette boîte intitulée : processus de rétablissement? On le verra en détail dans les chapitres suivants, mais on peut d'ores et déjà y déceler les grandes étapes.

Processus de rétablissement :

Espoir

Reprise du pouvoir d'agir

Retrouver la partie saine

Reprendre sa position de sujet et sa place de citoyen

Mario fête ses 30 ans aujourd'hui. Il travaille à temps partiel comme technicien en informatique depuis quelques semaines. Ce soir il est plutôt fébrile, car il se rend à son vernissage. Il s'est découvert une passion pour la peinture et même un certain talent. Il se regarde dans le miroir, il paraît bien dans ses nouveaux vêtements. Il a pris un peu de poids et ses efforts pour adopter de saines habitudes de vie semblent vouloir porter fruit : la bedaine a diminué! Les voix sont beaucoup moins dérangeantes et il a appris à les laisser parler toutes seules. Même s'il prend bien sa médication, il espère toujours, qu'un jour, il pourra s'en passer. On ne sait jamais, la science réussira peut-être à lui permettre de guérir de la schizophrénie. En attendant, il se trouve chanceux d'avoir réussi à trouver une façon de vivre heureux, malgré la maladie.

Reprendre contact avec la partie saine pour en arriver à intégrer la partie malade, mais sans en prendre l'identité, et cela, afin de donner naissance à la personne unique que nous sommes.

Reprendre contact avec la partie saine, celle qui fonctionne encore. Découvrir des talents cachés, des forces insoupçonnées, réajuster ses désirs, prendre conscience de ses limites. Refuser d'être réduit à l'identité de malade pour finalement donner naissance à cette personne unique : soi-même!

Représentation schématique depuis la maladie jusqu'au rétablissement

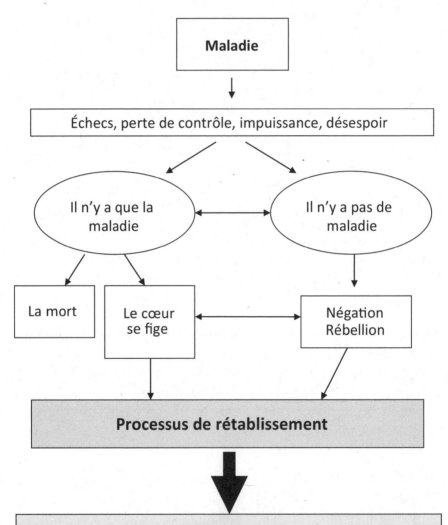

Les piliers du rétablissement : d'abord l'espoir

Dre Marie-Luce Quintal et Luc Vigneault

Les piliers du rétablissement : d'abord l'espoir

« Il y a deux sortes de temps,
le temps qui attend et le temps qui espère. »

Jacques Brel

Dans le chapitre précédent, le personnage de Mario nous a permis d'entrer dans l'univers de la personne qui vit un épisode psychotique et de mieux comprendre sa détresse et celle des personnes qui l'entourent.

Nous avons aussi situé le processus du rétablissement comme une porte de sortie qui permet à la personne aux prises avec la maladie mentale de trouver un nouveau sens à sa vie. À l'aide de quelques définitions, nous avons également tenté de préciser les contours de ce processus. Nous voici maintenant rendus au cœur même du chemin qui mène au rétablissement.

Deux phares guideront notre quête : *l'espoir et la reprise du pouvoir d'agir.* Pour nous, ils sont les piliers de tout le processus du rétablissement. L'espoir est cette étincelle qui met le *feu aux poudres*, le carburant du rétablissement, le stimulant par excellence! L'espoir mène à l'action, à la reprise du pouvoir d'agir. Celui-ci est notre deuxième pilier. Il nous permet de sortir de l'impuissance dans laquelle la maladie nous a plongés. Une fois ces deux piliers bien en place, nous aborderons les trois autres étapes : retrouver la partie saine, reprendre sa position de sujet, puis de citoyen.

Mais commençons par le commencement...

L'espoir, pierre angulaire du rétablissement

Marie-Luce : L'espoir est sans contredit l'élément central du processus de rétablissement. Sans espoir, tout paraît trop lourd, impossible à atteindre, le cœur est figé, comme le disait Patricia Deegan. Sans espoir, il n'y a que les pertes qui s'accumulent et bloquent le passage. Sans espoir, le verre reste à moitié vide, il n'y a plus de sens à la vie. Pourquoi alors se lever le matin, se laver, faire son lit, prendre une médication, sortir de chez soi, rencontrer des personnes, aller travailler, manger, peindre, écrire bref, vivre? L'espoir, c'est le moteur de la motivation.

Luc : L'espoir, c'est aussi ce qui donne un sens à nos actions. Laisse-moi te raconter une histoire à ce sujet, celle du casseur de cailloux.

L'écrivain Charles Péguy arrive à Chartres pour un pèlerinage. Il voit un type fatigué, suant, qui casse des cailloux. Il s'approche de lui et l'interroge :

- *Que faites-vous monsieur?*

- *Vous voyez bien, je casse des cailloux. C'est dur, j'ai mal au dos, j'ai soif, j'ai chaud. Je fais un sous-métier, je suis un sous-homme.*

Il continue et voit plus loin un autre homme qui casse des cailloux. Lui n'a pas l'air mal.

- *Monsieur, que faites-vous?*

- *Eh bien, je gagne ma vie! Je casse des cailloux. Je n'ai pas trouvé d'autre métier pour nourrir ma famille, je suis bien content d'avoir celui-là.*

Péguy poursuit son chemin et s'approche d'un troisième casseur de cailloux qui est souriant, radieux :

- *Monsieur, que faites-vous?*

- *Moi, monsieur, répondit-il, je bâtis une cathédrale.*

L'action est la même, mais l'attribution du sens à l'action est totalement différente. Et cette attribution du sens vient de notre propre histoire et de notre contexte social. Quand on a une cathédrale dans la tête, on ne casse pas les cailloux de la même manière.

Charles Péguy n'est pas le seul poète à avoir louangé Chartres, Félix Leclerc disait de l'île d'Orléans que « *c'est comme Chartres, haut et propre.* » Notre-Dame-de-Chartres est l'une des plus grandes cathédrales gothiques dédiées à la Vierge en France septentrionale au cours des XIIe et XIIIe siècles. Elle a été inscrite en 1979 sur la liste du Patrimoine mondial de l'humanité. Sa construction s'est échelonnée sur plusieurs centaines d'années. Ce qui veut dire que ceux qui ont commencé cette cathédrale ne l'ont jamais vue finie et ceux qui l'ont finie ne l'on jamais vue commencée.

Notre cheminement vers le rétablissement ressemble à ce casseur de cailloux qui bâtit une cathédrale. Cela vaut de même pour ceux qui nous accompagnent. Ceux qui sont au début de notre rétablissement ne nous verront jamais totalement rétablis et ceux qui nous voient rétablis n'ont aucune idée de quelle façon tout cela a commencé. Par contre, ils ont tous une chose en commun : *une cathédrale dans la tête!*

Marie-Luce : On pourrait dire que l'espoir donne un sens à nos actions, mais aussi que le sens que l'on donne à nos actions peut être porteur d'espoir ou de désespoir. Les deux sont interdépendants.

Les phrases qui tuent... l'espoir

Marie-Luce : Bon, je pense qu'on s'entend sur l'importance de l'espoir. Mais quand il n'est plus là, que fait-on? Comment redonner l'espoir? Est-il seulement possible de donner espoir aux autres?

Selon certaines études[22], une source importante d'espoir origine des personnes qui croient en nous. Les personnes interrogées rapportaient que le fait que certains continuaient de croire en elles, même quand elles n'y croyaient plus elles-mêmes, leur a permis de retrouver un peu d'espoir. Et là, on ne peut vraiment pas faire semblant! Quand nous n'y croyons plus, même si nous essayons de cacher notre manque d'espoir, le message envoyé en sera un de désespoir.

Luc : À ce sujet, est-ce que tu savais qu'il existe des phrases qui tuent?

Marie-Luce : Que veux-tu dire, Luc?

---

[22] Davidson,L.,Strauss,J.S., Sense of self in recovery from severe mental illness, British Journal of Medical Psychology, 1992, 65, p. 131-145.

Luc : J'étais dans un hôpital psychiatrique, puis justement on parlait de rêves. Un jeune homme nous demande des cigarettes et en échange du paquet, il accepte de répondre à quelques questions. Il a trente-cinq ans. À la question : quand prévois-tu sortir? Il nous répondit : « Jamais. » Comment ça jamais? « C'est comme ça. Mon psychiatre, mon infirmière, mon travailleur social, mon éducateur, ma psychologue, tout le monde me dit que moi, je ne sortirai jamais. » Il avait trente-cinq ans et il était condamné, on l'avait tué vivant. On a voulu l'amener à l'extérieur, mais il ne voulait pas y aller. Il avait sûrement besoin de soins spécialisés, on ne remet pas cela en doute, mais que lui restait-il? Pour ma part, je crois qu'il est beaucoup mieux d'avoir une image d'espoir en tête sinon...

Marie-Luce : Tu as raison Luc, il faut faire très attention de ne pas tuer l'espoir, surtout quand la personne se retrouve elle-même sans espoir. Nous avons tous un jour ressenti ce manque d'espoir. Moi je me dis plutôt que je n'ai plus d'idées, que je me sens vidée ou que j'ai tenté ce que je connaissais, mais au fond de moi, je n'arrive plus à voir cet espoir de rétablissement pour l'autre. Le problème ce n'est pas qu'il n'y ait plus d'espoir de rétablissement pour la personne, mais simplement que j'ai atteint une limite dans mon intervention et c'est tout à fait normal. Comme pour le casseur de cailloux, je ne verrai pas le résultat final du rétablissement, mais j'aurai contribué au processus selon mes moyens. Je me rappelle aussi que je ne suis pas toute-puissante et que je ne pourrai pas aider toutes les personnes et c'est pour cela que nous sommes si nombreux et qu'il existe tant d'approches toutes plus intéressantes les unes que les autres. C'est peut-être tout simplement le temps de faire un bilan et de passer le *témoin*, à une autre équipe, comme dans une course à relais, et cela, afin de permettre à la personne d'expérimenter une autre avenue, une autre façon de faire. Cette solution ne vient pas de moi, mais de psychiatres plus expérimentés, pour ne pas dire plus âgés, avec qui je discutais un jour. Ils ont alors partagé avec moi une vieille façon de faire :

« Avant, nous échangions entre nous nos *pires patients*, tu t'occupes de mon pire et je prends le tien. » Je pense qu'il y avait là une certaine sagesse. Pour le psychiatre, il s'agissait de recommencer avec un *nouveau* patient et c'est alors que revenait l'espoir de pouvoir aider. Si nous travaillons dans le domaine de la santé mentale, c'est que nous voulons profondément aider les autres, alors l'intérêt revient rapidement lorsque nous sommes confrontés à un nouveau défi. Pour le patient, il pouvait à nouveau voir l'espoir d'un avenir meilleur dans les yeux de son psychiatre.

L'importance de permettre au temps d'agir

Luc : Marie-Luce, j'ai une autre théorie à partager avec toi concernant les asperges et le rétablissement.

Marie-Luce : Il ne semble pas y avoir beaucoup de liens entre le rétablissement et les asperges, mais vas-y toujours.

Luc : Alors, je t'explique.

La théorie de l'asperge

L'asperge est aussi appelée *asparagus officinalis* pour les intimes. Pour avoir des asperges de qualité, le cultivateur doit soigner son champ avec minutie. Il doit cultiver le sol pendant trois années avant de pouvoir récolter des asperges. Si nous passons par hasard au bord de ce champ pendant ces années-là, nous avons la nette impression que le cultivateur laisse dormir son champ et qu'il n'effectue aucun travail. Dans les faits, il n'en est rien.

Le cultivateur laboure, désherbe et arrose son champ sans relâche dans le but de nous offrir un délicieux légume à mettre dans nos assiettes. Imagine, investir trois années de dur labeur avant de voir le fruit de ses efforts!

Nous vivons, nous aussi, dans notre rétablissement, des périodes où les gens qui nous côtoient ont l'impression qu'il ne se passe rien. Parfois, nous partageons aussi cette impression que nous faisons du sur-place. Pourtant, nous travaillons avec acharnement dans notre processus de rétablissement. Même si les démarches d'interventions, de traitements, les rencontres semblent ne donner que du vent, il n'en est rien. Tout comme le champ de notre cultivateur d'asperges nous savons, vous et moi, que le fruit de notre acharnement finira par être bien visible par nous et par les autres. Après nos efforts, nous voyons nous aussi apparaître une petite tige verte dans notre rétablissement. Le résultat tant attendu apparaît. Par ailleurs, tout comme l'asperge, le résultat de notre processus de rétablissement arrive à point et nous procure quiétude et soulage notre souffrance.

Marie-Luce : Tu as raison Luc, je vois maintenant un lien évident entre les asperges, l'espoir et le rétablissement! Mais ce temps de veille est difficile. Le temps nous apparaît court. Parfois, on veut aller vite, il faut que quelque chose se passe et puis, comment savoir si le rétablissement est en cours? Il ne nous reste qu'à espérer!

La spiritualité comme moyen de donner un sens à l'expérience

Marie-Luce : Un autre élément rapporté par les personnes usagères concernant l'espoir est la place de la spiritualité dans leur cheminement[23]. Il s'agit ici de la spiritualité au sens large sans parler d'une religion en particulier. Dans les moments de souffrance et d'incompréhension, chacun a besoin de retrouver un sens à ce qu'il vit et la spiritualité vient souvent redonner ce sens à la vie. Si la spiritualité est un élément important pour la personne, on peut facilement imaginer qu'elle peut avoir besoin de l'exprimer dans la relation thérapeutique. Peut-être évacuons-nous un peu rapidement cet aspect dans nos entrevues, surtout si la personne l'exprime à l'intérieur d'un délire. Pourtant, le délire religieux n'est pas plus difficile à travailler ou dangereux qu'un autre délire et, si le besoin de spiritualité a pris l'intensité d'un délire, son importance ne fait aucun doute! Je me souviens, par exemple, d'une personne qui avait des hallucinations où elle entendait Dieu lui parler doucement et Il lui faisait vivre également des expériences physiques agréables. Vous comprenez qu'elle ne se plaignait pas de ces symptômes, mais elle entendait aussi des télépathes qui l'insultaient et la dénigraient. Ces symptômes étaient tellement désagréables qu'elle a fini par demander un changement de médication. Malheureusement, cette nouvelle médication s'est

---

23 Deegan, P., Un itinéraire du cœur, Le Partenaire, 1996, vol.5, no. 1, p1-6

Young,S.,L., Ensing, D., S., Exploring recovery from the perspectve of People with Psychiatric Disabilities, Psychosocial Rehabilitation Journal, 1999, vol.22, no. 3, p. 219-231.

montrée non seulement efficace contre les télépathes, mais elle a aussi perturbé grandement les communications avec Dieu! Madame est devenue très déprimée suite à cette perte et nous avons passé beaucoup de temps à parler de cette relation. Elle a aussi été aidée par l'agent de pastorale qui a pu la guider dans sa vie spirituelle afin de retrouver une spiritualité saine. Je ne crois pas qu'on doive partager les mêmes croyances pour être capable d'accueillir l'autre dans sa quête de sens, mais simplement d'ouverture d'esprit.

Réveiller le désir pour faire naître l'espoir

Marie-Luce : Ellen Corin[24] utilisait cette belle expression : « Il faut réveiller le désir! » Avec le désir, l'espoir renaît et avec lui la motivation. J'ai eu la chance de vivre ce retour de l'espoir au début de ma pratique alors que je travaillais sur une unité de longue durée. Je vais vous raconter cette histoire, car grâce à André, j'ai beaucoup appris sur le rétablissement. Vous aurez la chance de lire son expérience et son cheminement intérieur par la suite.

L'expérience de Marie-Luce

L'histoire commence lorsque le psychiatre d'André prend sa retraite. Je rencontre André et je me rends rapidement compte qu'il est une personne très organisée et bourrée de talents. Dans les faits, il sortait de l'unité le matin, il revenait pour les repas puis, en fin de soirée pour se coucher. Il passait ses journées au comité des usagers où il s'impliquait activement pour la défense des droits. Il participait également au comité provincial de l'AGIDD-SMQ[25] et faisait des rapports d'impôt qui permettaient aux personnes de recevoir des montants auxquels ils avaient droit depuis parfois plusieurs années. On peut dire que son fonctionnement contrastait avec celui de ses congénères.

J'ai donc tenté de comprendre ce qui empêchait André de sortir de l'hôpital. Avec le temps et la confiance qui s'établissaient entre nous, André m'a parlé de sa vie, sa souffrance et sa colère. Un

---

[24] Corin, E., Se rétablir après une crise psychotique : ouvrir une voie? Retrouver sa voix? Santé mentale au Québec, 2002, XXVII, 1, 65-82.

[25] AGIDD-SMQ : Association des groupes d'intervention en défense des droits en santé mentale du Québec.

jour, je lui ai demandé s'il avait un rêve. Il a d'abord été un peu gêné de m'en parler. Je crois qu'il avait peur que je le ridiculise. Puis, il m'a parlé de son désir de vivre avec des personnes ayant vécu comme lui la maladie mentale et l'exclusion. Il imaginait la maison où il pourrait travailler, car André aimait le travail manuel autant qu'intellectuel. Il voulait que les personnes s'entraident, prient et partagent leur quotidien. Il semblait emballé par ce projet qu'il caressait depuis longtemps. Ma réponse fut simple : « Pourquoi pas? »

Je me disais qu'il s'occupait des usagers depuis plusieurs années et ceux-ci semblaient l'apprécier. Il avait sûrement les habiletés nécessaires pour l'entraide. Graduellement, le projet prend forme et vient prendre la place de la colère. Mais il faut dire qu'à ce moment-là, j'étais encore peu expérimentée et anxieuse, lorsque je sortais des sentiers battus. L'insécurité m'amène à cibler des étapes. J'ai le temps alors de voir venir les choses, ce qui me rassure. Comme je suis plus ouverte aux nouvelles expériences, je pense que mon attitude aide aussi les personnes. Par exemple, je propose à André de commencer par sortir lui-même de l'hôpital et de vivre en appartement pendant une année avant de mettre son projet sur pied. Marché conclu! André sort vivre en appartement, mais déjà il partage celui-ci avec d'autres personnes et tente de vivre son rêve.

Un an plus tard, il se présente à un rendez-vous à la clinique externe avec de la paperasse et il me dit : « Je suis en train de faire des démarches pour mettre la corporation du *Bercail de Marie* sur pied et j'ai besoin de personnes pour siéger sur mon conseil d'administration, voulez-vous en faire partie? » Je dois avouer que je n'avais pas vu venir la demande. Je crois que je suis restée bouche bée cherchant une porte de sortie, car ma première réaction était de fuir. Je me suis sentie piégée par ma propre stratégie. Je me trouvais bonne d'avoir réussi là où d'autres avaient échoué, mais je n'avais pas saisi que j'étais partie prenante de cette stratégie. Je me disais que je ne pouvais pas dire à quelqu'un : « Oui j'y crois! Vas-y! » puis, me défiler et le laisser aller tout seul. Je me suis même demandé si j'y croyais vraiment ou si ce n'était qu'une stratégie? Comme j'y croyais, il me fallait trouver un moyen d'offrir le soutien nécessaire pour qu'André puisse poursuivre son rêve. Finalement, j'ai accepté de faire partie de son conseil d'administration et je ne l'ai pas regretté. Avec les années, j'ai eu la chance de le voir, ainsi que plusieurs des personnes qui le côtoient, prendre leur place de citoyens à part entière. Merci André de m'avoir invitée à vivre cette belle expérience.

Chose promise, chose due. André partage maintenant son histoire.

L'expérience d'André

La maison, qui a plus de 80 ans, je l'ai quasiment refaite de A à Z, de la porte d'entrée jusqu'au grenier. C'est une maison de rêve. Jamais je n'aurais imaginé retrouver ça le jour où j'ai décidé de tout sacrer là et de sortir une fois pour toutes de l'hôpital. Jamais, jamais, jamais!

Partir de loin

Je suis devenu malade à l'âge de quatorze ans. J'étais alors au séminaire et j'ai été obligé de quitter mes études. « Sur une grosse ferme pour traire les vaches, t'as pas besoin de te faire soigner », me disait mon père. Nous sommes alors en 1964. La santé mentale, c'était un sujet tabou. Je faisais des crises de nerfs, j'étais épuisé. J'avais eu une sinusite avec de gros maux de tête. L'hôpital Notre-Dame avait téléphoné à ce moment-là pour que je sois hospitalisé. Mon père n'a pas voulu. Ce n'était pas important pour lui. Il était incapable de dire qu'il nous aimait, incapable d'exprimer ses émotions. Cela ne voulait pas dire qu'il ne nous aimait pas.

À quatorze ans, j'ai été hospitalisé pour la première fois en psychiatrie à Joliette et placé en famille d'accueil. Le médecin ne voulait pas que je sois dans ma famille. Les personnes qui s'occupaient de moi le faisaient pour les sous, pas pour mon bien-être. Quand t'es obligé de garder ton manteau sur le dos dans la maison parce qu'il fait trop froid et de mettre le chaudron de soupe dans la porte parce qu'il n'y a pas de réfrigérateur, c'est certain que c'était pour l'argent. Être abandonné carrément, ça a été difficile, surtout que j'ai une très bonne relation avec mes frères et soeurs.

Je suivais des cours en électricité le soir et, à vingt ans, je suis sorti de l'hôpital. Puis, j'ai fait un autre séjour de six mois en psychiatrie à Joliette, et aussi à Saint-Hyacinthe, où j'ai fait une tentative de suicide. Je comprends ça la mort, la destruction, car je ne voyais que ça tellement je ne m'appréciais pas. Je me voyais comme une personne inutile et je vivais des rejets continuellement. Je me suis senti rejeté d'abord par mon père, j'ai transféré ensuite ce sentiment sur moi. Je m'autodétruisais. Je me rends compte que lorsque tu n'as pas d'estime de toi, que tu ne peux pas verbaliser ton mal et ton angoisse, ton agressivité se retourne toujours contre toi. Il n'y a personne pour te dire que tu es en train de te détruire. Ce n'est pas évident et tu ne comprends pas. Aujourd'hui, je suis capable de comprendre le phénomène que je vivais à ce moment-là.

S'accrocher pour ne pas sombrer

Pour passer quinze ans dans une institution comme Robert-Giffard, il fallait que je sois vraiment blessé. Mais j'étais aussi en colère. En colère au point d'avoir l'impression, à un moment donné, de m'identifier à la clientèle de l'hôpital. Je me disais que la société n'était pas pour moi, qu'elle me rejetait. J'ai décidé très vite de travailler avec les patients, de les défendre, de donner ma vie pour eux.

J'ai été membre du conseil d'administration. J'ai dirigé le comité des usagers. J'ai fait partie de différents organismes, autant à Montréal qu'à Québec. Quand tu portes un chapeau, tu as une force, tu n'es plus toi. C'est la cause que tu défends qui te permet d'avancer. Je me suis rendu au Parlement, j'ai participé au conseil d'administration de l'hôpital pour vraiment défendre une cause à laquelle je croyais jusque dans mes tripes. Ces gens, ces malades, ont besoin d'être défendus. Ils ont besoin qu'on leur redonne leur place dans la société, qu'on fasse naître l'espoir qu'ils peuvent s'en sortir. C'est bien important. Finalement, ma rage s'est transformée en courage. En paroles aussi pour faire comprendre aux autres qu'il fallait nous écouter, oui, il fallait écouter!

Petit à petit, des choses ont commencé à changer. J'ai fait tout mon possible pour essayer d'aider les malades, les écouter. Je recevais des appels tard le soir, quand j'étais à mon bureau. Comme je suis autodidacte, j'ai appris à taper à la machine à écrire, à utiliser l'ordinateur, à faire des rapports d'impôt. Vous savez, les rapports d'impôt, ils n'étaient faits dans aucune institution. J'ai commencé à informer les gens qu'ils devaient faire leurs déclarations de revenus puisqu'après un certain délai, ils ne pouvaient plus réclamer. Trois ans plus tard, la curatelle a commencé à faire des impôts pour les usagers. J'ai aussi rempli la paperasse comme les demandes pour l'aide sociale, les pensions de vieillesse, la régie des rentes.

Souvent, avec raison, les usagers ne font plus confiance au système de santé. Je devenais donc pour certains, un avocat, pour d'autres, un père. Un climat de confiance s'établissait. J'étais celui qui les comprenait, qui était là pour les sécuriser et les défendre. Je suis devenu pour eux une présence qu'ils n'avaient jamais eue. Tu donnes aux autres ce que tu n'as pas reçu. Il y a beaucoup d'inconscient là-dedans, mais ce désir à l'intérieur de moi d'aider les autres, c'est inné.

Tendre la main

Je crois qu'il faut vivre au jour le jour et faire confiance à la vie. Il faut vraiment s'abandonner et être actif selon nos capacités. Je pense que la guérison, c'est ça. Être soi-même à partir de nos rêves. Moi, mon rêve, il est né à la suite d'une rencontre avec Jean Vanier qui est venu à Robert-Giffard en 1987. Il m'avait dit alors que mon rêve de mettre sur pied une résidence semblable à l'Arche, mais pour des gens ayant des problèmes en santé mentale, se réaliserait.

Ce qui compte dans la vie lorsqu'on est fragile, c'est de sentir quelqu'un qui nous appuie, nous apporte un sentiment de sécurité. C'est ce que la D^{re} Marie-Luce Quintal a été pour moi, un appui, quelqu'un qui m'a soutenu dans ma démarche et qui m'a rassuré. Pour moi, c'était important de savoir qu'elle était là. Elle voulait que je sorte de l'hôpital. J'étais à Robert-Giffard depuis quinze ans. Elle insistait pour me convaincre de vivre mon rêve, de dire oui à mon rêve : « André, n'attends jamais d'être guéri, d'être parfait, d'avoir réglé tous tes problèmes pour commencer quelque chose. » Alors, je lui ai répondu : « Si c'est comme ça, docteure, vous embarquez dans *le bateau. Si nous coulons, nous coulerons ensemble. » « Donne-moi trois semaines pour y réfléchir, André. »* Au bout de trois semaines, elle m'annonce qu'elle embarque. J'ai entrepris des démarches et j'ai créé une corporation aux lettres patentes fédérales. D^re Quintal est membre de la corporation depuis ses débuts en 1998.

Qu'est-ce qui a fait comprendre à Marie-Luce Quintal que la place d'André Perreault était à l'extérieur? Peut-être qu'elle s'est rendu compte du potentiel que je possédais et que j'utilisais à l'intérieur en m'engageant de tout mon coeur. Par exemple, j'ai pris la parole comme conférencier au Palais des Congrès en 1989 devant 1 350 personnes. Je l'ai refait à l'occasion du 10e anniversaire du comité des usagers à l'intérieur des murs, comme on dit. Nul n'est prophète en son pays, mais je me souviens d'avoir reçu une ovation. Les gens disaient : « Comment se fait-il que sa conférence n'ait pas été enregistrée? Si on avait demandé à un ministre de venir, c'est sûr qu'on aurait tout enregistré. »

Je n'avais plus le goût de revenir dans la société. D^re Quintal est venue me chercher. Elle n'a pas tiré sur la fleur, elle a été patiente et c'est peut-être pour ça qu'elle a réussi. Sa simplicité est rayonnante. Elle n'a pas peur de côtoyer les patients et elle est vraiment accessible.

Oser le premier pas

Je suis convaincu qu'il faut vraiment commencer avec les limites qui nous habitent, que c'est seulement comme ça qu'on peut se réaliser. J'ai donc eu des débuts tranquilles. D'abord en chambre et pension, ensuite en logement, seul. Puis, j'ai habité avec d'autres résidents, à quatre dans un cinq et demie. Je me souviens, on était au mois de mars. Il fallait donner un préavis pour indiquer que nous quittions en juillet. J'ai fait une neuvaine à Saint-Joseph. Ma famille est venue me visiter le 19 mars 1998. J'étais déjà passé devant cette maison, mais... Quand je regardais la façade de la maison, une maison de médecin ou de notaire, avec le grand terrain et tout ce qui vient avec, mon rêve devenait irréaliste.

Même si nous n'avions pas de rendez-vous pour visiter la maison, j'ai décidé d'amener ma mère. Quelle ne fut pas ma surprise de croiser l'agent immobilier devant la maison avec des clients! Spontanément, je lui fais ma demande : « J'aimerais bien faire visiter la maison à ma famille. » Il me répondit sans hésitation : « Pas de problème. Vous êtes les bienvenus après cette visite. » Dès que ma mère est entrée dans la maison, qu'elle s'est retrouvée dans le salon, elle a déclaré à l'agent d'immeuble : « Demain matin, je vais à la banque et j'endosse mon André. »

Avec mes mains d'artisan, j'héritais de la maison. Il fallait que ma mère ait drôlement confiance dans mes capacités! Il faut dire qu'à l'âge de treize ans, j'avais déjà posé un geste qui démontrait mon habileté. En l'absence de mon père, je me suis servi de la batteuse à grains, sans avoir jamais travaillé sur cette machine. Mon grand-père m'a vu faire et il s'est tourné vers ma grand-mère pour lui affirmer d'une voix solide : « Je ne suis pas inquiet pour André, il va se débrouiller dans la vie. » Et c'est exactement ce qui est arrivé. Quand elle avait un problème d'électricité, ma mère m'appelait. Je lui disais au téléphone ce qu'il fallait faire et ça fonctionnait. Ma mère a toujours eu une grande confiance en moi. Elle savait que j'avais du potentiel.

C'est certain qu'elle doit toujours être craintive que je retombe, que je me retrouve hospitalisé, que je refasse peut-être une tentative de suicide. Elle a toujours eu peur que j'en fasse trop, moi, une personne entière, un perfectionniste et une tête de lard! Un jour, d'ailleurs, mon psychothérapeute m'a dit : « André, tu as une tête de pioche. » Je lui ai répondu, du tac au tac : « Si vous n'aviez pas une tête de pioche vous-même, vous ne seriez pas rendu où vous êtes. »

Dans la vie, il faut être déterminé et je pense que j'avais cette force en moi. Quand je veux quelque chose, il n'y a rien pour m'arrêter. Malgré ma maladie, malgré mes limites, je reste une personne déterminée. Pensez-y juste un instant. C'est bien facile de dire que ma mère allait m'endosser. Encore fallait-il que je la fasse vivre cette maison et je suis sur l'aide sociale! C'est véritablement le début du début. Je n'ai jamais eu d'assurance. Pas une compagnie ne voulait me prendre comme client. Je n'ai jamais eu de cartes de crédit. Personne ne voulait m'ouvrir un compte. Aujourd'hui, j'ai de l'assurance. On croit en moi et, des cartes de crédit, tout le monde m'en offre. Il fallait que je me fasse un nom après avoir passé tant d'années en milieu psychiatrique. Ce n'est pas évident de se refaire un nom, de réintégrer la société.

Jeter l'ancre

Il y a déjà dix ans que je suis déménagé ici. Et ça va faire dix ans que ça marche sans aucune subvention, ni ressource extérieure. Pour subvenir à nos besoins, des gens paient pension. J'ai appris à gérer et à administrer. Je m'occupais du comité des usagers qui disposait d'un budget serré. Le directeur de l'hôpital avait dit au conseil d'administration : « Tant qu'André sera là pour gérer le comité, je ne serai pas inquiet. Il n'y aura pas d'argent qui sera dépensé inutilement. »

Ici, j'ai défait la cheminée de la maison et j'ai utilisé les matériaux pour agrandir mon stationnement. Rien ne se perd. La terre que j'enlève quelque part, je la transporte ailleurs. Tenez, par exemple, il y avait là une souche de douze mètres. J'ai creusé et j'ai déterré jusqu'aux racines. J'ai pris la terre et je l'ai utilisée pour égaliser mon terrain.

Dans la vie, il ne faut pas avoir peur de s'entraider. Dans la remise extérieure, il n'y a rien qui m'appartient. J'ai connu une personne qui faisait une vente de garage en 2000. Je suis allée la rencontrer parce que j'étais intéressé par des portes pour rénover ma maison. Un lien de confiance s'est établi. Depuis ce temps, cette personne entrepose du bois de chauffage chez nous et elle vient peinturer gratuitement.

En ce moment, j'ai un logement commun au deuxième étage. Trois, quatre ou cinq personnes ayant des problèmes de santé mentale peuvent y vivre. Elles cuisinent. Elles sont autonomes. À l'intérieur du logement, il y a trois chambres. Une personne a habité deux ans avec nous au rez-de-chaussée. Quand elle s'est sentie prête, elle est montée à l'étage et, depuis, cuisine par elle-même.

L'évolution de chacun se fait en fonction de la confiance qu'on lui accorde. J'ai une cliente ayant une déficience intellectuelle que sa mère avait surprotégée. Elle est maintenant capable de préparer le dîner. Elle ne faisait rien de cela auparavant. Elle se responsabilise, elle sert à table, fait le ménage et la vaisselle. Il y a des gens qui ont habité ici et qui sont partis vivre en logement. Il y en a d'autres qui peuvent y demeurer toute leur vie.

Ce qui est bien aussi avec une maison et un grand terrain comme ça, c'est qu'on est proche de la nature. Pour moi qui viens de la campagne, c'est essentiel d'entendre les oiseaux, de voir des arbres. Ici, c'est la campagne en ville. On peut respirer, méditer, se retrouver. On peut faire un temps d'arrêt et prendre le temps de se dire qu'on est fier de sa journée, fier des gens qui se réalisent aussi et qui se dépassent. Aujourd'hui, je peux dire que je me réalise. Avant, je survivais, je me débattais dans le but d'être capable de survivre et toujours dans un esprit de destruction.

S'aider et aider les autres

Il est important de réintégrer la société comme individu, d'être considéré comme du vrai monde plutôt que comme un bon à rien! Une chose dont je peux témoigner c'est qu'ici, j'ai pu réaliser des choses que je n'aurais jamais pensé faire un jour. Je suis électricien de métier mais, dans ma maison, je suis aussi menuisier, plombier, et même tireur de joints. Chaque personne possède en elle des ressources inexploitées et si l'occasion ne lui est pas offerte, elles le resteront.

Je trouve aussi essentiel d'aimer et de respecter l'autre. Il faut l'accueillir comme il est, lui donner confiance, l'aider à s'en sortir. Ici, il y a des règlements comme dans toute famille, des balises qui aident à grandir, à se réaliser. Sans balises, on se casserait souvent la gueule, on passerait sur les lumières rouges.

En chacun de nous, il y a ce jardin qu'on ignore, qu'on ne voit pas. Il faut le découvrir. Il y a tout un enseignement à vivre avec chacun : apprendre à marcher selon notre rythme, connaître nos limites et les respecter, apprendre aussi à découvrir nos forces, accepter nos erreurs pour mieux grandir et faire les choses autrement.

Je croise quelqu'un qui est complètement désemparé et qui ne croit plus en lui, je me demande quel est le mot ou quelle est la façon de dire qui pourrait faire une différence. Derrière la souffrance, il y a toujours une lueur d'espoir, une lumière au bout du tunnel. J'ai l'impression que chaque personne qui passe ici, tout à coup, découvre que tout est possible dans le fond. Chacun ici a commencé à s'aimer, c'est là toute la différence.

Ces gens-là, c'est mon monde, c'est grâce à eux que je me peux me permettre de me réaliser pleinement. Je ne pense pas que c'est difficile pour les gens qui arrivent à se sentir en confiance. Je suis celui qui écoute, qui accueille la personne avec ses limites. Souvent les gens sont tellement brisés. Je trouve que les êtres humains sont comme des fleurs. Ils sont des roses, des tulipes. Il faut leur donner ce dont ils ont besoin pour grandir et devenir radieux. Ils ont chacun leurs besoins, leurs caractéristiques. Je les aime tels qu'ils sont.

Se rétablir

Je crois que le rétablissement, c'est de donner confiance à la personne, lui fournir les outils pour s'en sortir. Ce qui est important c'est de partir de ses forces, non pas de ses bibittes, car chaque personne est une personne à part entière. Le rétablissement, c'est accompagner les gens dans leurs démarches, dans leurs rêves, dans les projets qu'ils veulent réaliser, dans l'utilisation de leur potentiel.

La différence fondamentale entre ce que j'ai vécu durant quinze ans où j'ai défendu les malades et ce que je vis aujourd'hui en réalisant mon rêve avec cette maison se situe au niveau de l'identité. Quand j'étais à l'intérieur des murs, j'étais considéré comme ayant un problème de santé mentale, mais je profitais d'une certaine sécurité aussi. Maintenant, je vis dans la société. J'ai retrouvé ma place de citoyen à part entière. J'apporte quelque chose à la société.

Quand je regarde le chemin parcouru, je me dis que je n'aurais jamais osé ouvrir une maison. Je pense que j'ai réalisé mon rêve pour les autres avant tout. Mon premier objectif a toujours été de leur donner un chez-soi, de leur permettre de vivre dans un esprit familial.

Ainsi, les gens que j'accueille participent à la bonne marche de la maison. Ils font la vaisselle, lavent le plancher, tondent la pelouse, travaillent dans le jardin, chacun selon ses forces et ses capacités. Je pense notamment à une de mes pensionnaires qui est âgée de 74 ans. Elle est heureuse ici, elle vit dans un esprit de famille et, plus important, elle n'est pas dans un foyer à ne rien faire. Elle est encore capable d'accomplir certaines tâches comme faire les courses. Elle est ancrée dans une vraie réalité. Je considère mes pensionnaires comme des membres de ma famille, et cela, même si j'ai ma propre famille que je continue d'ailleurs de visiter. Mais ma famille élargie est composée de ces gens avec qui je vis et partage des choses et des moments précieux.

Au bout de dix ans, ma mère a vu que j'étais capable de fonctionner et de réaliser mon rêve. Ce n'est pas un échec. Pourtant, beaucoup de gens ne me donnaient pas plus de deux ou cinq ans. Ce n'est pas encourageant d'entendre ce genre de propos, mais je gardais en moi cette détermination, cette force de me dire que si je devais traverser des périodes plus difficiles où je serais obligé de me reposer, que je me relèverais, me retrousserais les manches et continuerais ma route. Une fois qu'on connaît ses limites, je pense qu'il faut apprendre à faire attention, apprendre à se ménager car, lorsqu'on est plus fatigué, on devient plus vulnérable, donc moins en mesure de s'autocritiquer. Quand on est fatigué, on devient plus fragile sur le plan émotif. Par exemple, il est important de penser à prendre une sieste. Si tu ne le fais pas, personne ne va le faire à ta place.

En institution, tu n'es qu'un numéro, un malade. Tout le monde fait la même chose dans le même cadre. Tout le monde vient chercher ses médicaments. J'ai refusé les médicaments. J'en prenais seulement pour dormir. À un moment donné, j'ai dit à un médecin : « Docteur, si j'avais pris tous les médicaments que vous vouliez que je prenne, je ne serais pas rendu où je suis aujourd'hui. Est-ce que je serais même sorti de l'hôpital? » Moi, je crois que non. Je serais peut-être devenu légume ou un gars qui se berce sur sa chaise comme trop de monde, le gars qui ne s'estime plus, qui ne se défend plus. Une personne stable, ça veut dire une personne docile, une personne brisée qui ne critique plus. C'est la pire des choses qui puisse arriver à n'importe quel être humain.

Souvent, les salles d'isolement, ça brise les personnes. C'est un dossier sur lequel j'ai vraiment travaillé. J'ai connu l'isolement. Je me suis retrouvé soixante-douze heures en isolement et je me souviens qu'une fois sorti de là, on pouvait me faire dire n'importe quoi. J'étais brisé. Je n'oublierai jamais cela. Quelqu'un qui avait besoin d'aller en isolement, ça ne le blessait pas. Ça lui permettait de se reposer et de retrouver ses esprits. Mais quand on met quelqu'un en isolement parce qu'on veut le faire parler et qu'il n'a pas le goût de le faire, il perd confiance. On a utilisé la méthode de l'isolement pour me casser. Ça existe encore, et cela, même s'il y a eu beaucoup de suicides en isolement. Ça détruit du monde. Oui, vraiment, ça détruit des êtres humains.

J'ai fait partie de comités pour rendre les conditions plus humaines en salles d'isolement et pour encourager leur utilisation seulement en dernier recours. Je me suis toujours battu pour qu'il y ait un horloge devant la porte de la salle d'isolement. Si on ne peut pas avoir d'horloge à l'intérieur, on peut au moins voir l'heure au travers une petite vitre. Le patient fumeur en isolement à qui il est dit qu'on va revenir dans cinq minutes, et trop souvent, ce n'est qu'une demi-heure ou une heure plus tard, quand tu n'es pas capable de calculer le temps, c'est vraiment long.

J'ai donc travaillé très fort pour essayer de changer les façons de faire afin que ce soit plus humain et plus respectueux. Je n'en veux pas aux préposés qui suivaient des méthodes établies depuis longtemps. C'est certain que de bousculer l'ordre des choses, ce n'est pas toujours évident. Je l'ai fait quand même pendant des années avec un grand respect parce que j'étais capable de parler à ces gens sans les engueuler et que je voulais travailler avec eux et non contre eux. C'est comme ça qu'on avance.

Rentrer à la maison

La Corporation s'appelle Bercail de Marie. Bercail parce que les gens reviennent au bercail et Marie parce que souvent ils n'ont pas de famille et que Marie est une mère. Quand tu retournes au bercail, tu y trouves un refuge, un endroit où tu es accueilli. Souvent, quand les gens entraient à l'hôpital, ils étaient abandonnés par leur famille.

Je me disais que ce devait être possible de recréer une famille où des gens pouvaient s'investir.

Je termine toujours ma journée en remerciant le bon Dieu pour tous les talents qu'Il m'a donnés. La dimension spirituelle est primordiale pour moi. Elle m'a aidé à vivre l'abandon. J'ai peut-être été déçu par des humains, même des prêtres, mais jamais par Dieu. J'ai fait une tentative de suicide en 1976 ou 1977. J'avais pris toutes mes pilules. J'ai été retrouvé le lendemain matin au pied de mon lit, dans le coma. Transporté à l'hôpital de Saint-Hyacinthe, on ne pouvait rien faire pour moi. J'ai été envoyé à l'hôpital Notre-Dame où je suis resté cinq jours dans le coma. J'entendais : « S'il s'en sort, il va rester légume pour le reste de ses jours. » Je me souviens que Dieu me parlait à l'intérieur de moi et là j'entendais : « André, je t'aime et j'ai besoin de toi sur la terre. » Moi, je ne le croyais pas. Il dit qu'Il m'aime. Il m'appelle par mon prénom. Il me demande de lui faire confiance. Et j'entendais encore : « Tu as du potentiel, tu ne le connais pas. Tu as des cadeaux en toi, mais tu ne les as pas tous découverts. »

Ma dimension spirituelle m'aide à m'abandonner, à faire confiance. Elle m'apprend à aimer et à respecter les gens. À l'hôpital, il y avait une malade qui avait peur de m'approcher, mais un jour, elle m'a déclaré : « André, tu n'as jamais essayé de me changer. C'est ça que j'ai trouvé de beau en toi, t'as jamais voulu me changer, ou m'imposer tes convictions, tes valeurs. » C'est ça, aimer. Tu aimes l'autre dans sa différence, en le découvrant, en cherchant ce qu'il a de beau en lui. Ce qu'il a de mauvais, il le sait. On lui a assez répété. Le beau, c'est l'aspect sur lequel il faut insister. Je crois vraiment qu'il faut apprendre à voir la beauté de l'autre dans sa différence.

Il faut arrêter de regarder la clôture un peu croche et oser regarder de l'autre bord,
là où se trouve un jardin magnifique.
Je l'ai aidé à s'épanouir, à grandir et je l'ai révélé à lui-même.
C'est ça l'important.

Encore de l'espoir

Cécile Cormier

Encore de l'espoir[26]

L'été de mon premier emploi

L'été de mon premier emploi avec le statut d'étudiante, j'ai 19 ans. Le hasard fait que le poste est dans une équipe qui fait l'entretien ménager au centre hospitalier psychiatrique. Ma mère n'est heureusement pas hospitalisée durant cette période. Il faut savoir que plusieurs années avant ma naissance, ma mère a reçu un diagnostic de schizophrénie paranoïde et elle est depuis admise dans cette institution une ou deux fois l'an. J'effectue mon travail sur divers départements, dont ceux où elle a été régulièrement internée, ainsi que dans différents recoins de l'hôpital. L'emploi en question est en fait un organisme de travail sous-traitant embauchant des ex-patients. Mes camarades de travail, en dehors du groupe d'étudiants, sont donc des personnes usagères des services externes de psychiatrie du CH. Des gens particuliers, parfois étranges, mais la plupart sont accueillants et ouverts à m'expliquer la manière de faire le travail. Certains démontrent de la solidarité. D'autres s'empressent de rapporter au patron le moindre écart. Comme dans tous les milieux de travail, quoi!

Je découvre au fur et à mesure un certain nombre d'écueils liés à la stigmatisation. Je suis proche d'une collègue avec qui j'ai de très belles discussions tout en lavant des murs. C'est une ex-enseignante avant d'être une ex-patiente. La passion des études et du savoir caractérisent nos échanges. J'apprends de divers compagnons de travail une pratique particulière dans ce milieu de travail : dès qu'un employé pose des questions ou conteste un tant soit peu une directive de travail, il est convoqué au bureau et le patron fait allusion à son état mental, sa prise de médication ou la possibilité d'une hospitalisation. Ils sont syndiqués, mais pas au même grand syndicat du CH, ce que déplorent certains. Lorsque je mentionne la possibilité de faire appel au syndicat, selon les dires de mes compagnons et compagnes de travail, le représentant syndical ne conteste pas la pratique de l'employeur, au contraire!

---

[26] L'auteure a déposé un mémoire de maîtrise en service social en 2009 : « L'espoir d'un mieux-être malgré la schizophrénie : témoignages de personnes vivant dans la communauté », sous la direction de Bernadette Dallaire, professeure agrégée, École de service social, Université Laval, Québec.

Comme je continue de travailler les fins de semaine, je suis syndiquée avec eux et je participe à mes premières assemblées syndicales qui se déroulent de cette façon : pas d'ordre du jour, un conseiller syndical dirige l'assemblée et nous demande de voter pour telle ou telle proposition, sans proposeur, ni appuyeur. Cette situation syndicale n'est pas unique, il existe des cultures syndicales différentes selon les organisations, et parfois, même à l'intérieur d'une même centrale. Mais comme je suis familière avec des procédures de base d'assemblées —puisque que je suis une militante étudiante et depuis un an impliquée dans des groupes populaires où ces bases sont communes— je pose des questions à ce sujet. Je me fais dire par le conseiller syndical, en aparté, que mes compagnons ne sont pas en mesure de comprendre ces procédures...

Tout en lavant des kilomètres de murs d'escalier, mes compagnes de travail et moi discutons de la possibilité de changer d'allégeance syndicale et c'est moi qui fournirai les informations nécessaires à la démarche. L'été suivant, je ne suis pas réembauchée, mais mes compagnons continuent leur démarche. Bien accueillis au service de syndicalisation de la nouvelle centrale, c'est autre chose au syndicat local où plusieurs membres résistent à accueillir des ex-patients avec eux. Résultat : tous ne sont pas intégrés. Par la suite, j'apprends que ma compagne de discussion n'est pas parmi les gens choisis. Le stress créé par cette situation l'a précipitée vers une décompensation. Des années plus tard, je l'ai croisée sur la rue, l'air hagard. Embarrassée, je me suis sentie coupable de ma naïveté et je n'ai pas osé m'adresser à elle immédiatement. J'ai fini par la saluer, elle m'a reconnue et m'a accueillie avec chaleur.

Comment l'idée d'explorer l'espoir m'est-elle venue?

Après plusieurs années, je suis encore en processus de deuil d'une personne usagère, décédée par suicide[27]. Je ne me sens pas coupable ou responsable de son décès, mais je sens une part de responsabilité, celle de me remémorer ce qui a été fait, ce qui aurait pu se faire de plus, ou de mieux. Heureusement pour moi, j'ai la chance que cette personne ait mentionné à ses parents sa perception

---

[27] Entre 40 % et 60 % des personnes ayant la schizophrénie font des tentatives de suicide et 10 % en décèdent (Santé Canada, 2002).

positive de notre relation. Cela ne se présente évidemment pas toujours ainsi. Les personnes intervenantes et les proches ne peuvent porter la culpabilité du geste suicidaire et les blâmes exprimés ou sous-entendus de l'entourage. Mais nous demeurons tous marqués par une telle tragédie.

De toute évidence, le niveau d'espoir que j'avais pour cette personne et que je tentais de lui transmettre —et ce niveau était exceptionnellement élevé en ce qui la concernait— n'avait pas suffi à retenir son geste suicidaire. Cet espoir élevé que j'avais face aux capacités personnelles de cette jeune personne ayant un diagnostic de troubles psychotiques —mais qui souffrait davantage de ses troubles anxieux— tout comme l'amour que les parents portent à leur enfant, ne suffit pas toujours. Et pourtant, je demeure convaincue de leur importance cruciale.

Par ailleurs, en intervention psychosociale, nous apprenons que la motivation d'une personne est plus grande si, d'une part, elle ressent du malaise et si, d'autre part, elle a aussi de l'espoir[28]. Toutefois, le personnel intervenant se demande de quelle façon susciter et maintenir l'espoir avec cette clientèle perçue comme chronique, pouvant faire plusieurs rechutes et présentant parfois plusieurs incapacités.

Espoir et rétablissement

De nombreux écrits sur la réadaptation et le rétablissement des personnes ayant des troubles mentaux nomment spécifiquement l'espoir comme étant une valeur, un élément central au succès de la démarche, ou une composante essentielle à la réussite de l'intervention[29].

Selon l'agence de santé américaine (*Substance Abuse and Mental Health Services Administration*, 2006), l'intervention faite avec l'approche du rétablissement favorise : l'autodétermination; une démarche individualisée et centrée sur la personne, holistique, non-

---

[28] Du Ranquet, 1991, 1956.

[29] Davidson 2006; Davidson, Harding et Spaniol, 2005; Spaniol et coll., 2002; Ridgway, 2001; Russinova, 1999; Young et Ensing, 1999; Anthony, 1993; Anthony et Farkas, 1990; Leete, 1989; Deegan, 1988; Lovejoy, 1984.

linéaire, centrée sur les forces; le pouvoir d'agir (*empowerment*); l'entraide entre pairs; le respect; la responsabilité et enfin, l'espoir.

Dans une perspective écologique, la définition du rétablissement, selon Steven J. Onken et ses collaborateurs, identifie nommément l'espoir comme composante (Onken, Dumont, Ridgway, Dornan et Ralph, 2002) :

...a product of dynamic interaction among characteristics of the individuals the self/whole person, hope/sense of meaning and purpose), characteristics of the environment (basic material resources, social relationships, meaningful activities, peer support, formal services, formal service staff) and the characteristics of the exchange (hope, choice, empowerment, independence/interdependence).

...un produit d'une interaction dynamique entre les caractéristiques de l'individu (le soi/la personne comme un tout, l'espoir/sentiment que les choses ont un sens et une raison); les caractéristiques de l'environnement (ressources matérielles de base, relations sociales, activités valorisantes, soutien des pairs, services formels, personnel des services formels); et les caractéristiques de l'interaction entre les deux (espoir, choix, empowerment, indépendance/interdépendance).

Théoriquement, susciter l'espoir fait partie des approches d'intervention de la réadaptation, ainsi que des valeurs du rétablissement. Toutefois, le praticien ne sait pas toujours comment l'intégrer spécifiquement à ses interventions. D'autant plus que les familles et les proches sont souvent épuisés et que l'exclusion sociale, la pauvreté et la stigmatisation continuent en dehors des murs de l'asile. Dans ce contexte, il devient difficile de maintenir l'espoir autant chez les personnes atteintes, leur entourage, que chez les équipes traitantes.

Et puis, de quel espoir parle-t-on? Celui des découvertes scientifiques et de la guérison? Celui des religions? L'espoir de l'adaptation à la maladie et à ses conséquences? L'espoir de l'inclusion sociale et de la pleine citoyenneté? Concrètement, qu'est-ce qui contribue à l'espoir indispensable au rétablissement?

De quoi parle-t-on au juste?

Le mythe de Pandore : l'intangibilité et l'universalité de l'espoir

À première vue, le concept d'espoir peut apparaître flou, un *sentiment* qui pour certains appelle à la spiritualité, bref, trop intangible pour être l'objet d'une recherche scientifique. Pourtant, tant les données cliniques que les témoignages des personnes démontrent que l'espoir est essentiel au processus de changement. Il a déjà été démontré l'existence de fortes corrélations entre les espoirs de changement et l'amélioration de la santé[30]. Le concept de *prophétie auto réalisatrice* présenté par Albert Ellis, dès 1955, a une parenté avec le phénomène de l'espoir. Par exemple, cette expérience qui consiste à dévoiler faussement à un professeur qu'une classe est composée d'élèves particulièrement brillants, ou à l'inverse avec de grandes difficultés. Il a été prouvé que la croyance initiale prédira les résultats finaux de ces classes[31]. Par ailleurs, les principes de la thérapie émotive rationnelle s'utilisent comme moyens afin de ne pas sombrer dans l'anxiété ou la phobie[32].

Toutefois, la notion d'espoir reste difficile à définir, c'est une croyance, une représentation de l'esprit entretenue par l'imaginaire collectif. Rappelons le mythe grec de Pandore : une femme créée par les dieux, à qui Zeus remet une boîte avec l'interdiction de l'ouvrir. Cédant à la curiosité, elle ouvre la boîte et tous les maux de l'humanité : fléaux, maladies et malheurs s'en échappent. Elle referme la boîte trop tard pour les retenir, mais il y reste l'espérance, plus lente à se mouvoir... qui a été libérée par la suite afin d'atténuer les souffrances humaines[33].

---

[30] Garfield, 1994.

[31] Rosenthal et Jacobson, 1968. Par ailleurs, le film « My fair lady » traite, en quelque sorte, du même thème : nous voyons ce que l'on s'attend de voir.

[32] Ellis, 1999.

[33] Le mythe de Pandore a déjà été mis en parallèle avec le concept de l'espoir par Smith (1983) dans un article portant sur l'espoir, le désespoir et la sociopsychodynamique (Snyder et coll., 1991).

Comment définir l'espoir?

La notion d'espoir comporte plusieurs dimensions[34]. D'abord, il y a forcément une notion de temps. L'espoir fait référence à un futur proche ou éloigné, à la confiance qu'un résultat positif est probable à court ou à long terme. En général, avoir de l'espoir, être optimiste, c'est avoir le sentiment d'un futur bénéfique. S'attendre à ce qu'un rêve particulier se réalise, avoir un objet d'espoir c'est, par exemple : avoir un travail, une maison ou être amoureux... Être positif appartient à notre personnalité, à notre disposition d'esprit, cela vient de l'intérieur de soi (*contrôle interne*). S'attendre à ce que Dieu ou la société (tel que le développement de programmes pour l'emploi adapté) réalise notre vœu, c'est de l'espoir qui provient de l'extérieur de soi (*contrôle externe*). En psychologie, il y a une tendance à penser que le contrôle interne (qui vient de soi) est davantage profitable pour la personne. En travail social, les deux positions (interne et externe) sont considérées indispensables et l'une ne précède pas nécessairement l'autre : il y a un cheminement personnel à faire, mais il y a aussi des occasions et des forces extérieures qui jouent un rôle, généralement désignées par le mot *environnement.*

Enfin, dans la foulée des valeurs du rétablissement des troubles mentaux, ajoutons un sens collectif au concept d'espoir. Le mouvement du rétablissement s'appuie sur des principes d'autodétermination et de réappropriation du pouvoir non seulement individuels mais aussi collectifs[35], propres aux mouvements sociaux et, de ce fait, il porte un espoir collectif.

J'aime bien la définition de l'espoir[36] de Miller (1986) : *une anticipation de bien-être, de mieux-être ou de libération d'un contexte difficile, fondée ou non sur quelque chose de concret ou de réel.* Elle nous rappelle que le rêve, même s'il peut sembler irréaliste, peut nous motiver à avancer. Laissons donc rêver! En processus de réadaptation, il sera toujours temps de réajuster les attentes, si cela est

---

[34] Dufault et Martocchio, 1985.

[35] McCubbin et coll., 2003.

[36] La plupart des travaux que j'ai consultés pour étudier l'espoir étaient de langue anglaise. Il est à noter que le mot « hope » doit être traduit par « espérance ». Toutefois, au Québec, le mot « espérance » a une connotation religieuse, aussi le mot « espoir » en langage courant reflète un sens plus large, sans exclure la spiritualité.

nécessaire. Nous pouvons aussi ajouter l'expression *mieux-être*[37] au terme *espoir* dans le but de bien préciser de quel espoir il s'agit, le situant dans un contexte de santé et de bien-être général.

Des recherches sur l'espoir

Il existe un certain nombre de recherches scientifiques portant sur le thème de l'espoir et la santé, en particulier en réadaptation physique et en oncologie, qui ont permis de développer des échelles pour mesurer le niveau d'espoir. Il existe aussi quelques études sur la spiritualité et l'amélioration de la santé, par exemple : une croyance et des pratiques religieuses réduiraient le stress et amélioreraient la capacité de faire face aux problèmes[38]. Dans le domaine des troubles mentaux, plusieurs études mesurant les niveaux d'espoir nous apprennent que le niveau d'espoir n'est pas en fonction de la sévérité des symptômes[39]. Cela confirme l'observation des personnes cliniciennes à savoir que le niveau d'espoir des personnes ne semble pas être en lien avec leur niveau d'atteinte de la maladie, c'est-à-dire qu'une personne très atteinte peut avoir beaucoup d'espoir et une autre être totalement désespérée, même si les symptômes de la maladie sont légers ou qu'elle est en rémission. Par ailleurs, une intervention à court terme (une lecture inspirante, tel un récit sur le rétablissement) ne semble pas faire fluctuer le niveau d'espoir (les personnes qui ont déjà un bon niveau le garde, mais celles dont le niveau est bas reste bas)[40]. Susciter l'espoir auprès de ceux qui en ont peu semble être plutôt un travail de longue haleine. Une autre étude mentionne qu'il n'y aurait pas de différence de niveau d'espoir chez les intervenants selon la profession, le sexe ou l'âge, bien que les intervenants du réseau communautaire croient davantage faire une différence positive dans la vie des personnes atteintes[41]. En discussion, les auteurs émettent l'hypothèse que ce dernier résultat pourrait s'expliquer par le fait que l'autonomie professionnelle est plus grande dans le milieu communautaire. Enfin, une autre recherche suggère qu'il y aurait un lien entre le désespoir et la chronicité de la maladie[42].

---

[37] « Mieux-être » est défini par Le petit Larousse (2003) comme une « amélioration du confort, de la santé, etc. » (p. 653), il a été ajouté au mot « espoir » dans mon mémoire de maîtrise afin d'en préciser le sens.

[38] Kœnig, 2001; Crawford, Handal et Wiener, 1989.

[39] Landeen, Pawlick, Woodside, Kirkpartick et coll., 2000; Landeen et Seeman, 2000.

[40] Landeen et Seeman, 2000.

[41] Woodside, Landeen et coll., 1994.

[42] Hoffman, Kupper et Kung, 2000.

Puisque des recherches suggèrent que le niveau d'espoir à lui seul ne permet pas de prédire une meilleure réadaptation, j'en ai conclu que la *quantité* d'espoir nous apprend très peu sur le phénomène de l'espoir. Il fallait donc chercher une autre manière de l'explorer.

La contagion de l'espoir (Deegan, 1988)

Bien que le cheminement vers le rétablissement puisse se réaliser sans intervention professionnelle [43], l'apport de relations de soutien par les personnes intervenantes, ainsi que le phénomène de contagion de l'espoir, sont documentés par de nombreux récits et écrits scientifiques[44].

L'implication d'une personne significative qui offre du soutien et qui, surtout, montre qu'elle croit dans le potentiel de la personne concernée, serait un facteur crucial[45]. La famille et les proches constituent les premières personnes qui influencent l'espoir de la personne vivant avec un trouble mental. Le rôle des personnes en intervention est donc également auprès de ceux-ci, lorsque cela est possible. Les uns influençant les autres de façon circulaire. Toutefois, la question de la famille et de son rôle dans le processus de rétablissement sera davantage abordée dans un chapitre qui lui est consacré.

La qualité de la relation avec les professionnels des services sociaux et de santé est un élément clé du processus de rétablissement, quand elle est positive[46]. En plus de proposer un modèle sur la relation entre l'espoir et le rétablissement, Russinova (1999) suggère des stratégies pour inspirer l'espoir : notamment, la croyance dans le potentiel et les forces de la personne, l'aide pour trouver et atteindre des buts concrets, l'aide pour se rappeler les expériences positives et donner du sens à la souffrance, l'éducation à la maladie, le soutien à la personne pour gérer la maladie par la médication, l'encouragement à joindre des groupes d'entraide et à se connecter à des modèles de

---

[43] Anthony et coll., 2002.
[44] Davidson, 2006; Onken, 2006b; Spaniol et coll., 2002; Spaniol, 2001; Russinova, 1999; Landeen et coll., 1996; Deegan, septembre 1996; Kirpatrick et coll., 1995; Farran, Herth, Popovitch, 1995; Miller, 1992; Deegan, 1988.
[45] Spaniol et coll., 2002.
[46] Allott et Loganathan, 2002.

succès. L'aide concrète pour la gestion de la vie quotidienne, dont l'apprentissage de stratégies d'adaptation afin de faire face aux symptômes contribue aussi au développement d'un sentiment d'espoir[47].

Il faut également mentionner ici que les intervenants peuvent dans certains cas contribuer à une perte de pouvoir et d'autonomie chez les clients (ex. : relations paternalistes, non égalitaires ou carrément contrôlantes). À l'opposé, les intervenants peuvent être des facilitateurs : en misant sur les forces des clients, en développant une relation de confiance, en acceptant les risques, en utilisant des moyens variés respectant ainsi le chemin que veut emprunter la clientèle, en permettant les rêves, en travaillant à briser les entraves, en défendant les droits, etc.[48]. Les personnes se voient également progresser à travers le regard de l'intervenant. De plus, un changement du regard porté sur soi et sur son devenir, par la personne en processus de rétablissement, implique non seulement l'espoir d'être *mieux* ou d'être plus, mais surtout, de développer un lien social : aller vers les autres et être avec eux[49].

Connaître le point de vue des personnes et l'explorer en profondeur

Puisque les recherches qui mesurent la quantité d'espoir nous apprennent peu sur le phénomène, j'ai plutôt réalisé une recherche exploratoire, de type qualitatif[50] pour mieux le comprendre. Je me questionne, entre autres, sur l'influence de l'espoir sur le cheminement des personnes vers le rétablissement, en particulier sur l'influence que cela semble avoir sur le passage aux actions dirigées vers des objectifs, buts ou rêves, et cela, dans le souci de trouver des points de repère pour l'intervention. Pour cela, les entrevues de huit personnes usagères de services en santé mentale ayant des symptômes apparentés à la schizophrénie[51] et vivant dans la communauté ont été analysées en profondeur. Les questions ouvertes permettent que les propos émergent librement, c'est-à-dire sans être trop

---

[47] Noiseux et Ricard, 2008

[48] Davidson, 2006; Onken, 2006b; Mancini, Hardiman et Lawson, 2005; Quintal, 2003; Russinova, 1999.

[49] McCubbin et coll., 2010.

[50] Pour la méthodologie : voir le mémoire déjà cité.

[51] Pour cette étude les diagnostics suivants étaient inclus : différents types de schizophrénie, psychose schizo-affective, trouble schizophréniforme, trouble délirant. Les troubles organiques ou induits par substances étaient exclus.

orientés à l'avance. Ainsi quatre femmes et quatre hommes, répartis également dans les moins de 35 ans et les plus de 35 ans, ont été interrogés. Trois de ces femmes ont des enfants, dont deux avec enfants d'âge mineur, et un homme a des enfants majeurs. Les répondants ont choisi eux-mêmes leur pseudonyme pour l'étude.

Un précurseur de ce type de recherche est Erving Goffman, un sociologue canadien bien connu pour ses travaux qui décrivent le phénomène d'institutionnalisation et celui du stigmate[52]. Il est pour moi une source d'inspiration. De plus, cette façon de procéder correspond aux écrits sur le rétablissement qui donnent une place centrale aux témoignages fournis par les personnes elles-mêmes.

Les grands thèmes sources d'espoir sont aussi sources de désespoir

Tous les témoignages recueillis décrivent concrètement leurs objets d'espoir et leurs sources d'espoir; la plupart correspondent à des besoins psychosociaux fondamentaux, dont l'accomplissement de rôles sociaux significatifs. Ils confirment certaines réflexions sur des thèmes connus lorsque l'on aborde la question du rétablissement tels : le travail, le chez-soi, les relations de soutien; mais aussi sur des thèmes moins connus comme l'apport de la relation amoureuse et de la présence d'enfants et celui de petits-enfants. Lorsque les personnes répondantes abordent leur objet d'espoir particulier, elles font aussi référence à la maladie, aux rechutes ou à la médication. Les symptômes d'anxiété et de fatigue les affectent, parfois plus que les symptômes psychotiques davantage contrôlés par la médication. Toutes les personnes répondantes abordent spontanément leur suivi médical et la relation avec le médecin traitant ressort comme importante afin de susciter l'espoir. L'espoir dans les médicaments et la recherche scientifique sont également relatés. Ces constats font réfléchir, entre autres, sur l'importance de l'interdisciplinarité. Plus encore, un intervenant en soins a beau être techniquement compétent, il a aussi à intégrer des notions de base en relation d'aide basée sur l'humanisme s'il veut avoir une influence positive.

---

[52] Goffman, 1975; 1968.

Mais parler d'espoir, c'est aussi aborder le désespoir. C'est pourquoi les mêmes thèmes de sources d'espoir se révèlent en tant que sources de désespoir. Les écrits sur le rétablissement des troubles mentaux graves démontrent que le travail et le logement sont des conditions qui favorisent la qualité de vie, l'intégration sociale et le rétablissement[53]. Comme dans l'étude de Dorvil et coll. (2001), certains dans l'échantillon témoignent vivre comme une graduation le fait de passer de ressources de type pension —parfois quasi insalubres— jusqu'au logement autonome, afin d'accéder à un *chez-soi* où la personne a plus de contrôle sur son environnement. En plus des recherches, des orientations ministérielles au Québec ont aussi priorisé l'accès au logement et au travail, comme facteurs de rétablissement[54]. Malgré cela, les difficultés réelles pour obtenir autant un logement qu'un emploi décent subsistent et sont relatées dans les témoignages.

Amour, sexualité, enfants

L'étude fait aussi ressortir des données originales concernant l'amour, la sexualité et les difficultés reliées à ces besoins, ainsi que l'influence de la présence d'enfants et de petits-enfants. Spontanément, plusieurs personnes interrogées abordent leur besoin d'amour et de sexualité, leur combat pour maintenir leur relation amoureuse malgré ce qu'en dit l'entourage, ou leur attente du *Prince Charmant* ainsi que les risques d'exploitation qui peuvent y être reliés. Les femmes semblent davantage vivre en couple. Un des jeunes hommes interrogés a émis des hypothèses pour tenter d'expliquer pourquoi ce serait plus difficile d'être en couple pour un homme qui a la schizophrénie :

> *...Bien, les relations de couples un peu moins, pour les hommes, j'sais que, pour un homme hétéro je parle là, parce que les filles schizophrènes ont beaucoup moins de difficultés à se trouver un amant, qu'un gars qui l'est (...) peut-être que, les gars sont plus « oui » pour le sexe ou y sont plus tolérants ou je le sais pas, peut-être qu'ils lisent moins, pis il y a moins de quoi qui les indisposent. (Morphéus)*

---

[53] Provencher, 2003-2005; Lauzon et Lecomte, 2002; Dorvil, Guttman, Ricard et Villeneuve, 1997.
[53] Ministère de la santé et des services sociaux, 2005 et 1998.

Par ailleurs, vivre en couple et avoir une vulnérabilité sur le plan mental demandent des ajustements, par exemple : le besoin d'un bon sommeil. Faire chambre à part peut être une solution. Bien sûr, d'autres déplorent les effets indésirables de la médication sur les activités sexuelles.

Bien que les relations amoureuses et les ruptures occasionnent du stress,[55] il y aurait un lien entre une vie de couple satisfaisante et la santé[56]. Par ailleurs, être en amour, c'est aussi vouloir être comme les autres. Cela m'a interpelée à propos de ma qualité d'écoute. Ce n'était pas la première fois que de tels propos m'étaient confiés, mais comme j'étais en position de recherche plutôt que d'intervention, je n'avais pas à poser une action. Il est bon de se rappeler à quel point la simple écoute fait du bien à la personne et lui permet de faire le point, même si on n'a pas de *solutions* à proposer. Lorsqu'au CTR de Nemours, la personne usagère élabore son plan d'intervention, il est fréquent que le rêve ou le projet des jeunes hommes soit d'avoir une relation amoureuse. Longtemps, malgré notre orientation de laisser rêver librement la personne à son projet, devant leur sentiment d'impuissance quant à cette idée, les intervenants demandaient un autre projet pour la réadaptation.

Les enfants sont aussi des symboles d'espérance. Les répondants sont inquiets quant au développement possible d'un trouble mental chez leur enfant. Une dame, qui pourtant a été particulièrement rebelle aux soins dans sa jeunesse, agit comme modèle auprès de son enfant adulte qui a développé un trouble grave. Par exemple, elle contribue à la compréhension des manifestations de la maladie et l'acceptation de l'aide proposée. Elle, comme d'autres, exprime spontanément reconnaitre certains effets de la maladie et des hospitalisations sur ses enfants. Trois des quatre parents interrogés ont vécu des interventions par la Direction de la protection de la jeunesse, le quatrième a laissé la garde des enfants à sa conjointe. Leurs récits sont parfois si émouvants que malgré mon expérience, j'en ressors bouleversée.

Bien s'occuper des petits-enfants est aussi une forme de réparation auprès de leurs enfants. La présence de petits-enfants fournit

---

[55] Holmes et Raye, 1967.
[56] Cyrulnik, 2006; Umberson, 1987

également des occasions de marquer les diverses fêtes de l'année et de jouer un rôle familial.

Élever des enfants, c'est aussi une source de stress, tous les parents en font l'expérience. Cela varie selon la présence ou non d'un conjoint, de d'autres membres de la famille et de ressources de soutien. Les étapes de développement de l'enfant amènent des défis divers et la capacité de demander de l'aide fait la différence, dans la mesure où cette aide existe :

> *...j'aimerais ça pouvoir parler à des parents qui sont passés par où je suis passée, comment ils se débrouillent avec leur enfant (...) s'ils ont peur, c'est quoi leur angoisse? Comment ils se débrouillent?... (Stella)*

Finalement, la question de la pauvreté et de l'isolement social teintent tous les propos. En effet, même ceux qui ont un emploi se retrouvent avec des conditions de travail inférieures à leur capacité. Concilier travail et famille, sortir de l'isolement en étant pauvre et parfois stigmatisé, dépassent largement la stricte responsabilité individuelle.

Une étoile est née

Voici d'abord la petite histoire qui m'a conduite à présenter les résultats sous la forme d'une étoile. Sur le ton de la connivence, un usager de services en santé mentale m'avait affirmé qu'il existait une étoile appelée *espoir*, laissant entendre par là l'importance du sujet. Après des recherches, incluant un contact avec le Planétarium de Paris, aucune trace d'une étoile nommée *espoir, hope* ou espoir en langue arabe, n'a été trouvée. Puis, cette réflexion : les croyances, qu'elles soient vraies ou fausses, peuvent permettre l'espoir. La définition de l'espoir de Miller précise : « ... fondée ou non sur quelque chose de concret ou de réel. » À défaut d'exister dans la réalité, le dessin d'une étoile à cinq pointes a permis un schéma logique présentant la synthèse des résultats de l'étude sur l'espoir d'un mieux-être malgré la schizophrénie et son interprétation. Elle permet de mettre en relief les relations entre les différentes manifestations du phénomène de l'espoir, le tout est organisé de façon à proposer une compréhension circulaire et originale.

Dans l'esprit de la recherche qualitative, le schéma de l'*Étoile de l'espoir* continue d'évoluer pour donner suite aux discussions avec des auditoires avertis, lors de présentations des résultats. En 2009, l'étoile de l'espoir d'un mieux-être devient ceci :

L'Étoile de l'espoir

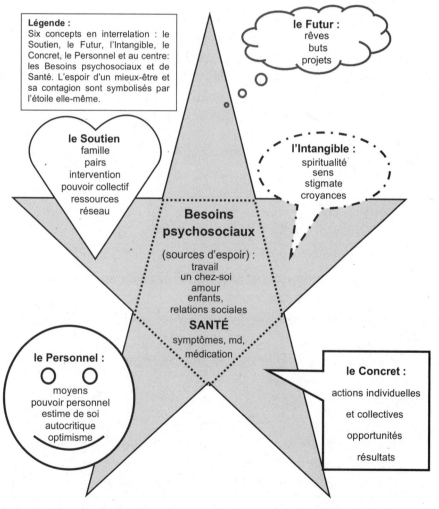

Légende :
Six concepts en interrelation : le Soutien, le Futur, l'Intangible, le Concret, le Personnel et au centre: les Besoins psychosociaux et de Santé. L'espoir d'un mieux-être et sa contagion sont symbolisés par l'étoile elle-même.

le Futur :
rêves
buts
projets

le Soutien
famille
pairs
intervention
pouvoir collectif
ressources
réseau

l'Intangible :
spiritualité
sens
stigmate
croyances

Besoins psychosociaux

(sources d'espoir) :
travail
un chez-soi
amour
enfants,
relations sociales
SANTÉ
symptômes, md,
médication

le Personnel :
moyens
pouvoir personnel
estime de soi
autocritique
optimisme

le Concret :
actions individuelles
et collectives
opportunités
résultats

Le phénomène de l'espoir d'un mieux-être © Cécile Cormier, 2009

Le schéma du phénomène de l'espoir d'un mieux-être comporte six parties en interrelation. L'étoile comprend cinq thèmes conceptuels (les cinq branches) qui regroupent les diverses données auxquelles j'ai ajouté deux notions issues des écrits sur le rétablissement et de mon expérience clinique : l'aspect collectif et l'autocritique. Le pentagone central regroupe les grands thèmes sources d'espoir, identifiés par les *besoins psychosociaux* et les questions de *santé*.

L'espoir d'un mieux-être et sa contagion sont symbolisés par l'étoile elle-même où toutes les parties s'inter-influencent. Ces inter-relations dans le phénomène de l'espoir d'un mieux-être s'appliquent aussi bien que l'on fasse référence à la maladie, à la santé, au développement personnel qu'au rétablissement. En ce sens, le modèle de compréhension du phénomène de l'espoir proposé rejoint les différentes influences idéologiques sans les opposer, bien que les sources d'espoir des répondants, tels que reflétés par les thèmes qui en ressortent, soient en majorité des thèmes psychosociaux.

Les cinq branches de l'étoile sont constituées par :

1) *le* **Soutien** *comprenant la famille, le réseau d'intervention, les pairs, les ressources et le pouvoir collectif;*
2) *le* **Futur** *associant les rêves, les buts et les projets;*
3) *l'***Intangible** *rassemblant la spiritualité, la quête de sens, l'influence du stigmate et des croyances;*
4) *le* **Concret** *désignant les actions individuelles et collectives, les circonstances opportunes et les résultats; et*
5) *le* **Personnel** *regroupant l'optimisme, l'autocritique, l'estime de soi, le pouvoir et les moyens personnels.*

Les catégories ne s'excluent pas mutuellement. Par exemple, les relations sociales (au centre) se retrouvent aussi dans le Soutien. *Ainsi, la médication, dans le thème central de la* Santé, *peut être considérée dans le* Soutien *(intervention et ressources), dans celui de l'In-tangible (en référant aux croyances positives ou négatives à ce sujet) ou enfin comme moyen personnel lorsque que la personne se donne du pouvoir quant à la prise de la médication.*

J'ai considéré le modèle de l'espoir sous plusieurs dimensions en influence mutuelle, afin qu'il puisse refléter son aspect de levier au processus de rétablissement. Par exemple, prenons dans le modèle : l'action concrète. La nécessité que l'espoir soit relié à des actions concrètes permet l'actualisation des rêves et des projets, et on peut penser que celle-ci nourrit à son tour le niveau d'espoir.

L'intérêt pour l'intervention est de visualiser où se trouve les forces et de choisir d'activer par des stratégies d'intervention l'une ou l'autre des parties de l'étoile. Les aspects qui ne fonctionnent pas peuvent être entrepris par un autre bout de l'étoile ou, au contraire, faire l'objet d'une attention particulière afin de susciter et de maintenir l'espoir dans une optique de processus de rétablissement. Par exemple, on peut choisir comme cible d'intervention le réseau familial, lorsque celui-ci est significatif, pour amorcer un changement, plutôt que la personne lorsque celle-ci est difficile à mobiliser. Ou alors, si les valeurs spirituelles sont importantes, les utiliser pour motiver la personne à faire de petites actions.

L'espoir d'un mieux-être

Reconnaissance ou non de la maladie, s'il y a de l'espoir...

Des études, et l'observation clinique, soulèvent des questions sur le fait de nier -ou, à l'inverse, de reconnaître et d'intérioriser- la maladie. Ainsi, beaucoup d'espoir sans autocritique concernant la maladie limite le passage à l'action[57], ce qui, évidemment, cause un problème pour une démarche de réadaptation! Une autre étude, qui combine l'acceptation de la schizophrénie et le phénomène de l'auto-stigmatisation, fait ressortir que cela affecterait négativement le niveau d'espoir et l'estime de soi[58]. De même, il y aurait une relation entre le degré d'autocritique élevé et les antécédents de tentatives de suicide[59]. Nous réalisons que les interventions essentiellement axées sur l'acceptation de la maladie peuvent avoir un effet de désespoir.

---

[57] Lysaker, Campbell et Johannesen, 2005.
[58] Lysaker, Roe et Yanos, 2007.
[59] Bourgeois, Koleck et Jais, 2008.

La personne vivant avec un trouble mental réagit souvent en passant d'un extrême à l'autre : la négation de la maladie ou la reconnaissance —jusqu'à l'intériorisation— de celle-ci. Dans le domaine médical, la présence ou non de l'autocritique est généralement considérée restreinte à la reconnaissance ou non de la maladie[60]. Tel qu'expliqué précédemment dans son chapitre, Marie-Luce Quintal illustre des mécanismes d'adaptation particuliers associés à chacune de ces options. Il reste que les deux positions conduisent à des conséquences difficiles à vivre avec lesquelles tous —la personne elle-même, ses proches, le personnel intervenant, les systèmes de soins et d'aide— doivent composer. De plus, une personne peut passer d'un mécanisme d'adaptation à l'autre à plusieurs reprises.

Basé sur l'expérience clinique, cela m'a amenée à réfléchir sur une notion plus large de l'autocritique que la reconnaissance de la maladie : la capacité de recevoir des rétroactions et d'apprendre de ses erreurs. Auquel cas, une personne ayant de l'espoir, même sans reconnaître la maladie, mais acceptant une certaine démarche de conscientisation, peut cheminer vers le rétablissement, tel qu'il est décrit dans le modèle d'adaptation de Marie-Luce.

J'en ai fait deux illustrations : la première est celle de l'espoir combinée à la reconnaissance ou non de la maladie, incluant la présence d'une autre forme d'autocritique (illustration page 113).

En réalité, la notion d'autocritique est plus large que le sens généralement donné en milieu médical. Elle suppose une certaine capacité d'introspection ou du moins celle d'entendre les rétroactions des proches, et la capacité d'apprendre de ses propres expériences. Les interventions peuvent être d'abord dirigées vers une reconnaissance de l'existence de phénomènes, de symptômes ou d'effets dérangeants (plutôt que de reconnaître à tout prix la maladie), et vers le développement d'habiletés pour composer avec ces manifestations, plutôt que l'obligation *d'accepter l'inacceptable*. Cette position permet de contourner plusieurs écueils considérés parfois comme de la résistance de la part de la personne vivant avec la schizophrénie.

---

[60] Marková et Berrios, 1995; Lalonde et coll., 1988.

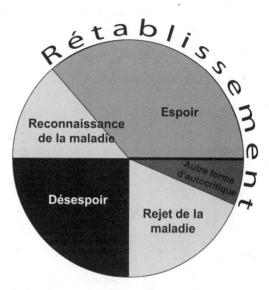

Espoir

Autre forme d'autocritique

Combinaisons possibles
avec le désespoir

Désespoir

*La partie « autre forme d'autocritique »
est incluse dans la partie de l'espoir.*

*Reconnaissance ou non de la maladie :
le passage vers le processus de
rétablissement nécessite l'espoir et une
forme d'autocritique.*

(Cormier, 2011)

La deuxième illustration est l'ajout de l'Étoile de l'espoir d'un mieux-être dans le modèle d'adaptation (illustration page 114).

J'ai aussi ajouté à son modèle de façon explicite (car c'est une évidence pour elle), une case sur les *conduites destructives* auxquelles les personnes qui nient la maladie peuvent s'exposer.

Ainsi, nous avons désormais un nouveau modèle qui fait ressortir que l'espoir — à la condition que la personne puisse accepter de se remettre en question— permet le passage vers le processus de rétablissement.

Modèle adapté de la représentation schématique depuis la maladie jusqu'au rétablissement de Quintal, par l'inclusion du modèle de l'espoir d'un mieux-être (Cormier 2009) et l'ajout de Conduites destructrices.

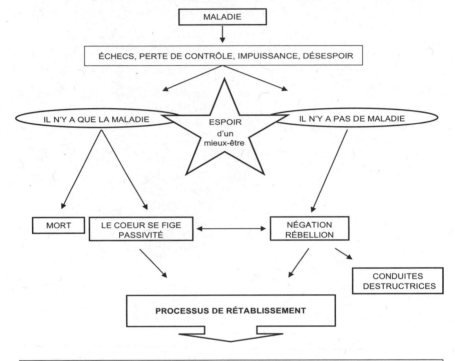

REPRENDRE CONTACT AVEC LA PARTIE SAINE POUR EN ARRIVER À INTÉGRER LA PARTIE MALADE, MAIS SANS EN PRENDRE L'IDENTITÉ, AFIN DE DONNER NAISSANCE À LA PERSONNE UNIQUE QUE NOUS SOMMES.

© Quintal et Cormier, 2009

Savoir prendre des risques

Constater que les mêmes thèmes suscitant l'espoir peuvent aussi susciter le désespoir (et les rechutes) met en perspective le risque réel que la personne en processus de rétablissement prend lorsqu'elle décide de s'investir dans l'atteinte d'un objectif. On peut comprendre l'hésitation de la personne atteinte et de ses proches, lorsque son projet qui peut être salutaire (par ex. : le travail ou le rôle de parent) causera forcément du stress et comportera des moments plus difficiles. L'expérience de plusieurs échecs antérieurs explique aussi l'ambivalence ou le *manque de motivation* pour la mise en action.

---

[61] Zubin et Spring, 1977.

Dans le cas de la problématique de la schizophrénie, le populaire modèle de la vulnérabilité-stress[61] explique l'augmentation des rechutes, entre autres, par la vulnérabilité neuropsychologique combinée à un stress social, telle que la forte expression des émotions (ou la pression de performance) dans la famille. L'accent mis sur cette réelle sensibilité au stress peut avoir pour effet pervers de suggérer un certain immobilisme, contradictoire avec la prise de risque nécessaire au rétablissement. En plus de soutenir les proches dans le développement d'une communication à teneur moins fortement émotive, il est opportun d'augmenter le soutien durant cette période où la personne reprend ou choisit un nouveau projet de vie (travail, école, appartement autonome, rôle parental...).

La gestion du risque pose une épineuse question aux intervenants. En premier lieu, nous avons la crainte de créer de faux-espoirs. Marie-Luce me faisait remarquer qu'il y a pire que les faux-espoirs : pas d'espoir du tout! Par ailleurs, Deegan (1997) reformule la prise de risque par la *dignité du risque* et affirme que la rechute n'est pas un échec, mais un passage vers une autre étape. Davidson (2006) précise à juste titre que les risques appartiennent à la personne, pas à l'intervenant. À défaut d'être des risques totalement calculés (d'ailleurs est-ce possible?), l'intervention vise à ce que les risques soient réfléchis et que l'expérience permette à la personne de mieux se connaître, peu importe le résultat.

Les moyens pour parvenir au rétablissement appartiennent à la personne et saisir des opportunités implique de prendre des risques. Toutefois, une analyse et une gestion du risque doivent être partagées avec la personne et ses proches, puisque que ceux-ci ont une grande influence et qu'ils sont souvent impliqués dans les conséquences possibles des choix faits. Le travail d'équipe permet aussi le partage des réflexions, du fardeau émotif et des responsabilités. Si l'espoir est contagieux, le désespoir l'est aussi. Il est généralement reconnu que les échanges faits de manière authentique avec la clientèle lors de l'évaluation du risque et, si possible, avec l'implication de la famille ou de proches, contribuent à éviter des poursuites éventuelles.

Des alliances qui donnent de l'espoir

Dans les propos recueillis pour ma recherche, parfois les intervenants sont nommés en même temps que des membres de la famille, ce qui signifie l'importance accordée dans le phénomène de l'influence de l'espoir. Parfois, l'intervenant est surtout une présence et est considéré comme un ami devant la réalité de l'isolement. Mais pour paraphraser Onken (2006), un ami est une personne qui n'est pas payée pour être en contact avec nous...

Par ailleurs, une relation qui amène des changements suppose une implication de la personne aidée, ainsi que le développement de la confiance envers l'autre. Les alliances fortes font la différence que ce soit concernant l'amélioration de l'état de santé, le développement personnel et l'espoir d'un mieux-être. L'alliance se forme lorsque l'on est présent, surtout quand c'est difficile, par exemple, lors d'une décision de garde d'enfant ou de placement et par des actions concrètes comme : la reconnaissance des capacités, la défense d'intérêts, l'organisation de services.

> ...elle est là depuis que je suis enceinte de mon enfant. Elle a vu tout, c'est quand tu passes des épreuves avec ton intervenant, que tu luttes... On a lutté pour avoir la garde de notre (enfant) pis elle, elle a tout vu ça, pis elle a dit : « Je le sais que c'est des bons parents... » *(Stella)*

La présence d'un intervenant régulier, capable de sortir des sentiers battus, une relation où le partage du vécu personnel d'une manière égalitaire, et centrée sur les forces, contribuent aussi à l'alliance :

> ...c'est sûr que dans ses cours, il disait de (ne) pas embarquer (dans) sa vie personnelle, dans tout ça, mais nous sommes comme devenues amies, parce que, elle, elle me racontait plein de choses de sa vie, pis moi, je racontais plein de choses de ma vie, pis elle m'aidait beaucoup à voir les choses différemment : « Oui, oui, tu vas t'en sortir, regarde ce que t'as fait déjà, pis ça va bien » (...) Quand

> j'avais des désespoirs bien, elle m'envoyait une nouvelle façon de regarder les choses pour que je puisse continuer. (...) (elle) ne me racontait pas tout là, non plus là, mais, elle m'en contait... *(Claire)*

Dans les faits, plusieurs styles différents d'intervenants conviennent à différentes personnes. Certains suggèrent le développement de ressources d'entraide pour augmenter les possibilités de croissance personnelle et pour se sentir plus normal :

> ...si vous mettez sur pied ou en branle des organismes qui impliquent des gens comme dans le *pour et par* de (nom organisme communautaire). Plus qu'il y a d'organismes comme ça, plus t'as des chances de t'en sortir (...) parce qu'ils t'aident à te construire une nouvelle personne (...) que tu sois président de cet organisme-là, que tu sois vice-président ou simple conseiller, que tu sois au niveau de déménager quelqu'un ou..., ça valorise tout le temps (...) ça donne l'espoir de devenir meilleur, de devenir, quasiment normal. *(Monsieur A)*

Les interventions qui suscitent l'espoir

Comme pour d'autres approches humanistes, l'intervention basée sur l'approche de rétablissement consiste à accompagner la personne (être à ses côtés), et cela commence par une véritable écoute. Une *écoute active* est plus difficile qu'on ne pourrait le croire. Elle est bien sûr empreinte de respect et de compassion, mais elle inclut aussi une capacité de communiquer de façon authentique (être franc et exprimer, humblement, nos observations, impressions et émotions). Cette communication authentique veille également à souligner les forces. Une fois la relation de confiance bien installée, cela signifie aussi pouvoir confronter, de façon respectueuse, avec des faits, par exemple : en identifiant les contradictions que nous observons. Car nous avons tous besoin de rétroactions pour apprendre et s'améliorer. Toutefois, la personne demeure libre de ses choix (reprise du pouvoir d'agir) et aura à vivre les conséquences de ses décisions (responsabilisation), cela tant que personne n'est évidemment en réel danger.

L'ensemble des valeurs et des attitudes qui se dégage de l'intervenant et qui s'appelle le *savoir-être* est fondamental. Luc Vigneault y fait référence dans son témoignage précédent. Par exemple : (Luc) « *...on me parle doucement et ouvertement comme si on jasait entre amis au café du coin* », « *...j'annonce à mon intervenante que je veux devenir conseiller politique. Elle me regarde avec ses beaux grands yeux qui brillent et dit : « Ça va leur faire du bien! »*. Le savoir-être s'exprime notamment par l'authenticité : (Luc) « *...découragé, je dis à mon intervenante : « Personne ne m'approche, comme si on avait peur de moi! » Elle me réplique : « Mais Luc, tu pues, tu ne te laves pas, ton hygiène corporelle est catastrophique. »»* Tel que mentionné précédemment, une telle confrontation est possible lorsque que la relation de confiance est installée. Elle est une action consciente et respectueuse, et non pas une réaction!

De plus, puisque que l'approche de réadaptation soutenant le rétablissement n'est pas l'application de techniques et que la capacité de soutenir l'espoir doit tenir compte de multiples facteurs, les aptitudes à la créativité sont certainement un atout chez les intervenants.

Surtout, pour vivre des réussites dans le travail auprès de personnes ayant des troubles mentaux considérés graves, il faut qu'il y ait la possibilité de travailler *à relais*, c'est-à-dire qu'il faut plusieurs personnes et, parfois, plusieurs types de ressources qui se complètent et qui assurent la continuité. Pour les personnes intervenantes, le travail d'équipe, avec d'autres intervenants et avec la personne elle-même et ses proches, est nécessaire et suppose un minimum de stabilité des équipes. Il y a souvent au moins un individu dans l'équipe qui croit au succès possible et c'est parfois une personne intervenante différente de celle du début. De temps à autre, l'arrêt de suivi par une personne de l'équipe et le changement d'intervenants sont parfois bénéfiques, à la condition de recréer une relation de confiance et d'assurer une certaine continuité. Ce travail se fait aussi en relation avec d'autres milieux institutionnels et communautaires, de façon respectueuse et égalitaire avec les différents systèmes de soutien.

Finalement, lorsque nous avons établi une relation de confiance et que pour une raison ou une autre, nous devons quitter, il est possible de travailler à préparer un *transfert de confiance* envers une autre personne, en en faisant une priorité d'intervention.

Rappelons enfin que l'approche du rétablissement est issue de mouvements sociaux et suppose donc des actions collectives, qui devraient être soutenues par l'intervention. La reprise du pouvoir individuel a certainement un effet positif sur l'estime de soi. Toutefois, la reprise de pouvoir collectif peut diminuer le sentiment de culpabilité. Le développement de la conscience critique, c'est-à-dire le fait de réaliser que les causes de notre problème ne sont pas que personnelles (par exemple : la stigmatisation et l'exclusion sociale) permet de rejoindre d'autres personnes ayant pour but de produire des changements sociaux et d'exercer sa citoyenneté.

Cette vision collective commande d'appuyer le développement de l'intervention complémentaire par des pairs, et la croissance de diverses associations d'usagers ainsi que des associations de proches. Ceci est une bonne façon de viser la reprise du pouvoir d'agir individuel et collectif des personnes vivant avec un problème important de santé mentale ainsi que leur famille respective et de soutenir leur espoir.

Conclusion quant à l'espoir

Il existe différentes conceptions de ce qui suscite et développe l'espoir chez les personnes vivant avec des symptômes apparentés à la schizophrénie. J'ai tenté d'intégrer toutes ces influences, plutôt que de les opposer. Je crois sincèrement que c'est ce qui est le plus utile, chacun apportant un morceau du casse-tête, ce qui finit par donner une image plus complète de la réalité. Ainsi, l'espoir provenant de l'approche biomédicale se concrétise par les recherches sur le cerveau, les maladies, la génétique et une médication plus efficace et sans effets secondaires indésirables. L'espoir de l'approche psychosociale et de réadaptation met l'accent sur le développement du plein

potentiel des individus, l'amélioration de la qualité de vie et l'intégration sociale. Le mouvement du rétablissement donne l'espoir de se
rétablir de la maladie et de ses stigmates, avec ou sans intervention
spécialisée, en mettant en relief, entre autres, l'entraide par des pairs,
la reprise du pouvoir d'agir et l'accès à la pleine citoyenneté.

Quoiqu'il en soit, l'important pour susciter l'espoir est de tenir
compte des aspirations des personnes. Et, bien souvent, ces dernières
préfèrent se concentrer sur des rôles habituels d'une vie adulte, avant
même de contrôler les symptômes et de réduire le nombre d'hospitalisations[62]. C'est peut-être aussi une réaction saine pour combattre
la stigmatisation. « Le fait d'avoir des attributs sociaux comme tout
le monde (ex. : avoir une épouse, des enfants) permet de confirmer
sa prétention à la normalité. » (Goffman, 1975 : p. 17).

En tant que travailleuse sociale, je me positionne aussi pour
le *droit à la différence*, car qui d'entre nous correspond à toutes les
caractéristiques de la normalité? Le simple fait de vieillir nous met
dans une catégorie en dehors de l'idéal de la norme... Mon espoir est
qu'il y ait une place honorable pour tous dans notre société, quelles
que soient ses particularités humaines.

En référence au témoignage qui a débuté ce chapitre, j'ajou-
terai que mes expériences syndicales m'ont permis de constater que
l'intégration de travailleuses et travailleurs ayant des différences, a
souvent contribué à améliorer le sort de tous. Je prends pour exemple
l'intégration de femmes chauffeurs d'autobus au Québec, qui ne s'est
pas fait sans heurts. Leurs revendications, telle que celle d'avoir des
sièges ergonomiques adaptés à leur dimension, ont permis à tous les
chauffeurs d'améliorer leurs conditions de travail, car tous les
hommes n'ont pas une taille standard et les maux de dos ne font pas
partie d'un mal nécessaire de ce travail. Qu'un certain nombre de nos
collègues de travail ait besoin d'adaptation pour faire face au stress
peut servir à protéger notre propre santé mentale, si on revendique
que les accommodations en milieu de travail soient applicables, un
jour, à tous.

---

[62] Drake, 1998.

Les piliers du rétablissement : la reprise du pouvoir d'agir

Dre Marie-Luce Quintal et Luc Vigneault

Les piliers du rétablissement : la reprise du pouvoir d'agir

De l'impuissance...

Marie-Luce : Avant de parler de la reprise du pouvoir d'agir, il apparaît incontournable de discuter d'abord du thème de l'impuissance. Cette impuissance qui vient avant tout de la maladie elle-même, mais aussi celle qui nous est parfois transmise par les autres. Il n'y a pourtant pas de mauvaises intentions, seulement une fausse certitude de savoir mieux que l'autre ce qui est bon pour lui. Je vous donne un exemple simple.

Je suis au lendemain de mon premier accouchement qui a été plutôt difficile, ne craignez rien, je vous épargne les détails. L'infirmière entre dans ma chambre et me dit : « Aujourd'hui c'est le jour où il faut vous lever et aller vous laver à la douche. » Cette demande est claire, logique et raisonnable. Je tente de me lever, mais je deviens très étourdie. L'infirmière répète sa demande et quitte la chambre. Je me lève donc et je me rends péniblement au bout du couloir en tenant la rampe installée dans le corridor. Je me sens mal à plusieurs reprises et je dois m'asseoir pour éviter de tomber. Cette tâche a fait ma journée! Je me repose dans mon lit lorsque la même infirmière revient me voir en fin de journée en me demandant : « Vous sentez-vous étourdie? » En ce moment, bien assise dans mon lit : « Non ». Elle ajoute : « C'est que votre hémoglobine est basse. » Elle m'explique alors les conséquences de cette baisse. J'ai maintenant l'autorisation officielle de me sentir étourdie, quel soulagement!

Cette anecdote n'a pas eu de conséquences, mais elle permet de saisir à quel point nous sommes dépossédés de nous-mêmes lorsque nous sommes hospitalisés. Tout le monde sait mieux que nous ce que nous ressentons, car tout a déjà été étudié scientifiquement et l'évolution des maladies est codifiée en phases afin de prévoir les services nécessaires et, bien sûr, la durée des séjours. Il est vrai que ces études ont amélioré la qualité des services et évité bien des complications, mais elles ont également ajouté à la dépossession ressentie par les malades. Heureusement, je n'ai pas été hospitalisée très longtemps et cette anecdote fait partie des histoires qui colorent ma vie, mais imaginez les conséquences d'une telle perte de pouvoir à long terme. Dans un hôpital tout est réglé, l'heure du lever, de la douche, des médicaments, des repas, de la sieste, des activités puis, du coucher. La personne perd le contact avec ses propres besoins. Elle n'a pas à se demander si elle a faim, car le repas est servi et si elle ne mange pas maintenant, elle n'aura rien. Elle a l'habitude de se coucher à minuit et de se lever à 10 heures, ce n'est plus possible, car le lever est à 7 heures et le coucher à 22 heures, parfois les médicaments du coucher sont donnés à 20 heures dans les ressources dites non institutionnelles! Il faut dire que la prise en charge n'est pas réservée qu'à l'hôpital.

Si on veut que la personne se rétablisse, il faut lui permettre d'être en contact avec ce qu'elle est et favoriser la reprise du pouvoir au moins sur son propre corps, c'est déjà pas si mal!

Luc : Ton histoire me fait penser à l'incohérence dont on peut parfois être victime à l'hôpital et qui vient augmenter notre impuissance d'agir. Par exemple, lorsque j'étais hospitalisé, on nous donnait des ateliers sur l'insomnie. On nous disait alors qu'il était important d'avoir une bonne nuit de sommeil et qu'il fallait associer notre lit au sommeil. Si on ne dort pas, il est préférable de se lever et d'attendre un peu que l'envie de dormir revienne avant de se recoucher. Le soir venu, l'insomnie s'installe, je me lève donc pour aller m'asseoir un peu dans la salle. Là, le préposé me dit : « Va te coucher. » « Cet après-midi, ils m'ont dit que je dois me lever quand je ne dors pas. » « Tu feras ça chez toi, ici, tu dois rester couché. »

Un autre exemple de notre perte de pouvoir d'agir : la sieste obligatoire en après-midi. Quand on demande à des intervenants pourquoi il y a la sieste en après-midi, il n'y a souvent aucune réponse. Est-ce imposé pour que le personnel se repose? En profitent-ils pour mettre leurs dossiers à jour? En tout cas, il ne semble pas y avoir de raison justifiée par les besoins des usagers. Pourquoi ne serait-ce pas une activité libre?

Encore plus difficile à comprendre, les heures permises d'utilisation du baladeur dans certains établissements. Moi, j'ai vécu avec un walkman dans les oreilles quand j'entendais des voix, 24 heures par jour. Cela a été un outil incroyable pour m'aider à fonctionner et à vivre dans la communauté. Quand j'étais concentré sur la musique, je n'entendais pas mes voix. Pour moi, le baladeur était un outil important. Alors, comment justifier un règlement qui restreint l'utilisation d'un outil qui permet une meilleure gestion des symptômes?

Marie-Luce : On peut se demander d'où vient ce si grand besoin de contrôle, car il apparaît encore plus grand en psychiatrie qu'ailleurs en médecine? Peut-être de l'impuissance devant la maladie?

Parce qu'il faut le dire, la folie dérange! Cette façon de parler que nous ne décodons pas, ce comportement qui nous apparaît sans but, parfois cette violence qui nous effraie, que faire? La souffrance ressentie, l'angoisse qui suinte de partout, la mort qui semble une délivrance, que faire? L'impuissance de l'autre que l'on porte sur son dos comme une croix, on a parfois l'impression qu'il n'y a rien à faire. Ce sentiment d'impuissance, chaque intervenant le ressent un jour ou l'autre. Nous tentons de l'éviter, car il nous remet en question, nous fait douter de notre savoir et de nos capacités d'intervention, mais il finit par nous rattraper un jour ou l'autre.

Robbins et Van Rybrock[63] décrivent cette descente vers une situation sans issue. Le désespoir, la colère ou la peur de l'usager produisant le même état chez l'intervenant les entraînant ainsi tous les deux dans une spirale commune vers l'impuissance d'agir.

En plus d'influencer intervenants et usagers, l'impuissance agirait-elle sur notre façon d'organiser les services en psychiatrie? Nous pouvons penser que ce sentiment et la peur sous-jacente ressentie par la personne, la famille, les intervenants et la société elle-même a pu contribuer à l'épaisseur des murs que nous avons construits et sur la quantité de règles qui régissent la vie des personnes hospitalisées.

---

[63] Robbins, K., I., Van Rybroek, G., J., The State Psychiatric Hospital in a Mature System, tiré de Stein, L.,Hollingsworth, E., J. : Maturing Mental Health Systems : New Challenges and Opportunities, Jossey-Bass Publishers, no. 66, summer 1995, p.87-100

L'impuissance provient de l'interrelation de plusieurs facteurs. D'abord, de la folie elle-même qui plonge l'individu qui en est atteint dans l'incapacité d'agir de façon sensée. Ensuite, de la réaction des personnes autour de lui qui ne savent pas comment réagir face à ce comportement désordonné et qui demandent l'aide de la société. Celle-ci ne sait trop que faire, mais a le devoir de faire quelque chose et décide au moins de se protéger contre cette folie qui dérange. Les structures ainsi misent en place deviennent, à leur tour, cause de dépendance et d'impuissance apprise enlevant alors tout pouvoir d'agir aux personnes concernées. Celles-ci se retrouvent ainsi dépossédées de leur pouvoir par la folie d'abord, puis par la société via l'hospitalisation.

À l'origine, les hôpitaux psychiatriques résultaient de cette impuissance et ils ont exacerbé celle des personnes qui y étaient traitées. Ils ont possiblement contaminé aussi l'ensemble du système.

Si ces hôpitaux sont le symbole de notre impuissance collective, leur démolition pourrait peut-être nous permettre de nous en sortir? Mais s'ils n'étaient que le paravent cachant les causes véritables de ce sentiment destructeur, leur disparition ne servirait à rien ou pire, nous rendrait vulnérables. Là réside le paradoxe, les hôpitaux semblent nous protéger et nous donnent le sentiment d'être puissants alors qu'ils nous dépossèdent de notre pouvoir au point où il apparaît difficile de simplement réfléchir à une organisation de services dont ils seraient absents. Nous sommes loin des pics des démolisseurs! Certains auteurs pensent que l'organisation actuelle est effectivement un frein au changement et même à notre capacité d'imaginer un fonctionnement qui serait différent.

« (...) Les contours du système de santé mentale actuel influencent assurément sa capacité de percevoir et de définir ses problèmes, voire d'entreprendre de les résoudre.(Traduction libre) »[64]

---

[64] Hollingsworth, E.,J., Issues of Politics, Boundaries, and Technology Choice, tiré de Stein, L.,Hollingsworth, E., J. Maturing Mental Health Systems : New Challenges and Opportunities, Jossey-Bass Publishers, no. 66, summer 1995, p. 31-42.

De la folie à l'impuissance d'agir chez la personne, qui influence la relation avec l'intervenant, dans une organisation de services qui est issue de notre impuissance. Cette organisation devient un frein au pouvoir d'agir de la personne atteinte et des intervenants, elle contamine également les gestionnaires et toute la société au point où il est difficile d'imaginer autre chose. Voilà qui décrit l'enchevêtrement, telle une toile d'araignée, dans lequel nous sommes tous prisonniers.

...au pouvoir d'agir!

Il est difficile de vivre avec un sentiment d'impuissance, car ou bien ce sentiment nous enferme dans la passivité ou bien nous le refusons et nous agissons souvent avec force afin de bien montrer qu'il ne nous atteint pas. La révolte est souvent le signe de notre refus de l'impuissance. Il faut prendre garde de vouloir faire taire cette révolte à tout prix, car nous risquons de faire retomber la personne dans l'impuissance. Tenter de canaliser cette énergie de façon créatrice, de la mettre au service du rétablissement, d'aider la personne à différencier sa colère envers la maladie et sa révolte envers l'équipe, l'aider à identifier l'énergie perdue en batailles inutiles est sûrement plus efficace que de *casser* la personne ou la faire rentrer dans le rang, comme on le faisait jadis. La colère est une source d'énergie brute qui ne demande qu'à être canalisée comme toutes les sources d'énergie que nous rencontrons dans la nature.

Luc : Est-ce que tu savais Marie-Luce qu'il est plus acceptable de péter les plombs dans le département d'oncologie que dans celui de psychiatrie?

Marie-Luce *:* Qu'est-ce que tu racontes Luc, en psychiatrie, nous sommes des spécialistes du comportement, on doit mieux gérer les crises qu'ailleurs.

Luc : Quand je suivais mes traitements de chimiothérapie pour mon cancer, j'ai vu des personnes *péter les plombs*, se mettre à pleurer et à crier leur sentiment d'injustice : pourquoi moi? Là, le personnel se rendait auprès de la personne, lui prenait la main et lui disait : « Exprimez votre colère, c'est normal d'être en colère. » Je suis resté figé, je me suis souvenu de ce que j'avais vécu en psychiatrie, de la colère que j'avais ressentie, mais jamais on ne m'avait invité à exprimer cette colère, on m'a enfermé et médicamenté, voilà pour l'expression! Je me demande si des petites réunions entre le personnel d'oncologie et de psychiatrie ne seraient pas une bonne idée?

Marie-Luce : C'est vrai que la colère fait peur et que nous réagissons rapidement en psychiatrie, mais comme nous sommes aussi confrontés parfois à l'agressivité et la violence, il est peut-être plus difficile de tolérer la colère dite normale. Ce n'est pas une excuse, mais plutôt une explication. Il faudrait sûrement penser à laisser une place à l'expression de la colère qui est tout à fait normale.

L'impuissance suscite aussi d'autres réactions que la colère de la part des usagers.

Par exemple, Patricia Deegan décrit la stratégie du cœur figé :

(...) c'est alors qu'un sentiment profond d'impuissance, de désespoir, s'immisce dans notre cœur. Et dans un ultime effort pour échapper aux effets biologiques désastreux de cette sensation d'impuissance, les personnes aux prises avec une incapacité psychiatrique font exactement ce que font les autres dans une situation semblable; notre cœur se fige et nous tentons de ne plus nous en faire. Il est en effet moins dangereux d'être sans ressource que sans espoir.[65]

Lorsque nous travaillons avec une personne qui a décidé de ne plus s'en faire et qui reçoit passivement les traitements, il est tentant de prendre le pouvoir et d'agir à sa place. Cette intervention nous redonne du pouvoir. Nous faisons échec à notre sentiment d'impuissance, nous avons l'impression d'être efficace et puissant. Par contre, la personne reste prise, figée dans son impuissance, confirmée dans son doute sur ses capacités et devient même dépendante de nos services. Au lieu de prendre le pouvoir et d'agir à la place de la personne, Patricia Deegan nous propose une autre façon de réagir en lien avec une compréhension renouvelée du pouvoir. En se référant aux chercheurs du Stone Center, elle nous dit :

[65] Deegan, P., Le rétablissement, un itinéraire du cœur, Le Partenaire, vol. 5, no.1, printemps 1996, p.3

> Par tradition et culture, nous en sommes venus à comprendre *pouvoir* dans le sens de domination, d'emprise et de maîtrise. En d'autres mots, nous assimilons le pouvoir à l'action du *pouvoir sur quelqu'un ou quelque chose.* (...) Ces rapports hiérarchiques qui déshumanisent et déresponsabilisent ne sont pas les seuls possibles. (...) Le mot *pouvoir* a également le sens de *capacité d'amorcer ou de produire un changement.* Surrey (1987) nous aide à saisir que le pouvoir ne se limite pas à *l'action du pouvoir sur autrui* : il s'entend aussi du *pouvoir partagé* ou du *pouvoir collectif.*[66] (Traduction libre)

Deegan nous amène ainsi sur une nouvelle piste de solution, le pouvoir partagé. Mettre ensemble tous nos pouvoirs, additionner nos capacités d'agir, augmenter notre énergie collective. Au lieu d'être pris chacun dans notre impuissance et de chercher à s'en sortir seul, il est préférable d'utiliser tout le pouvoir disponible et de réussir ensemble. La personne atteinte d'une maladie mentale apprend ainsi qu'elle détient un pouvoir sur sa vie, elle sort de la passivité et de la dépendance. L'intervenant ne détient plus à lui seul le fardeau d'avoir réponse à tout et ne devient pas indispensable à l'autre. Le concept est simple et logique, il suffisait d'y penser!

Luc : Une bonne façon d'additionner nos pouvoirs c'est de participer à des groupes d'entraide.

J'ai déjà partagé avec vous de quelle façon mes rencontres dans les groupes d'entraide ont été enrichissantes, mais j'ajouterais qu'elles m'ont aussi donné accès à une plus grande force, celle d'un groupe. Il n'y a pas que les personnes usagères en santé mentale qui ont besoin d'un groupe, il n'y a qu'à regarder toutes les associations, syndicats, ordres professionnels, etc. qui existent pour s'en convaincre! Nous sommes plus forts, car nous ne sommes plus seuls!

Le pouvoir partagé

Marie-Luce : Tous ces concepts sont bien intéressants me direz-vous, mais dans la vie de tous les jours, comment les appliquer? En tant

---

qu'intervenant, j'ai un devoir de protection envers la personne vulné-rable et envers la société, comment alors concilier partage du pouvoir et responsabilité? Le pouvoir partagé implique nécessairement une responsabilité partagée. Il n'est pas exact de dire que je suis le seul responsable d'ailleurs, quand je prends toute la responsabilité, j'aug-mente les risques, car je ne suis pas infaillible.

Pour mieux comprendre ce concept, il faut le décortiquer en trois niveaux, puis en différentes intensités. Le niveau relationnel qui est celui de la relation thérapeutique comme telle, le niveau interdis-ciplinaire qui se retrouve à l'intérieur de l'équipe de soins, puis le niveau systémique qui inclut autant la gestion organisationnelle que politique et sociale. Pour ce qui est des différentes intensités, il s'agit d'imaginer le pouvoir partagé comme un rhéostat et non un commu-tateur *on-off* avec l'ensemble des combinaisons possibles.

Le niveau relationnel ou la relation thérapeutique

Le pouvoir partagé, c'est la reconnaissance de l'expertise de l'autre

Marie-Luce : On a longtemps défini la relation thérapeutique comme une relation entre un expert qui sait et une personne en besoin d'aide qui est passive et reçoit l'aide proposée. Dans ce cadre, les profes-sionnels détiennent alors un très grand pouvoir sur les conditions de vie des usagers. Les intervenants veulent bien sûr le bien de la personne et prennent en charge l'ensemble de ses besoins. Ils défi-nissent le plan de traitement, le milieu de vie et les activités sociales ou professionnelles. On parle alors de relations hiérarchisées. On agit comme si la personne était totalement incapable de prendre une décision quelle qu'elle soit.

La médecine a longtemps fonctionné sur ce modèle que l'on dit *paternaliste*[67]. Dans le paradigme du pouvoir partagé, nous parlons plutôt de la rencontre de deux expertises. On reconnaît l'expertise particulière de l'intervenant et elle demeure essentielle, mais on reconnaît aussi à l'usager une expertise, celle concernant son corps et sa propre vie. Nous le savons, les valeurs d'une personne influen-

---

[67] Paternalisme : tendance à imposer un contrôle, une domination, sous couvert de protection, Petit Robert 2011, p.1828

cent ses choix et nous devons en tenir compte dans l'élaboration du plan de traitement.

Imaginez simplement que pour votre bien, je décide d'organiser votre fin de semaine. Si je suis une sportive, je risque de vous envoyer faire du kayak de rivière ou du jogging sur les Plaines d'Abraham, mais si je suis une mélomane, il se peut que je vous procure des billets pour l'opéra. Je vais le faire en toute bonne foi, mais je peux grandement vous décevoir surtout si votre passe-temps favori est le cinéma ou le jardinage. De la même façon, même si je sais que je dois perdre du poids ou cesser de fumer, je ne pourrai pas y arriver tant que je n'aurai pas décidé de le faire. Personne ne peut prendre la décision à ma place sans compter qu'une décision prise sans mon consentement peut provoquer l'effet contraire du but recherché. On peut me donner de l'information, des outils pour y parvenir, m'encourager, mais je demeure responsable de la mise en œuvre de la décision. Ce qui est extraordinaire c'est que les personnes ayant un problème de santé mentale fonctionnent comme nous. Il est alors inutile de mettre une liste d'objectifs sur une feuille alors que la personne n'est pas intéressée. Ça fait un beau plan d'intervention... pour les statistiques seulement!

Un seul objectif voulu par la personne est peut-être plus efficace que dix buts décidés par l'intervenant. Cela ne veut pas dire qu'en tant qu'intervenant nous n'avons pas à amener la personne à prendre conscience de son problème et à prendre les moyens pour le surmonter. Je ne deviens pas un observateur passif, je dois être actif et créatif, mais dans le respect de la singularité de la personne. Un moyen simple et efficace de partager le pouvoir : le plan d'intervention autogéré.

Cet outil permet à la personne de préparer elle-même son plan d'intervention. À l'aide d'un cahier prévu à cet effet, la personne réfléchit d'abord à son projet de vie. Un projet de vie ce n'est pas discutable, et cela, même s'il a l'air irréaliste. Qui d'entre nous n'a jamais eu un projet irréaliste ou peu réalisable? Pourtant, cet objectif nous a permis pendant un certain temps de nous mettre en marche, de développer des habiletés, ou de connaître de nouvelles personnes, d'élargir nos horizons jusqu'à ce que nous constations par nous-mêmes que le but visé devait être réajusté.

Pour la personne qui n'a plus d'espoir de vivre une vie meilleure, ce projet c'est une planche de salut, c'est l'espoir qui renaît. Nous avons le devoir de l'accompagner dans son projet en l'aidant dans la planification des étapes pour y arriver, de petites étapes réalisables. Par exemple, je veux devenir médecin, bon c'est une profession intéressante. La première chose c'est qu'il faut entrer à l'université avec de bonnes notes. Où en es-tu avec tes études, comment pourrais-tu avoir de l'aide? Il se peut qu'elle modifie son projet par la suite en réalisant que le but visé n'était pas réaliste. Le projet de vie c'est le moteur qui permet de se remettre en marche. La deuxième étape consiste à faire le tour de toutes les forces de la personne. Celle-ci identifie toutes les forces qu'elle se reconnaît à l'aide d'une grille qui en regroupe plus de 100. La plupart des personnes se reconnaissent plus de 80 forces. Voilà qui est déjà thérapeutique! Elle choisit ensuite au moins 4 forces dont elle est fière et qui peuvent l'aider à atteindre le but visé. Elle relit ensuite les énoncés qui ont été écrits sous forme de difficultés et elle coche toutes celles qu'elle se reconnaît. Elle en choisit trois qui l'empêchent de réaliser son projet de vie et qu'elle est prête à travailler.

Une difficulté qui n'est pas en lien avec le projet n'est par retenue comme, par exemple, si je veux demeurer en ressource d'hébergement et que je ne suis pas capable de cuisiner cela n'a aucune importance à moins que la personne désire apprendre à cuisiner pour le plaisir. L'intervenant pivot accompagne la personne tout au long du processus et, au besoin, il peut l'aider à cibler des priorités. Il discutera aussi avec elle des stratégies possibles en lien avec ses objectifs. Une stratégie qui n'a pas fonctionné devrait être changée! Il ne sert à rien de refaire continuellement la même chose pour constater que ça ne marche pas! La personne écrira finalement son plan d'intervention sur la feuille qui ira au dossier puis, elle présentera son plan à son équipe. Il se peut que la personne n'ait pas choisi un objectif important, cela n'empêche pas l'intervenant de préparer un plan d'action à ce sujet si nécessaire, mais il ne faut surtout pas oublier les objectifs désirés par la personne!

En parlant d'expertise, j'aimerais bien entendre, Luc, ce que tu as à dire sur la reprise du pouvoir d'agir.

Luc : L'appropriation du pouvoir sur sa vie est une traduction de la langue de Shakespeare du mot *empowerment*. Le principe d'*empowerment* n'est pas un état de fait, mais plutôt une démarche par laquelle la personne acquiert des capacités et des habiletés lui permettant de contrôler davantage sa propre destinée. Le processus d'appropriation du pouvoir sur sa vie est un processus inconscient. Il se produit pas à pas, souvent à la suite d'informations nouvellement acquises, d'une frustration, de la rencontre d'une personne significative ou encore, à la suite d'une crise. Il est important de garder à l'esprit que la crise peut être perçue comme un danger, mais aussi comme une occasion de changement. On peut donc utiliser la crise pour initier un changement et ainsi trouver des solutions pour éviter qu'elle ne se reproduise.

Avoir une vie pleinement épanouie selon nos propres besoins est possible. Ma santé mentale, qui m'avait autrefois fait défaut, je l'ai gagnée à force d'acharnement au cours de ces dernières années! Je sais à présent que cette santé est à la portée de tous ceux qui souffrent comme j'ai souffert. Comme l'a si bien dit le Ministre Philippe Couillard en introduction du Plan d'action 2005-2010 en santé mentale intitulé *La force des liens.*

Leur rétablissement n'est pas une utopie, mais une ambition réalisable.

Quelques conseils

Voici maintenant quelques conseils que j'ai écrits pour le Ministère de la santé et des services sociaux qui vous aideront dans votre propre démarche pour mieux affronter la maladie mentale. Vous les retrouverez également à l'adresse suivante : santementale.gouv.qc.ca

Aller chercher de l'aide

Surmonter un problème de santé mentale est possible si nous allons chercher l'aide appropriée à son état. Il ne faut pas vivre seul avec notre trouble mental, car nous risquons de sombrer davantage dans notre problème.

Se faire accompagner dans nos rendez-vous médicaux et psychosociaux

Il est avantageux de se faire accompagner dans ses rendez-vous médicaux et psychosociaux, surtout au début de notre cheminement. Car si on oublie de mentionner des informations essentielles qui permettraient à la personne qui nous aide de nous offrir un traitement approprié à notre situation, la personne qui nous accompagne pourra alors pallier cet oubli.

Contacter les ressources communautaires et institutionnelles de sa région[68]

Le gouvernement du Québec met une multitude de services à votre disposition. Pour en connaître les coordonnées, contactez votre CLSC ou Info-Santé.

Être bien préparé lors des rencontres avec un professionnel

Tant pour les problèmes de santé physique que pour les problèmes de santé mentale, être bien préparé est le bon vieux truc par excellence pour tirer le meilleur parti de ses rencontres avec un professionnel de la santé. Écrire sur un papier les questions à poser peut s'avérer une aide précieuse. Il nous est tous arrivé d'avoir oublié de poser une question importante à la sortie d'un rendez-vous. Donc, un aide-mémoire est très utile dans ce cas.

Connaître ses limites et son état de santé

Apprendre quelles sont nos limites s'avère une étape importante dans notre processus de rétablissement : c'est le secret pour réussir à se respecter afin de ne pas retomber dans des symptômes difficiles à surmonter. Connaître son diagnostic et les traitements qui nous sont offerts sera également très utile pour mieux cheminer. De

---

[68] Pour les personnes vivant à l'extérieur du Québec, vous référer aux ressources locales.

plus, être à l'affût des signes précurseurs d'une détérioration de notre santé mentale peut nous éviter de graves problèmes.

Connaître le traitement approprié

La médication : la prescription de médicaments par un professionnel de la santé peut être d'une grande aide, car personne ne devrait souffrir *à froid*. N'oublions surtout pas que le mal de l'âme peut engendrer de grandes souffrances. Cependant, les spécialistes se doivent de dire la vérité aux personnes souffrantes et ainsi leur donner le choix libre et éclairé de leur traitement.

Les traitements thérapeutiques et psychosociaux : pour mettre toutes les chances de son côté, il est important de connaître les traitements thérapeutiques et psychosociaux disponibles dans sa région. La médication seule n'est pas conseillée. Allez dans les ressources communautaires ou institutionnelles qui offrent des traitements adaptés à vos attentes et vos besoins. Cherchez des ressources offrant des services 24 heures par jour / 7 jours par semaine pour prévenir une crise, par exemple.

Connaître ses droits et recours

Connaître son diagnostic ainsi que les traitements qui y sont associés est non seulement utile pour soi, mais c'est un droit inscrit dans les lois québécoises et canadiennes. Il est absolument essentiel que les professionnels de la santé vous offrent un choix libre et éclairé dans vos traitements, c'est-à-dire sans contraintes ni menaces ou encore pendant que vos facultés sont affaiblies. Les informations doivent être complètes et données dans un langage accessible à tous. Par ailleurs, le gouvernement québécois appuie financièrement un groupe régional de promotion et de défense des droits en santé mentale dans chaque région du Québec. Je vous invite à communiquer avec le groupe de votre région. Les services sont gratuits.

Poser des questions aux vrais professionnels de la santé mentale

Attention aux profanes qui connaissent tout, et rien à la fois. Les problèmes de santé mentale ne sont pas dus à la paresse ou ne sont pas attrapés en touchant une poignée de porte. L'apparition des troubles mentaux prend son origine de plusieurs facteurs, c'est-à-dire qu'elle survient généralement à la suite d'un dysfonctionnement d'ordre biologique, psychologique et social. Posez vos questions aux vrais professionnels de la santé : grâce à leur formation et à leur expérience, ils sont les mieux placés pour vous aider.

L'aide entre pairs

Chez les groupes d'aide entre pairs, j'ai découvert un univers riche et diversifié et, surtout, un accueil sans jugement. J'ai ainsi compris que *je suis une personne, non une maladie*. Ce simple constat a changé toute la perception que j'avais de la vie et de moi-même. Dès lors, je n'étais plus seul. J'ai vite réalisé que les diagnostics psychiatriques sont très pertinents dans le cadre des recherches scientifiques, mais ils peuvent vite devenir stigmatisants dans le cadre des interventions cliniques. Mes pairs et moi avons réuni nos forces pour continuer notre quête vers une qualité de vie essentielle à notre épanouissement. Je vous invite à contacter une ressource où vous pourrez rencontrer et discuter avec vos pairs.

Par ailleurs, de plus en plus, au sein des ressources, nous voyons émerger des pairs aidants. Ces derniers sont des professionnels de la santé mentale qui ont comme particularité d'avoir un trouble de santé mentale et qui vivent un processus de rétablissement. Ils travaillent comme intervenants dans une équipe multidisciplinaire. Ces pairs sont très utiles. Tout en connaissant intrinsèquement ce que l'on vit, ils savent que le rétablissement est possible.

Demander à ses proches d'aller chercher de l'aide

Il existe une multitude de ressources destinées aux proches et à l'entourage des personnes vivant avec un trouble mental. Demandez à vos proches d'aller chercher de l'aide afin de leur éviter de se recroqueviller sur eux-mêmes. Le processus de rétablissement est beaucoup plus rapide lorsque la personne atteinte d'un trouble mental est soutenue par son entourage.

> *Le pouvoir partagé,*
> *c'est pouvoir vivre avec les conséquences de mes actes,*
> *tout en étant protégé au besoin.*

Marie-Luce : Le pouvoir partagé, c'est la possibilité de faire des choix qui seront respectés, pouvoir se tromper et vivre avec les conséquences de ses choix. De toute façon, est-ce qu'il y a un autre moyen d'apprendre? Le problème avec la responsabilisation c'est qu'elle est parfois confondue avec la punition. Quand on est en train de se creuser la tête pour trouver une conséquence à faire vivre à un usager, c'est probablement parce que nous sommes à la recherche d'une punition. Vivre avec les conséquences de ses actes veut dire vivre avec les conséquences naturelles et non avec des punitions en ajout. Par exemple, j'ai mal géré mon budget et je n'ai plus un sou alors qu'on est rendu au 15 du mois. Vivre avec les conséquences de mes choix va impliquer que j'aurai à fréquenter les soupes populaires si je veux manger. Si je ne paie pas mon loyer, je serai expulsé et je devrai peut-être avoir besoin d'un régime de protection un jour, si je n'apprends pas de mes erreurs. Il n'y a pas à se creuser la tête, les conséquences sont celles qui arrivent pour tout le monde dans des circonstances similaires.

D'un autre côté, cela n'empêche pas des parents d'aider leur enfant, par exemple en lui donnant de l'argent, mais cela doit se faire selon une entente claire et non lorsqu'il n'y en a plus dans le compte de banque. Parce qu'en tant que je suis concerné, si quelqu'un vient déposer des sous dans mon compte à chaque fois qu'il n'y en a plus, je peux vous garantir qu'il n'y aura pas souvent d'argent dans ce compte!

Je dirais que le pouvoir partagé implique aussi la gestion des symptômes de la maladie. Je ne suis pas celle qui décide tout. Certaines personnes préfèrent vivre avec des hallucinations qui ne les dérangent pas parce que la médication plus forte les ralentit. Je dois être capable de respecter les choix après avoir donné les explications permettant à la personne de prendre une décision éclairée, et cela, même si celle-ci ne correspond pas à celle que j'aurais prise à sa place. Le pouvoir partagé ne doit pas, par contre, m'empêcher d'utiliser mon jugement clinique et mon expertise.

Par exemple, dans une situation où l'usager est inapte, je ne peux pas lui demander de faire un choix éclairé, mais je prendrai les décisions avec la personne qui pourra donner un consentement substitué. Si l'usager refuse catégoriquement, je devrai me demander si une demande d'autorisation de traitement contre le gré de la personne est ce qui serait le mieux pour elle afin qu'elle puisse vivre une vie satisfaisante en ayant accès à ses forces et à ses capacités.

Le pouvoir partagé, c'est aussi le risque partagé

Luc : Il est à noter que le risque zéro n'existe pas. Il n'y a personne qui peut garantir que le prochain avion que vous prendrez ne tombera pas. C'est la même chose avec les êtres humains, on ne peut pas garantir qu'un être humain ne *pétera pas sa coche*, malade ou pas. Il est important de prendre des risques calculés.

Marie-Luce : On prend des risques, mais pas de façon isolée. On les prend d'abord avec la personne et son entourage, avec l'équipe de soins et, dans certains cas, parfois même, avec les gestionnaires. On imagine aisément que la part de pouvoir partagé se doit d'être constamment modulée en fonction de l'état de santé de la personne et de ses capacités. D'un autre côté, il y a des moments où j'ai le devoir de décider, si la personne est dangereuse pour elle-même ou pour autrui. Mais j'ai appris que même dans ces moments-là, je peux tenter de laisser un certain pouvoir, du moins lorsque c'est possible.

Par exemple en demandant : « Qu'est-ce qui vous aide dans des moments comme celui-ci? » Quelqu'un peut me répondre que son conjoint l'aide à se calmer ou que telle médication est efficace et ce petit pouvoir peut permettre d'éviter de tomber dans l'impuissance totale et le désespoir. Cette façon de faire améliore la collaboration. Dès que la personne va mieux, je la laisse reprendre sa place dans la relation et surtout dans sa vie.

Le niveau interdisciplinaire ou l'équipe de soins

Vouloir travailler dans un souci de pouvoir partagé aura nécessairement des conséquences sur ma façon de fonctionner en équipe. Nous l'avons dit, le pouvoir partagé implique un partage d'expertises.

Tous les membres de l'équipe, usager et famille compris, deviennent des experts réunis dans le souci de soutenir le processus du rétablissement. Nous ne sommes pas pareils, nous n'avons pas la même expertise, mais nous sommes tous des experts.

Je ne partage pas la vision qui dit que nous devenons des intervenants indéfinis, sans spécialités et que nous devons tous faire la même chose, car ce n'est pas vrai. Nous n'avons pas la même formation, les mêmes habiletés ni les mêmes forces ou difficultés. Nous sommes différents, mais tous importants. S'il n'y avait pas de différence, il n'y aurait aucun intérêt à former des éducateurs, des infirmières, des ergothérapeutes, des psychologues, des pharmaciens, des psychiatres, des pairs aidant, des préposés... Imaginez, par exemple, un orchestre symphonique, chaque instrument est unique et c'est l'ensemble de ces instruments qui permet d'atteindre l'harmonie. Aucun instrument n'est plus important que l'autre, leur implication varie d'une pièce à l'autre, mais au cours de l'année, chacun aura eu sa petite heure de gloire.

Travailler dans un esprit de pouvoir partagé ne demande pas de renier mon expertise, mais surtout de reconnaître l'expertise de l'autre et d'apprendre à nuancer mon travail en fonction de chacune des expertises et surtout en fonction des besoins qui sont identifiés.

Le pouvoir partagé, c'est aussi la responsabilité partagée. Si je suis expert, je suis aussi responsable des actions que je pose ou que j'omets. Plus nous travaillons en équipe, plus la responsabilité devient partagée. Le fardeau s'allège, alors que le plaisir et l'efficacité augmentent!

Le niveau systémique ou la gestion organisationnelle, politique et sociale

Finalement, le pouvoir partagé devra également contaminer autant l'organisation des services que les politiques qui la soutiennent et la société elle-même, rien de moins! S'il fallait aplanir la hiérarchisation dans les soins, il faudrait donc aussi l'enlever dans l'organisation des services si nous voulons suivre la logique du pouvoir partagé. Ce qui aura pour conséquence de reconnaître l'expertise de chacun des acteurs. Je me souviens d'un comité qui avait été mis sur pied pour réviser la politique d'isolement et des contentions alors que j'étais membre du comité exécutif du CMDP,[69] il y a de cela plusieurs années. Comme je revenais d'un congrès à Boston qui portait sur le rétablissement, je suggère donc d'inviter le président du comité des usagers sur ledit comité. Après quelques hésitations, on finit par l'accueillir en ne sachant pas très bien ce qu'il pourrait apporter aux discussions. Quelle ne fut pas notre surprise lorsqu'il nous fit la remarque suivante : « Lorsque nous sommes en isolement, que nous cognons à la porte et que vous nous dites, ce ne sera pas long, je reviens dans 15 minutes et que 5 minutes plus tard, nous cognons à nouveau à la porte, ce n'est pas parce que nous n'avons pas compris, mais simplement parce que nous n'avons aucun moyen de savoir l'heure. »

Personne n'avait pris conscience de ce manque important. Nous mettions des personnes psychotiques en isolement et elles n'avaient aucun point de repère pour rester orientées dans le temps. J'ai compris à partir de ce jour-là l'importance de chaque personne dans l'organisation des services.

Il ne s'agit pas de multiplier les comités, mais simplement d'inclure toutes les personnes concernées sur les comités existants. Par exemple, lors de l'embauche de notre chef d'unité, nous avons demandé qu'un représentant du comité des usagers de notre Centre soit présent sur le comité de sélection. Il pouvait donc s'assurer que la personne choisie serait sensible aux préoccupations des usagers et capable de travailler avec eux. Inclure des représentants des familles ce n'est pas toujours simple, car les comités ont souvent lieu pendant les heures de travail.

---

[68] CMDP : Un conseil des médecins, dentistes et pharmaciens est institué pour chaque établissement de santé qui exploite un ou plusieurs centres où exercent au moins cinq médecins, dentistes ou pharmaciens (art. 213 de la LSSS)

Quelques-unes de ses responsabilités : (art 214-215 de la LSSS)
- Contrôler et apprécier la qualité des actes médicaux, dentaires et pharmaceutiques
- Évaluer et maintenir la compétence des médecins, dentistes et pharmaciens
- Faire des recommandations pour la nomination des médecins, dentistes et pharmaciens
- Faire des recommandations sur les règles de soins médicaux et dentaires et les règles d'utilisation des médicaments applicables dans l'établissement
- Donner son avis sur les aspects professionnels quant à l'organisation technique et scientifique de l'établissement
- Faire des recommandations sur les aspects professionnels de la distribution appropriée des soins médicaux et dentaires et des services pharmaceutiques ainsi que sur l'organisation médicale de l'établissement

Dans l'exercice de ses fonctions, le CMDP tient compte de la nécessité de rendre des services adéquats et efficients aux usagers.

Tiré du site web de l'association des CMDP du Québec à l'adresse : http://www.acmdpq.qc.ca/index.htm

Nous pourrions, par exemple, décider de travailler avec un organisme qui regroupe les membres des familles et celui-ci garderait le lien avec les familles concernées.

Finalement, lors d'une vaste opération d'évaluation de nos services, nous n'avons pas seulement interrogé les partenaires, mais nous les avons inclus sur nos comités. Il a été ainsi plus facile de discuter des vrais enjeux, de sortir des petites guerres de pouvoir et nous avons pu bénéficier de leur expertise.

Ces quelques exemples, qui sont loin d'être exhaustifs, montrent qu'il n'est pas difficile d'agir autrement pour favoriser le partage du pouvoir. Dans le chapitre traitant de la gestion, Louise Marchand nous expliquera davantage cet aspect.

Dans les faits, je pense que le réel défi concerne les paliers supérieurs de l'administration. À l'Institut universitaire en santé mentale de Québec, ils ont engagé un pair aidant consultant à la direction générale. Je crois qu'il s'agit là d'un moyen efficace de profiter de l'expertise acquise par un usager à l'intérieur de son processus de rétablissement. D'ailleurs, je le connais très bien, car il s'agit de Luc et je le laisse vous parler de son expérience.

L'expérience de pair aidant

Luc Vigneault

L'expérience de pair aidant

Mais d'abord, pourquoi un pair aidant?

La philosophie du rétablissement ouvre la voie à la combinaison du *savoir expérientiel* du pair aidant au *savoir professionnel* des intervenants et des gestionnaires en santé mentale. Par exemple, il a quelques années, j'ai lu qu'il fallait accepter sa maladie mentale. C'est bien évident que ceux qui ont écrit ça n'ont pas de maladie mentale. La combinaison des expertises permet d'appuyer notre savoir *expérientiel* des recherches qui répondront davantage à la réalité de la maladie mentale. Le savoir expérientiel provient des personnes qui ont traversé la maladie mentale et qui se sont rétablies. Elles possèdent une richesse unique qu'elles veulent mettre au service des autres. Ces personnes peuvent nous permettre de mieux comprendre l'impuissance lorsqu'elles partagent l'expérience qu'elles ont elles-mêmes vécue.

Auparavant, dans la littérature scientifique, certains faits manquaient. Les données probantes se basaient alors sur des recherches faites par les gens du réseau où on ne retrouvait plus les cas *rétablis*. Maintenant, des pairs aidant comme moi font partie de groupes de recherches composés en majeure partie de chercheurs au savoir académique très fort. Mais ils ont souvent le point commun de ne jamais avoir vécu une maladie mentale. Arrimer nos deux savoirs crée une force incroyable. La reconnaissance du savoir expérientiel en recherche psychiatrique au Québec est encore toute récente et pourtant, cela fait plus de quinze ans qu'on a commencé à écouter les personnes utilisatrices, ou survivantes, en Angleterre et aux États-Unis comme Patricia Degan, entre autres.

Parfois, on en a marre!

Il n'y a pas si longtemps, à l'approche des fêtes de Noël, j'étais fatigué. Je me disais : « J'arrête, je prends ma retraite de pair aidant » et comme le dit si bien notre Charlebois[70] national : « Y'en aura d'autres plus jeunes, plus fous ».

---

[70] Robert Charlebois est un chanteur québécois.

Je me rendais à Montréal pour une dernière réunion avant le congé et je me suis arrêté à Drummondville à la station-service. J'ai mis de l'essence, puis je suis allé aux toilettes situées au sous-sol du dépanneur. Je descendais l'escalier et juste avant d'entrer, j'ai vu une espèce d'arrière-boutique où il y avait un étalage de toutes sortes de chips et de friandises. Une dame était en train de ramasser des choses pour les monter en haut. Elle m'a regardé avec des yeux qui pétillaient et elle semblait me fixer. J'ai continué mon chemin. En ressortant des toilettes, elle était là à m'attendre. Elle m'aborda en disant : « Je m'excuse de vous déranger, je voulais juste vous remercier pour ce que vous faites. Je vous vois de temps en temps à la télévision et j'aimerais vous dire que j'ai un fils qui est atteint de maladie mentale, grâce à vous, j'ai retrouvé l'espoir. » Puis, elle est repartie. C'est à ce moment-là que je me suis dit que je ne pouvais pas lâcher. Et me revoilà sur la route, l'auto pleine d'essence et moi plein d'énergie, grâce au commentaire de cette dame.

Moi aussi j'ai reçu une condamnation à la *chaise berçante* par la psychiatrie. J'ai eu la chance de croiser des gens qui pensaient autrement et voir – je dis bien voir – des personnes ayant souffert autant que moi réussir à se réapproprier le pouvoir sur leur vie. C'est ce qui m'a redonné l'espoir.

Depuis ces tristes jours, je me suis réapproprié la maîtrise de ma vie grâce, entre autres, au soutien constant d'hommes et de femmes qui ont fait du *rétablissement* une véritable profession de foi.

Ayant pu me rétablir, et fort de la connaissance ainsi acquise du processus de rétablissement, j'ai décidé de pousser la logique jusqu'au bout et de devenir pair aidant. J'ai commencé ce travail en 1994 dans un groupe d'entraide, le Tournesol, situé sur la rive nord de Montréal. On peut dire que c'est là que ma nouvelle passion de pair aidant est née.

Les hauts et les bas d'un pair aidant

Être un précurseur n'a pas que des avantages! Le changement de statut provoque souvent des réactions inattendues chez les personnes ayant un trouble mental aussi bien que chez les intervenants. En effet, bien que les personnes usagères soient très heureuses que l'un des leurs réintègre le marché du travail, il demeure une énigme. Les usagers avaient tendance à prendre leur distance face à moi. Ils se disaient : « Luc ne fait plus partie des nôtres. Il n'est plus un usager, car il est devenu un intervenant. » Résultat, je me suis retrouvé avec presque plus d'invitations à partager des loisirs ou de bons repas amicaux. Curieusement, les intervenants ont réagi de la même façon. Luc n'est pas tout à fait un intervenant, c'est un usager après tout. Je me suis donc retrouvé isolé de ce groupe également.

Assis entre deux chaises, cette période d'isolement a été assez pénible pour moi et a nécessité un temps d'adaptation. Heureusement, je ne ressens à peu près plus cet état de fait maintenant. Le milieu de la santé mentale s'est probablement habitué à voir des utilisateurs de services errer un peu partout dans le système. Il faut aussi mentionner un fait non négligeable à l'effet que plusieurs intervenants parlent maintenant plus facilement de leur expérience d'usagers. Les deux solitudes, comme dirait une ex-journaliste de Radio-Canada, se sont rapprochées à tel point qu'on peut se demander parfois qui est qui.

La *plus value* du pair aidant

Les personnes ayant un trouble mental grave ont souvent le sentiment d'être mieux *comprises* par un autre psychiatrisé. En contrepartie, d'autres utilisateurs de services préfèrent se confier à un intervenant qui a des connaissances intellectuelles plutôt que du vécu. Je crois toutefois, que la majorité préfère un amalgame des deux types d'intervenants.

L'expérience unique vécue par la personne qui a réussi à cheminer jusqu'au rétablissement et le partage fait avec une équipe de personnes qui travaillent en santé mentale, produit non seulement des changements de pratiques chez les intervenants, mais modifie également la conception qu'ils ont de la maladie mentale.

Par exemple, l'idée que la maladie mentale est incurable commence, à ma grande satisfaction, à s'effriter peu à peu. Il est en effet difficile de dire en présence d'un pair aidant qui s'est rétabli de la schizophrénie que le rétablissement ne vaut même pas la peine d'être envisagé!

Je dois aussi ajouter que ce changement de statut provoque aussi des inconforts chez certains intervenants. Le passage de *fou* à collègue de travail ne se fait pas toujours sans résistance.

Croire au rétablissement est sans contester une prémisse incontournable pour accueillir un pair aidant au sein d'une équipe. J'entends encore trop souvent des gestionnaires ou des intervenants dire : « Nos clients sont trop lourds pour se rétablir. » Cette croyance engendre inévitablement des frictions et une incompatibilité d'intervention avec un pair aidant qui aurait été intégré au sein d'une équipe de travail.

L'idée fait des petits...

Pendant ce temps, l'APUR[71] sous la conduite de Nathalie Langueux en collaboration avec l'AQRP[72] sous la conduite de Diane Harvey s'unissent pour mettre sur pied le programme pair aidant réseau. Ce programme vise la formation des pairs aidant et le soutien des organisations qui les reçoivent. Grâce à ce programme, des pairs aidant ont pu intégrer des équipes de travail à travers la province. Chapeau à vous deux, initiatrices et ardentes promoteures de ce programme!

Bien que réclamée haut et fort par l'ensemble du réseau communautaire et public, la présence d'usagers comme pourvoyeurs de services est encore à l'état embryonnaire sans compter que la présence de pairs expert parmi les différentes organisations communautaires et publiques au Québec demeure rarissime. Bien peu prêchent par l'exemple! Un conseil, méfiez- vous de ceux et celles qui prétendent parler au nom des utilisateurs de services, sachez que nous sommes capables de prendre la parole!

---

[71] L'association des personnes utilisatrices en santé mentale de la région de Québec vise à promouvoir et défendre les intérêts des personnes utilisatrices de services de santé mentale de la région de Québec (incluant les secteurs de Charlevoix et Portneuf) et à représenter ces dernières auprès du public et des autorités.

[72] L'Association québécoise pour la réadaptation psychosociale exerce son influence par son engagement social et politique et à travers des activités de promotion, de diffusion et de formation. Avec ses 400 membres individuels et corporatifs, elle rassemble, dans une même agora provinciale, toutes les catégories d'acteurs concernés par la réadaptation psychosociale.

Guide d'intégration de pairs aidant pour les *nuls*

Pour accueillir des pairs aidant au sein d'une organisation, il faut être prêt. Prêt à changer notre conception de la maladie pour s'approprier celle du rétablissement. Prêt également à reconnaître l'expertise du pair aidant au même niveau que celle des autres professionnels. Celle-ci transcende la connaissance intellectuelle.

Le travail de pair aidant devrait être considéré comme une profession et être intégré aux conventions collectives ou aux contrats de travail. Le pair aidant n'est pas un travailleur social ayant un trouble de santé mentale pas plus qu'un éducateur ayant un problème de santé mentale. C'est bel et bien un travailleur qui a lui-même vécu un problème de santé mentale, qui s'est rétabli et qui a les aptitudes nécessaires pour aider d'autres personnes à emprunter le chemin du rétablissement.

Il peut être utile de mettre en place des mesures d'accommodements pour aider le pair aidant dans son travail. Dans un souci d'égalité et de justice sociale, il serait intéressant que l'ensemble des employés puisse bénéficier de ces mêmes mesures d'accommodements pour leur propre santé mentale, afin d'éviter des conflits et des frustrations avec leurs collègues.

On pourrait penser par exemple à la possibilité de pouvoir téléphoner à un intervenant au besoin, aller à un rendez-vous psychosocial ou médical sur les heures de travail, avoir des congés santé mentale, etc.

Finalement, prendre le temps nécessaire pour bien intégrer un pair aidant est primordial. Même s'il existe un *momentum* favorable actuellement à l'intégration des pairs aidant, évitons de se mettre en situation d'échec en voulant juste être à la mode et bien paraître. Enfin, soyons créatifs afin que chaque expérience soit unique et réponde véritablement aux besoins des personnes utilisatrices et des organisations.

L'initiative de l'Institut universitaire en santé mentale de Québec

Pair aidant consultant

Des pairs aidant sur les unités de soins étaient demandés à cor et à cri par mes pairs, et ce, depuis longtemps. Heureusement, c'était également le souhait de notre directeur général, Dr Simon Racine, qui me répétait depuis quelques années : « Luc, je travaille activement à l'intégration d'un pair aidant et il va entrer par la porte principale et non par la porte arrière. » Et il ajoutait que le passage de la littérature vers la réalité doit être désiré de tous et non imposé de force.

Pour concrétiser ce souhait, un comité qui visait l'intégration des pratiques liées au rétablissement a été mis en place au sein de l'Institut universitaire en santé mentale de Québec, sous la présidence de la directrice générale adjointe, Michèle Tourigny. Ce sont les membres de ce comité qui sont arrivés à la conclusion que l'embauche d'un pair aidant consultant à l'intérieur de l'Institut devait être une priorité. Puisque le rétablissement ne pouvait être l'affaire d'une seule direction, ils ont également décidé que ce pair aidant devait relever directement de la direction générale. Le fait que ce nouveau poste relève de la direction générale donne davantage de crédibilité à la fonction en plus de démontrer que l'intégration de pairs aidant fait dorénavant partie des priorités organisationnelles de l'établissement

Il faut ajouter que l'Institut pouvait s'appuyer sur son expérience d'intégration de deux autres pairs aidant au sein d'équipes cliniques en externe. Ces expériences lui ont permis de mieux définir les rôles et responsabilités du pair aidant consultant au sein de l'établissement.

Après mûre réflexion, j'ai décidé de plonger tête baissée et de relever ce nouveau défi. Je fus donc contraint de quitter mes fonctions de directeur de l'Association des personnes utilisatrices de services en santé mentale de la région de Québec (APUR).

Le rôle du pair aidant consultant à l'Institut

Mon rôle, fort différent de mes collègues pairs aidant à l'externe, consiste entre autres à :

- Agir comme consultant pour l'établissement auprès des différents comités cliniques et administratifs;
- Agir comme consultant auprès du personnel professionnel, clinique et infirmier;
- Donner des sessions de formation à l'intention de tout le personnel et des médecins sur la philosophie du rétablissement ;
- Intervenir, sur demande auprès des personnes hospitalisées à l'Institut sur une base individuelle ou de groupe;
- Assumer la coordination des autres pairs aidant en fonction ou à venir.

Pour le moment, je travaille principalement sur les unités d'admission des troubles psychotiques.

Au-delà de la définition du rôle, comment concrétiser ce travail?

Comme je suis le premier pair aidant à exercer au sein d'un hôpital psychiatrique universitaire, il est difficile pour moi d'avoir des points de repère provenant d'autres hôpitaux. Heureusement qu'il y a eu ma collègue Luce Veilleux qui travaille une demi-journée par semaine sur les unités de soins à l'hôpital du CSSS de Beauce. Elle a été pour moi une grande source d'inspiration et de motivation.

Une autre source d'inspiration sont les discussions avec mes collègues professionnels, gestionnaires, médecins, etc. Cela m'aide à baliser mon champ d'intervention.

Mais quoi de mieux que les personnes hospitalisées elles-mêmes pour préciser mon rôle au sein des unités? Elles expriment vouloir des rencontres plus fréquentes, car j'insiste pour parler de leurs projets de vie et cela suscite l'espoir.

Pourtant, le travail avec mes pairs hospitalisés n'est pas toujours facile. Ils sont souvent dans le déni de leur problématique et dans la révolte de se retrouver hospitalisés en psychiatrie. Ma première approche avec eux, c'est de leur parler brièvement de mon cheminement et de leur offrir un espace de parole pour discuter de leur révolte. Leur situation est souvent comme leurs pilules *dures à avaler*. Puis, peu à peu, je commence à parler de leur rétablissement et surtout, je tente de faire naître l'espoir. À force de voir et d'entendre la détresse de mes pairs, c'est parfois moi qui ai besoin d'aide!

Le soutien nécessaire

Il y a d'abord eu l'accueil formidable que j'ai reçu où tout a été mis en place pour faciliter mon travail. En particulier, la directrice générale adjointe, Michèle Tourigny, et mon directeur, Sylvain Pouliot, qui ont une patience d'ange avec moi. Ils sont plus que des patrons, ils sont des accompagnateurs attentionnés. Ces relations m'aident à sauver du temps, à mieux naviguer dans le système de la santé et des services sociaux, à réduire mes frustrations et à avoir une meilleure qualité de vie au travail. Le prochain défi qui m'a été lancé est de ne plus *exploser* dans les divers comités de l'établissement. Gros défi puisque des relents asilaires refont surface de temps à autre dans ces réunions. Ensemble, nous développons des stratégies pour faire mieux passer le message du rétablissement.

De façon plus formelle, j'ai reçu également l'aide précieuse d'un mentor. En effet, l'Institut m'a offert les services d'un professionnel des ressources humaines une heure par semaine. En plus de me permettre de ventiler, cette aide me guide dans le labyrinthe administratif d'un gros hôpital. Elle m'aide aussi, et cela est l'essentiel, à rester dans le champ de compétence d'un pair aidant. Il m'est facile de basculer dans une logique de gestionnaire de services en santé mentale, mais ce n'est pas mon rôle.

En terminant, je vous laisse avec un petit truc, l'endroit stratégique dans un hôpital pour se faire des contacts est sans contredit à la cafétéria. Une bonne façon de développer la collaboration des médecins peut être d'oser commettre un sacrilège, vous asseoir à la même table qu'eux et observer leurs réactions... Vous risquez d'avoir de belles surprises!

Je vous laisse sur une de mes belles pensées :

> **On ne naît pas fou...**
> **on le devient...**
> **puis, on naît à nouveau!**

Le fragile équilibre entre l'autonomie et le devoir de protection

Dr Marc-André Roy

Le fragile équilibre entre l'autonomie et le devoir de protection

Est-ce qu'il se pourrait que parfois, pour permettre et soutenir un processus de rétablissement, les équipes de soins doivent appliquer des attitudes directives, voir coercitives? Je pense que oui. Est-ce nécessairement une contradiction avec le processus du rétablissement, un empêchement à ce processus? Je ne le crois pas. Mais que faire pour éviter des dérives autoritaires ou des abus de pouvoir risquant de tuer l'élan vital des personnes que je rencontre dans mon travail de psychiatre? Ce chapitre, qui tient du récit et de la réflexion (pourrait-on parler de récit réflexif?), vous convie à un questionnement concernant le devoir de protection qui revient aux équipes traitantes qui accompagnent des personnes sur la voie du rétablissement.

Je vais commencer ce chapitre en vous parlant un peu de mon parcours. Pas parce que je le juge particulièrement intéressant, mais plutôt parce que notre attitude quant au rétablissement est fortement teintée par notre histoire personnelle. Ainsi, plutôt que de chercher à évoquer des bases théoriques toutes plus édifiantes les unes que les autres pour justifier mes positions, je vais plutôt tenter d'en dévoiler l'origine, tout en reconnaissant et assumant pleinement leur subjectivité.

Un parcours

Contrairement à plusieurs de mes collègues, devenir médecin n'était pas le rêve de ma vie, je n'avais pas d'idée très claire de ce que j'allais faire quand je serais grand. J'oserais même dire, comme me l'a récemment rappelé, bien charitablement, un ami de l'époque, que j'étais un adolescent pas mal perdu…! Il y avait une certaine tradition familiale, mon père et son frère étaient médecins et ce dernier fut même président et secrétaire du Collège des médecins pendant de nombreuses années. Et venant d'un milieu plutôt bourgeois, l'entrée en médecine était bien considérée, un peu comme un billet en *première classe* vers une certaine respectabilité. Franchement, je n'en avais rien à cirer de cette respectabilité. Ma rencontre avec l'orienteur de mon collège illustre bien cette aura émanant de la médecine, dans mon millieu. Ce prêtre (puisque j'allais dans un collège privé, c'est dire combien mes origines sont bourgeoises) que nous surnommions affectueusement le Père Boussole, nous semblait avoir été plus ou moins tabletté dans le rôle d'orienteur. Quand je l'ai rencontré, il a regardé mon bulletin et il m'a dit, comme par réflexe : « Tu as les résultats pour ça, va en médecine. » Est-il nécessaire de préciser qu'il n'avait pas la moindre crédibilité à mes yeux ni à ceux de mes amis?

Je ne peux nier que cette tradition ambiante, à laquelle je ne m'identifiais pas du tout, mais dans laquelle je baignais, ait pu orienter mes choix, de façon plus ou moins consciente, même si j'étais plutôt critique à l'égard de ce milieu. J'étais particulièrement allergique à une certaine bigoterie et au chauvinisme de riches dont faisaient preuve tant de personnes autour de ma famille. En fait, au moment de choisir mon orientation à l'université, j'étais surtout animé par des considérations humanitaires (je sais, c'est un cliché, mais je vous jure que c'est vrai!). Je me préparais à aller passer un été comme missionnaire laïc en Haïti, souhaitant éventuellement travailler comme médecin dans un pays sous-développé. Mon père et son frère avaient bien été presque des médecins de brousse, ayant pratiqué à Schefferville, pendant les années '50, au début de l'exploitation des mines de fer, et ma mère y travaillait, jeune infirmière dans la vingtaine, responsable d'un hôpital. Mais cet été en Haïti fut éprouvant, au point d'abandonner cette orientation missionnaire. Néanmoins, j'étais entré en médecine mû par un idéalisme me condamnant à l'inconfort face aux injustices et au manque de respect parfois rencontrés durant mon cheminement professionnel.

Je n'ai pas trouvé mes études médicales commencées en 1981 particulièrement stimulantes. Je m'ennuyais de la période collégiale, des débats d'idées, des grandes remises en question. En médecine, il me fallait me bourrer le crâne. J'ai jonglé avec l'idée de me réorienter vers la psychologie, que je trouvais nettement plus attirante. Heureusement, mon intérêt a commencé à augmenter avec les stages cliniques. Mais je ne pouvais m'empêcher de trouver qu'il dominait dans le milieu clinique une vision parcellaire des personnes auxquelles nous prodiguions des soins : il y avait un diagnostic à poser, une thérapeutique à proposer, et au suivant! Un soir, pendant lequel j'étais de garde, j'ai eu une espèce de vision où je voyais l'hôpital comme un méga garage, où l'on réparait des organes défectueux...

Une révélation

Et puis, arrivé en psychiatrie, j'ai eu une révélation. C'était de la médecine, il y était question de diagnostic, de médicaments, de tentative de comprendre les bases neurobiologiques des maladies mentales. Mais les personnes avaient à nouveau un nom, connaître leur histoire de vie faisait partie intégrante de la tâche, plutôt que d'être un à-côté auquel on se consacre occasionnellement, quand on a du temps. Bref, j'ai eu un genre d'appel, une espèce de coup de foudre pour ce boulot.

J'ai commencé ma résidence en psychiatrie en 1987 dans un environnement encore relativement asilaire, à Robert-Giffard. Il y avait bien sûr le travail d'équipe, le contact avec les gens, etc. Mais l'ambiance était si lourde. Pour aller à Robert-Giffard, il fallait tout avoir brûlé, au sens propre ou au sens figuré. Des séjours qui n'en finissaient plus, des personnes qui rechutaient à répétition, qui étaient soit résignées, soit révoltées contre la psychiatrie. J'ai trouvé plus stimulants, je dois l'avouer, mes autres stages, en hôpitaux généraux. Puis, j'ai quitté le pays pour consacrer trois années à une formation en psychiatrie génétique, portant surtout sur les troubles psychotiques.

À mon retour au pays, je suis revenu travailler à Robert-Giffard, auprès d'une clientèle et dans un contexte assez semblables à ceux que j'avais connus durant ma résidence. J'appréciais mon travail clinique, mais il ne me passionnait pas tout à fait. J'avais choisi cet établissement parce que la pression sur le travail clinique était, à cette époque, moindre qu'ailleurs, ce qui me permettait de travailler en recherche.

Une rencontre avec des jeunes

Puis, j'ai eu l'occasion de travailler avec des personnes en début d'évolution de psychose. Cela commença par quelques rencontres. D'abord avec Guy, qui s'était rendu jusqu'à nous parce que la famille connaissait des gens qui travaillaient à Robert-Giffard qui savaient quelles ficelles tirer pour avoir accès aux services de l'établissement. Puis, Michel, venu à Robert-Giffard parce qu'il avait commis un délit pendant sa psychose et qu'il devait y être évalué en psychiatrie légale. Ces jeunes avaient encore espoir d'avoir une vie. Et leurs familles essayaient de composer avec le choc d'être confrontées au début d'un parcours qui s'annonçait difficile. Il y avait là une clef essentielle dans ce travail avec les familles, et aussi avec une résidence de groupe de réadaptation, dédiée surtout aux jeunes, le 65 Du Chatel. Il me paraissait absurde que seule une toute petite minorité des personnes qui auraient dû bénéficier de tels services y aient accès. Ainsi, quelques années après mon retour au Québec, j'ai participé à la création d'un programme dédié aux personnes en début d'évolution de psychose.

Notre équipe était localisée hors des murs sécurisants, mais parfois étouffants, de l'hôpital, en plein Vieux-Québec, à l'édifice Price. Ce déménagement fut l'occasion de secouer nos vieilles habitudes, de faire preuve de créativité, d'autonomie et de débrouillardise. En cas d'urgence, il fallait faire appel au 911. Bref, sans le filet de sécurité procuré par les épais murs de l'hôpital et par la présence d'agents de sécurité. Le suivi de ces jeunes soulevait des enjeux énormes. Ils n'avaient pas renoncé à occuper une place active en société. Ils se débattaient pour s'en sortir, souvent en contestant le diagnostic. Plusieurs étaient des consommateurs actifs de drogues illicites, qu'ils préféraient à celles, légales, que nous leur proposions. Leurs familles étaient encore présentes, mais sous le choc, et cherchaient à apprendre à composer avec les problèmes de leur enfant. Nous avons travaillé en équipe, nous avons développé un nouveau réseau de collaborations, nous sommes sortis de nos zones de confort pour rencontrer ces personnes, et les soutenir de notre mieux. Durant ces quelques années, j'ai appris probablement autant que pendant mes années de résidence en psychiatrie. Et j'ai vu, pour la première fois, des personnes avec un diagnostic de schizophrénie incontestable connaître une évolution très favorable, même après un début de suivi particulièrement difficile. Je ne peux m'empêcher de penser à Philippe qui, même s'il n'avait que 18 ans, était déjà suivi en psychiatrie depuis trois ans. L'entrevue initiale fut impressionnante : la désorganisation de sa pensée et ses délires étaient tels qu'il était impossible d'arriver à un échange intelligible pour la majeure partie de l'entrevue, malgré le fait qu'il recevait un traitement pharmacologique fort intense. Un changement d'antipsychotique un peu plus tard a éliminé toute trace de psychose : j'ai été fort ému lorsque sa mère, quelques mois plus tard, m'écrivit une lettre pour me remercier de lui avoir redonné son fils, qu'elle se plaisait à observer, avec ses amis, à la sortie de ses cours... J'ai conservé cette lettre et, parfois, je la relis quand j'ai les bleus!

D'ombres et de lumières

Mais s'il y a eu de grands succès, j'ai aussi été confronté aux conséquences, parfois terribles, des arrêts de traitement ou d'une certaine mollesse de notre système. Je pense à Thomas qui fut amené à l'urgence par des policiers qu'il était allé voir pour leur dévoiler des secrets que ses voix lui avaient confiés concernant un groupe criminalisé. Il fut libéré de l'urgence le jour même parce qu'il fut jugé non dangereux. Il fut finalement hospitalisé quelques jours plus tard, aux soins intensifs cette fois, après avoir tenté de se faire *hara-kiri*. Je pense aussi à Josée, que je rencontre lors de sa seconde hospitalisation pour psychose. C'est une jeune mère de trois enfants : après une hospitalisation précédente, pendant laquelle elle refusa tout traitement, son psychiatre a confié à son mari qu'il faudrait probablement encore plusieurs hospitalisations avant qu'elle réalise qu'elle a une maladie et qu'elle accepte le traitement. Elle revient donc à la maison, sans traitement, ni soutien. Son mari l'ayant quittée, vu cette situation qu'on lui présentait comme étant sans espoir, elle resta seule dans sa maison, jusqu'à ce que les voisins appellent les services d'urgence. Entretemps, son mari était parti de la région avec les enfants et la maison avait subi plus de $100,000 de dommages. Je pense finalement au frère de Simon, issu d'une fratrie de trois garçons, tous atteints de psychose, qui s'est suicidé après avoir refusé plusieurs offres de suivi. Je pense encore souvent à leur mère, qui accompagne courageusement ses garçons.

Bref, d'un côté, des réussites spectaculaires, presque des miracles et de l'autre, des risques de catastrophes. Devant ces enjeux et ces drames, comment devais-je réagir face à un refus de traitement? Respecter ce refus et tenter de me dissocier des conséquences? Certainement pas, je n'en suis pas capable. Prendre une position autoritaire, paternaliste, et du haut de mes compétences, imposer mes vues aux personnes concernées? Pas ma tasse de thé, je sympathise volontiers avec les mouvements de type *Occupy Wall Street*, Georges Brassens étant mon chansonnier préféré. Vous voyez le genre? Je n'ai pas besoin de vous faire un dessin pour que vous compreniez que ma nature ne s'accorde pas très bien avec l'autoritarisme.

Chercher autrement

Alors, je n'ai pas eu le choix que de chercher une approche nuancée, encore en évolution, et que je cherche à raffiner. Et qui, si elle s'assoit sur quelques grands principes et considérations, est surtout éminemment individualisée. Elle est maintenant nourrie, je l'espère, par l'approche du rétablissement. Mais en même temps, mon approche face au refus de soins questionne la philosophie du rétablissement : cette dernière est-elle compatible avec les nécessités de protection, avec l'approche interventionniste que nous adoptons souvent en intervention précoce?

Je tente de développer une synthèse entre une telle approche interventionniste et celle du rétablissement qui aille au-delà des positions un peu caricaturales avec lesquelles l'approche du rétablissement est abordée. D'une part, des équipes, souvent basées à l'hôpital, considéreront que l'approche du rétablissement les empêche d'utiliser une approche autoritaire, voire coercitive, qu'elles jugent parfois nécessaires pour traiter des personnes souffrant de psychose refusant les soins proposés. Ainsi, l'approche du rétablissement sera parfois rejetée en bloc, parce que jugée inapplicable en pratique hospitalière. D'autre part, certaines équipes pratiquant selon l'approche du rétablissement rejetteront parfois en bloc tout dirigisme, et surtout, toute coercition, vus comme empêchant irrémédiablement tout processus du rétablissement. Le choix de la personne usagère de services est vu comme sacré, et devant être respecté en toutes circonstances, sans égard aux risques, pour cette personne, liés à une rechute psychotique ou à une hospitalisation. Est-il possible que ces deux perspectives soient réconciliées et que l'on en vienne à poser des gestes coercitifs pour soutenir le rétablissement d'une personne?

Au cours de ma formation en psychiatrie génétique, j'ai aussi été formé en génétique des populations. Je crois donc que le processus du métissage rend les espèces plus fortes, plus aptes à survivre dans des conditions difficiles. En termes plus culturels, ces métissages enrichissent les peuples. Dans cette tension entre les races de l'interventionnisme et du rétablissement, j'essaye de me positionner en métis.

Cette approche nuancée doit prendre en considération le cadre légal. Pas question pour moi, cependant, de laisser des avocats dicter ma conduite clinique. Mais ce cadre légal se doit d'être respecté, en évitant cependant de tomber dans des attitudes rigides et simplistes. Ainsi, la loi balise deux grands types de contraintes légales, soit la garde en établissement qui nous permet de garder une personne à l'hôpital contre son gré, et l'autorisation de soins qui nous permet de traiter une personne malgré son refus catégorique.

Pour bien éclairer mes propos, nous devons réviser quelques bases d'un lieu où se rencontrent les disciples de Thémis[73] et d'Esculape, soient les lois concernant les soins aux personnes souffrant de maladie mentale.

La garde en établissement, la garde provisoire et la garde préventive

Concernant la garde en établissement, il est utile de rappeler certaines notions légales de base. Une première possibilité, que l'on appelle P-38, en référence au chapitre de la loi où elle est énoncée, en cas d'extrême urgence, est que nous pouvons appeler directement les policiers pour leur demander d'aller chercher quelqu'un, parce qu'il présente un danger immédiat pour lui-même ou pour autrui. C'est un moyen rapide, mais si les policiers qui rencontrent la personne jugent qu'elle ne représente pas un danger grave et immédiat pour elle-même ou pour autrui, ils peuvent décider de ne pas intervenir.

---

[73] Thémis : déesse grecque de la justice; les disciples de Thémis désignent les avocats; Esculape : dieu romain de la médecine; les disciples d'Esculape désignent les médecins

Une deuxième possibilité, nous – ou les proches – pouvons procéder à une demande de garde provisoire, c'est-à-dire demander à un juge que la personne soit soumise à des examens par deux psychiatres successifs qui évalueront si la personne représente un danger pour elle-même ou pour autrui. Et si c'est le cas, ces évaluations seront transmises au juge qui devra alors décider d'émettre ou non une garde en établissement qui pourra être renouvelée jusqu'à ce que la personne ne soit plus jugée comme présentant un danger pour elle-même ou pour autrui.

La troisième possibilité, la garde préventive, est décidée par un médecin, lorsqu'il est en présence d'une personne présentant une dangerosité immédiate et grave au point où l'on doive lui imposer sur-le-champ de demeurer à l'hôpital, sans obtenir préalablement l'autorisation du tribunal.

Vous comprendrez que tout est là : évaluer la dangerosité, la qualifier (était-elle immédiate et grave dans le cas de la garde préventive?), constitue pour nous, médecins, un réel défi. C'est un exercice complexe qui sollicite grandement le jugement, qui nécessite une cueillette d'informations considérables, le tout devant être soigneusement documenté pour convaincre le juge, qui émet la décision. Si c'est difficile pour nous, cliniciens formés pour procéder à de telles évaluations, imaginez la difficulté que cela représente pour des parents néophytes en la matière! Certains, parmi les cliniciens, auront une définition extrêmement restrictive de la dangerosité : ils considèreront une personne comme étant dangereuse si -et seulement si- elle verbalise des idées suicidaires ou homicidaires, ou si elle présente un haut niveau d'agitation et d'agressivité.

Mais alors, comment évaluer le niveau de dangerosité d'une personne en rechute psychotique, qui ne verbalise pas de telles idées, mais qui a déjà commis des gestes graves lors d'épisodes antérieurs? Et d'une personne qui est si désorganisée qu'elle n'est plus capable de s'occuper d'elle-même? Ou qui présente des troubles du jugement la menant à dilapider ses biens? Ainsi, il est facile de voir que s'il faut se garder de priver indûment une personne de son droit à disposer d'elle-même, une restriction excessive à le faire, lorsque cela est indiqué, peut avoir des conséquences graves. Les situations de Josée et de Thomas, que j'ai évoquées précédemment, illustrent ce propos.

Il faut comprendre qu'une garde en établissement ne nous permet pas de traiter une personne contre son gré et ne nous fournit aucun levier d'action concernant ce qui se passera après le départ de l'hôpital. Il n'est pas rare que des personnes cessent leur traitement après avoir quitté l'hôpital ou soient hospitalisées contre leur gré, mais continuent à refuser le traitement.

L'autorisation de soins

Un levier légal distinct nous permet d'imposer un traitement à une personne malgré son refus catégorique: il s'agit de l'autorisation de soins. Il faut comprendre que les autorisations de soins n'ont pas grand-chose à voir avec les gardes en établissement. En effet, ces deux dispositions relèvent de lois différentes, appliquées par des cours différentes et suivent des règles distinctes. Ainsi, une autorisation de soins peut s'appliquer au-delà des murs de l'hôpital, c'est-à-dire lorsque la personne n'est plus hospitalisée.

Pour recourir à l'autorisation de soins, il faut mettre en preuve que la personne refuse catégoriquement les soins nécessaires, qu'elle est inapte à consentir, et que les soins proposés ont plus d'avantages que d'inconvénients. Notez que la dangerosité de la personne pour elle-même ou pour autrui ne fait pas partie des critères, contrairement à ce que croient beaucoup de professionnels du réseau, y compris même des psychiatres. L'incapacité à consentir aux soins n'est pas définie dans la loi, mais la jurisprudence nous éclaire sur cet aspect. Ainsi, pour qu'une personne soit considérée inapte à consentir aux soins, il faut établir qu'elle ne reconnaît pas avoir besoin de soins, qu'elle ne reconnaît pas les risques de ne pas recevoir ces soins, qu'elle ne reconnaît pas les avantages de ces soins et que son jugement est altéré par la maladie.

Ces critères s'appliquent à beaucoup de gens souffrant d'une psychose. En fait, cette difficulté à reconnaître la présence d'une maladie est si fréquente dans cette clientèle que cela a attiré l'attention de plusieurs spécialistes qui ont formulé diverses explications à ce problème, chacune éclairant une partie de ses origines (Cooke et coll. 2005). Tout d'abord, il est facile de concevoir combien la reconnaissance que notre esprit fonctionne mal peut bouleverser le sentiment d'intégrité personnelle, l'estime de soi. C'est une menace au noyau de notre identité. On pourra alors parler, dans notre jargon psychiatrique, de blessure narcissique : le déni de la maladie est alors vu comme une protection contre cette douleur. Ensuite, il y a la logique interne même du processus psychotique. Par ce processus, la personne se construit une vision du monde qui, même si elle comporte de graves erreurs, lui est familière. Cette vision s'est développée petit à petit, parfois au cours de nombreuses années, et elle s'est progressivement enrichie de nombreuses ramifications en plus d'avoir été, aux yeux de la personne concernée, confirmée à de nombreuses reprises.

> Par exemple, Robert est devenu méfiant au travail, croyant que ses collègues l'empoisonnaient. Au cours des mois suivants, il s'est progressivement isolé, ce qui a créé un malaise avec ses collègues. Hors, Robert a vécu ces malaises réels comme autant de confirmations que quelque chose de louche se passait… Comme il s'isolait et ne parlait plus, il n'avait personne avec qui partager ses perceptions, ce qui le privait aussi d'occasions de les corriger.

Il est difficile de renverser une vision du monde qui fait partie de nous. Aussi, il y a possiblement des explications neuropsychologiques. En effet, on a bien documenté que parmi les personnes souffrant de psychose, celles qui présentent des déficits à certains tests neurocognitifs (par exemple, capacité de planification) ont généralement une plus grande difficulté à reconnaître qu'elles souffrent d'une maladie. Finalement, je crois que la non-reconnaissance de la maladie a parfois des sources iatrogéniques[74], c'est-à-dire qu'elle découle des actions des intervenants. D'abord, il ne faut pas négliger que nos traitements ne sont pas toujours aussi efficaces que nous le souhaite-

---

[74] iatrogénique : résultant d'une intervention médicale

rions, qu'ils ont parfois des effets indésirables importants. Ensuite, il faut reconnaître que l'attitude souvent excessivement pessimiste que les professionnels ont à l'égard des personnes ayant un diagnostic de maladie psychiatrique n'en favorise pas l'acceptation : il est sans doute tentant de remettre en question un diagnostic si on nous dit qu'il nous empêchera de mener une vie pleine et productive et que l'on constate que son traitement est pénible!

Le partage de l'information et des décisions : une démonstration de respect

De telles situations autour de l'acceptation ou non des traitements surviennent dans un contexte où le rôle que la société confie au médecin a évolué : la confiance aveugle au médecin omniscient et omnipotent n'est plus tellement à la mode (grand bien nous fasse!). Nous mettons maintenant beaucoup plus l'accent sur le partage de l'information et du processus décisionnel. La difficulté particulière est que cette information, souvent, ne suffit pas à convaincre la personne que cela s'applique à elle. Mais ce n'est pas une raison pour ne pas partager cette information, car ce partage est une démonstration de respect. Et si nous voulons obtenir un consentement éclairé, cette information est nécessaire. Mais il faut aller plus loin que connaître la psychose : il faut que la personne en arrive à connaître « sa » psychose.

La notion de refus catégorique aux soins

La notion de refus catégorique aux soins, condition essentielle pour recourir à une autorisation de soins, nécessite aussi certains éclaircissements, notamment, concernant la situation, relativement fréquente, de personnes qui prennent leurs médicaments lorsqu'ils sont à l'hôpital, mais les arrêtent dès qu'elles en sortent. En effet, elles comprennent que si elles prennent leur traitement, leur hospitalisation se terminera plus rapidement. Comme le dit un de mes collègues, ils ont beau être psychotiques, ils ne sont pas fous pour autant! Ainsi, de telles situations peuvent être citées comme des exemples de refus catégorique aux yeux de la cour, et mènent parfois à l'obtention d'une autorisation de soins.

Il faut souligner que les autorisations de soins étaient peu utilisées à l'époque (malheureusement déjà lointaine) de ma formation. Ainsi, nous nous retrouvions souvent dans des situations d'impasse où nous hospitalisions des personnes sans pouvoir les traiter : les hospitalisations se prolongeaient, avec les conséquences que l'on connaît à l'institutionnalisation. Parfois, les personnes quittaient l'hôpital alors que nous savions qu'elles cesseraient leur traitement dès leur départ. Elles végétaient, dans un contexte souvent difficile, ce qui a contribué à donner une mauvaise presse à la fameuse désinstitutionalisation. Finalement, il arrivait parfois que des personnes étaient traitées plus ou moins de force, sans autorisation donc, loin des balises qu'assure la supervision du tribunal.

Le troublant dilemme

Bon, voilà campé le cadre juridique québécois. Mais je ne suis pas avocat, loin s'en faut, mais plutôt médecin. Ainsi, lorsque vient le temps d'appliquer ces considérations dans le cadre du travail clinique, nous devons, comme cliniciens, faire preuve de jugement et de discernement dans l'application de ces dispositions. Et se posent alors toute une panoplie de dilemmes, de nécessaires réflexions, de consultations avec la personne, ses proches, les autres membres de l'équipe, pour justement arriver à adopter une voie vers le rétablissement, même si celle-ci doit comporter la mise en œuvre de mesures légales pour contraindre la personne à un traitement.

Les bases scientifiques

Il faut reconnaître que les bases scientifiques justifiant le danger de ne pas traiter des épisodes psychotiques sont maintenant plus solides qu'auparavant (Roy, 2012). En effet, nous disposons maintenant de beaucoup de données scientifiques qui montrent les effets néfastes de trop attendre avant d'initier un traitement efficace chez une personne présentant une psychose. En particulier, il est maintenant démontré que l'instauration précoce d'un traitement efficace, en début de maladie, favorise une récupération rapide et l'atteinte, pour la personne, d'un plus haut niveau de fonctionnement social. Aussi, les effets néfastes des rechutes répétées et prolongées sont maintenant bien documentés. De plus, on sait maintenant que les décès par suicide, ou les actes violents, surviennent souvent dans un contexte d'absence de traitement. Bref, plus long est le délai avant le traitement, plus haute sera la pente à remonter, et certaines opportunités de rétablissement risquent d'être perdues. J'en ai eu tellement d'exemples!

Au-delà de la coercition, l'alliance

Mais les gestes coercitifs sont loin d'être le seul type de réponse face à un refus de traitement. On nous enseigne, en psychiatrie, que notre action doit se fonder sur l'alliance thérapeutique qui décrit la capacité qu'ont une personne et son thérapeute de collaborer dans le cadre d'un traitement. Ainsi, la relation entre un psychiatre et la personne aidée ne se borne pas à la prescription de médicaments, mais inclut une vision globale de la personne, de son environnement, et une capacité à établir avec celle-ci une relation de confiance et à fixer des objectifs pertinents pour la personne. C'est pourquoi l'établissement progressif de cette alliance thérapeutique permet souvent d'aller au-delà de réticences initiales face au traitement. Aussi, le traitement est souvent mieux accepté par la personne lorsque les proches ont la possibilité de collaborer avec l'équipe de soins. C'est pourquoi il est utile de consacrer le temps nécessaire à l'établissement de cette alliance d'abord et avant tout. En cherchant à comprendre, de façon empathique, les tenants et aboutissants du refus d'une personne, pour apporter des réponses satisfaisantes, nous arrivons souvent à obtenir sa collaboration. Il faut prendre le temps d'établir une relation, un milieu serein pour le faire, le temps d'expliquer ce que nous cherchons à faire, obtenir la collaboration de la famille. Il faut être convaincu que le médicament est l'un des outils du rétablissement et bien témoigner notre confiance dans le potentiel de la personne. Bref, il faut accepter de s'adonner à quelque chose de l'ordre d'un pitch de vente.

L'espoir

Parfois, nous (les professionnels de la santé) avons nous-mêmes de la difficulté à nous convaincre que nos médicaments sont des instruments indispensables au rétablissement des personnes souffrant de psychose, comme le marteau l'est pour la construction d'une maison. On nous enseigne une vision plutôt pessimiste du devenir des personnes souffrant d'une maladie mentale. Je pense sincèrement que quand les médicaments sont offerts avec une attitude positive, il est plus facile de les accepter et de composer avec leurs inconvénients. Et surtout, je pense que le fait de ne pas limiter notre offre de services aux seuls médicaments, et donc d'inclure d'autres composantes au traitement, facilite l'acceptation des médicaments. Par exemple, un des résultats surprenants d'une étude en thérapie cognitivo-comportementale menée par une de mes étudiantes au doctorat (maintenant PhD), Marie-Josée Marois, est qu'au terme d'une psychothérapie individuelle de quelques mois, les participants rapportaient une hausse importante de leur degré de fidélité au traitement pharmacologique, alors que cette question ne constituait pas une cible majeure de l'intervention! (Marois et coll. 2011) Bref, si nous disons et démontrons à la personne que nous croyons en elle, que le traitement est un vecteur d'espoir et de rétablissement, notre offre de médication sera mieux reçue.

Le soutien des familles

Le rôle de la famille doit aussi être souligné. Il est maintenant démontré hors de tout doute raisonnable que l'intervention familiale a des effets bénéfiques importants, notamment en ce qui concerne la prévention des rechutes psychotiques. (Dixon et coll. 2010) Aussi, le fait de convaincre les proches de la nécessité du traitement nous aide à convaincre la personne elle-même. Ainsi, les communications avec les proches font partie intégrante des soins. Nous nous retrouvons donc dans une situation difficile lorsque la personne nous refuse de contacter ses proches. Si certains collègues obéissent tout à fait à cette demande, je tente quand même de garder un canal de communication avec les proches, que j'aurai généralement établi avant l'épisode aigu, recueillant alors, dans ces conditions favorables, le consentement de la personne traitée. Je pense qu'il faut prendre en considération l'implication de la famille dans les soins, les effets bénéfiques de ces communications, les risques de les refuser. Et bien entendu, il faut s'assurer que nous ne communiquons que les informations pertinentes à la poursuite du traitement, et que nous n'intervenons pas de façon intempestive dans des conflits familiaux.

L'adhésion au traitement

Aussi, des outils thérapeutiques sont disponibles pour soutenir la fidélité au traitement. Par exemple, les médicaments injectables à longue action facilitent la fidélité au traitement : la personne recevra, à des intervalles de 2 à 4 semaines (selon le médicament), un médicament par injection, qui se libérera progressivement pendant les semaines qui suivent, assurant une concentration suffisante du médicament pour qu'il exerce ses effets bénéfiques. (Stip et coll. 2011) Évidemment, cette forme pharmaceutique permet de mieux superviser la prise de médicaments. Malheureusement, cette forme pharmaceutique est entourée d'une aura de coercition, héritage asilaire; pourtant, il n'est pas rare que les personnes acceptent de tels médicaments, sans qu'il ne soit nécessaire de les y contraindre. Et les avantages de cette forme pharmaceutique ne sont pas à négliger, notamment : la fin des conflits avec les proches concernant la prise de médicaments; l'évitement d'un rappel quotidien de la maladie qui survient à chaque fois qu'on avale la pilule; une diminution du risque de ré-hospitalisation.

L'attitude et l'ambiance

Lorsque l'on aborde les traitements psychiatriques et que l'on veut en favoriser l'acceptation, il faut évidemment les rendre le moins rébarbatifs possible, notamment en s'assurant de minimiser leurs effets indésirables. Quant à l'hospitalisation, il va de soi qu'il faut la rendre la plus respectueuse possible. Pourtant, il n'est pas rare que l'on doive recourir à des gardes en établissement, non pas parce que la personne refuse d'être hospitalisée, mais plutôt parce qu'elle refuse de rester à l'urgence psychiatrique! En effet, dans ce contexte, on leur impose un sevrage tabagique, de passer leurs nuits sur une civière, en tenue d'hôpital! Bref, la disponibilité d'une plus grande variété d'alternatives à l'hospitalisation, ou d'environnements hospitaliers vraiment adaptés, mène inévitablement à une diminution du recours à la garde en établissement. L'organisation de nos services peut contribuer à éviter de recourir à la coercition, en adoptant une vision axée sur le rétablissement, comme nous tentons de le faire sur l'unité d'hospitalisation où je travaille. Trop souvent, les professionnels perçoivent le rétablissement comme un processus qui surviendra à l'extérieur de l'hôpital, dont on parlera quand ça ira mieux. On perçoit parfois le rétablissement comme une idéologie de mollesse, qui empêche l'utilisation de la coercition, parfois nécessaire en soins aigus, par exemple lorsqu'une personne introduit de la drogue sur l'unité de soins, ou lorsqu'elle devient menaçante envers autrui. Nous parlons à la personne, dès son arrivée, de son projet de vie, nous lui présentons l'hospitalisation comme un court épisode de son cheminement, nous lui offrons des activités qui lui permettront de préparer la réalisation de ses projets. Dès qu'elles arrivent sur l'unité, les personnes sont accueillies avec respect et gentillesse, on les informe des services offerts, on leur précise que rapidement, nous les soutiendrons dans leur projet de sortie. Bref, nous nous adressons à eux en tant que citoyens à part entière! Les résultats sont palpables : notre unité est caractérisée par un recours très rare à la chambre d'isolement, par une faible proportion d'usagers en garde en établissement, et ce, malgré le caractère souvent explosif de la clientèle.

Et quand on a tout essayé...

Mais, malgré nos meilleurs efforts, nous n'y arrivons pas toujours, et il faut parfois recourir à des moyens coercitifs. Cependant, j'ai besoin, pour ce faire, d'avoir la conviction d'avoir utilisé toutes mes ressources. Mais c'est difficile de savoir si on a vraiment fait tout ce qui était possible, et ceci nécessite beaucoup de temps, un temps dont nous ne disposons pas toujours, par exemple, en situation d'urgence. Ainsi, une réticence excessive à utiliser des moyens coercitifs peut mener à une prolongation inutile de la souffrance qui pourrait être soulagée par un traitement efficace.... L'exemple de Josée, évoqué précédemment, est l'une des illustrations les plus explicites de ces enjeux, et souligne qu'il faut effectivement voir que les conséquences de l'absence de traitement sont souvent considérables.

Même lorsqu'on le sait nécessaire, ce recours à la coercition me brasse quant aux émotions. Comme je le disais précédemment, priver quelqu'un de sa liberté, ça n'allait tellement pas dans le sens de l'idée que je me faisais de la psychiatrie.

En bout de ligne, je tente de résoudre cette difficulté à travers les considérations quant à la finalité de mes interventions. Je suis ici pour permettre à la personne de s'accomplir, de se réaliser. Je lui impose des traitements, certes, mais je ne lui inflige pas une punition. Je dis souvent que j'ai fait ma médecine à Laval, pas la police à Nicolet! Je ne la trahis pas, je pose un geste difficile, pour l'aider. Je garde à l'esprit que la personne en face de moi n'est pas un mauvais patient : le refus de traitement découle plutôt de la difficulté à reconnaître que l'on est atteint d'un problème de santé mentale! Je tente d'adopter une attitude cordiale, même si parfois la personne me verra alors presque comme un tortionnaire.

J'essaie d'accueillir sa souffrance, sans qu'elle me paralyse et j'essaie de ne pas confirmer indirectement cette accusation par un comportement de persécuteur. Je fais des efforts pour rester calme, respectueux, j'oserais dire gentil, et surtout, garder un discours et une attitude d'espoir. Je continue à parler de la sortie prochaine de l'hôpital.

Dans mon rapport, j'insiste sur les qualités de la personne, sur le fait que je crois en son potentiel de rétablissement : je ne suis pas là pour gagner contre elle, et nous nous débattons pour le même but, son rétablissement, même si nous ne sommes pas d'accord quant aux moyens à utiliser pour y parvenir. J'admets auprès de la personne que je ne suis pas infaillible, mais que je dois agir selon mes convictions, et qu'ils auront l'occasion d'exprimer leur opinion, et qu'en bout de ligne, ce sera au juge de trancher. Et je fais tout en mon pouvoir pour m'assurer que le processus soit le plus rapide possible, car il ne faut pas prolonger cet état de souffrance de la personne concernée et de ses proches, avec qui à ce stade la relation est souvent tendue. À mon hôpital, nous avons mis en place, notamment en collaboration avec des usagers, une procédure d'accélération des demandes d'autorisation de soins qui nous a permis de réduire le délai entre le début des démarches et l'obtention de l'autorisation, de deux mois avant l'implantation de la procédure, à deux semaines, par la suite.

L'emprise de la maladie : une prison en soi

Et je garde en perspective qu'en de tels cas, la privation de liberté n'est pas une condamnation suite à la commission d'un crime. Il s'agit de la suspension d'une liberté, soit celle de quitter l'hôpital, dans le cas de la garde en établissement, ou de refuser les soins, dans le cas de l'autorisation de soins, afin de rétablir la capacité d'agir, de penser clairement, sans être sous l'emprise d'une maladie, et ainsi de mener une existence pleine de sens.

Bref, il s'agit de restreindre certaines libertés pour en soutenir d'autres, à mon sens plus fondamentales. Ainsi, je dis souvent à mes patients (pardonnez-moi, ce mot m'a échappé : je suis médecin, après tout) qu'accepter qu'ils ont une maladie et qu'ils ont besoin de traitement est une étape cruciale pour se libérer de son emprise. C'est quand même un peu paradoxal : se soumettre aux traitements, pour se libérer! Je reconnais les limites de cette façon de voir : quand nous imposons un traitement ou un séjour à l'hôpital, il s'agit néanmoins d'une privation de liberté! Je reconnais volontiers que ce raisonnement est risqué, qu'il peut mener à des dérives majeures : c'est pourquoi je crois que le législateur a fait preuve d'une certaine sagesse en s'assurant que le médecin ne soit pas seul à décider, qu'il doit obtenir l'autorisation de la cour pour procéder ainsi. Et, il y a le dialogue avec la personne, il y a le travail en équipe interdisciplinaire, il y a les discussions avec la famille. Tout cela, idéalement, dans un contexte de continuité de soins qui nous permet de nouer une relation avec la personne et ses proches, ce qui est malheureusement de plus en plus difficile dans notre contexte de soins morcelés.

Même si les personnes que nous gardons à l'hôpital ou traitons contre leur gré nous rappellent avec véhémence qu'il s'agit d'une privation de liberté, il faut se demander quelle privation de liberté est la pire. Et dans ce contexte, la prison de l'esprit que constitue la psychose active non traitée est un puissant obstacle au rétablissement : le traitement, même imposé, peut alors faciliter le rétablissement.

Cela dit, ces situations de confrontation et de coercition me bouleversent toujours, car elles sont souvent douloureuses pour la personne et sa famille. Et pour moi aussi à vrai dire. Je me dis parfois que j'aurais un problème, si cela ne me bouleversait pas : je craindrais alors de banaliser une décision aussi sérieuse que celle de priver une personne de sa liberté.

Et la vie ne s'arrête pas après avoir obtenu une autorisation de soins. Il y a une relation de confiance à rétablir : heureusement, nous y arrivons la plupart du temps. L'obtention de cette autorisation de soins ne devrait pas dire que la personne a perdu tout contrôle quant aux soins qu'elle reçoit, qu'elle est destinée – pour ne pas dire condamnée – à être sous coercition *ad vitam aeternam*. Il y a, tout d'abord, de la souplesse dans l'application. Il y a la nécessité de cheminer avec la personne, de l'aider à reconnaître l'importance du traitement pharmacologique, notamment via les approches non-pharmacologiques que nous aborderons un peu plus loin dans le texte. Et surtout, qu'elle saisisse bien que le médicament l'aidera à réaliser son projet de vie et à mettre ses forces à profit.

Dans ce processus, il n'est pas rare, qu'après une période de rémission soutenue de la psychose, nous tentions une diminution de la dose du médicament, et nous convenions de la ré-augmenter en cas de rechute. Ce faisant, nous arrivons à identifier la dose minimale efficace, et c'est aussi parfois à la faveur d'une rechute que la personne se convainc de la nécessité du traitement. Je ne peux m'empêcher de penser à Steve : mon premier contact avec lui s'était déroulé dans le cadre d'une visite à domicile, pendant laquelle j'ai pu confirmer qu'il souffrait vraiment d'une psychose, mais aussi qu'il refusait catégoriquement les soins. Nous avons donc obtenu une autorisation de soins, grâce à laquelle son état s'est rapidement amélioré. Il a trouvé un emploi qu'il apprécie, une vie sociale satisfaisante, etc., mais sans reconnaître qu'il avait souffert d'une psychose. D'un commun accord, nous avons convenu de diminuer progressivement le traitement, prenant soin cependant de nous entendre sur ce qui constituerait des manifestations de rechute justifiant la reprise du traitement. Effectivement, les idées de persécution et de méfiance sont revenues, et il a demandé lui-même de revenir à sa dose antérieure, ce qui a rapidement mené à la disparition des idées de persécution qui ne sont pas revenues depuis. Cette histoire permet d'illustrer un aspect essentiel : quand une personne comprend que le traitement peut l'aider à accéder à des activités scolaires ou professionnelles, son attitude face au traitement devient souvent beaucoup plus positive. Mais soyons honnêtes, cela ne se passe pas toujours ainsi, j'ai aussi connu des situations où une telle résurgence des manifestations psychotiques n'ont pas été aussi faciles à gérer, la personne refusant catégoriquement une reprise du traitement. La situation de Julien illustre bien ce propos.

Le tableau clinique des rechutes de Julien était dominé par des manifestations catatoniques, c'est-à-dire qu'il entrait dans un état de stupeur, pouvant demeurer debout, mais immobile pendant plusieurs heures, négligeant ses besoins les plus élémentaires. Avec le traitement pharmacologique, imposé dans un contexte d'autorisation de soins, son état s'est amélioré rapidement, au point où il a retrouvé un fonctionnement et une présentation sans la moindre trace de maladie mentale. En effet, il est redevenu un jeune homme actif, s'occupant de son appartement de façon impeccable, étant à l'aise dans ses relations, présentant une excellente performance au travail, etc. Lorsque je lui demande de m'expliquer ses épisodes catatoniques antérieurs, il me répond simplement qu'il était alors paresseux.

Après une période de deux ans pendant laquelle il a présenté un fonctionnement que j'oserais qualifier d'optimal, nous avons convenu d'arrêter progressivement le traitement, nous entendant quant au fait qu'en cas de rechute, nous allions le recommencer.

Malgré des signes évidents de rechute catatonique, il refusa de nouveau le traitement, tant et si bien que nous avons dû recourir à une nouvelle autorisation de soins. Maintenant, alors qu'il a de nouveau parfaitement récupéré, il continue de nier la nécessité d'un traitement. Malgré les explications scientifiques que je peux apporter à ce phénomène, je ne peux m'empêcher de le trouver déconcertant et de ne pas tout à fait comprendre comment on peut ne pas reconnaître l'effet d'un médicament qui apporte, dans son cas, des résultats franchement spectaculaires.

L'exemple de Julien illustre aussi que le médicament peut bel et bien soutenir le rétablissement même dans un contexte de coercition légale, et de la non-reconnaissance de la maladie. Quoiqu'il en soit, je continue à croire qu'il est souvent indiqué de faire de tels essais et de donner une chance au coureur.

Les approches combinées en synergie

Et il faut aussi souligner que le fait de combiner des approches non-pharmacologiques au traitement médicamenteux peut nous permettre de réduire le besoin de recourir à des moyens coercitifs. Ces approches permettent de développer un espace de dialogue qui favorise une véritable alliance thérapeutique. Retenons, par exemple, les approches psycho-éducatives, par lesquelles les intervenants offriront de l'information sur la maladie et ses traitements. Souvent, l'autorisation de soins met fin aux interminables palabres concernant la prise de médicaments et l'amélioration de l'état mental de la personne lui permet de participer aux aspects non-pharmacologiques. Bref, ça laisse de la place pour autre chose.

Finalement, permettez-moi de souligner que les approches non-pharmacologiques peuvent aussi faire l'objet d'une autorisation de soins. Bien entendu, il est généralement nécessaire que la personne soit motivée pour bénéficier de telles approches. Mais j'ai quand même vécu des situations où des personnes se sont vues imposer un traitement toxico (par exemple) et que ce traitement se soit avéré efficace.

Bref, il est dans la nature des troubles psychotiques d'être souvent accompagnés d'une non-reconnaissance du problème. Ceci pose un défi considérable aux professionnels, soucieux de venir en aide, sur le chemin du rétablissement : comment concilier l'autonomie de la personne et sa protection? Je crois que la réponse tient dans une vision globale de la personne et dans la façon de l'aborder.

Le médicament au service du rétablissement de la personne

Marie-France Demers

Le médicament au service du rétablissement de la personne

D'où j'arrive...

Luc Vigneault m'a posé une question : « Pourquoi êtes-vous pharmacienne en psychiatrie? » Voici ma réponse.

Le premier patient que j'ai rencontré en entrevue était fleuriste. Il s'appelait Stéphane. Il avait à peine 30 ans. Fleuriste, déjà cela avait quelque chose de touchant, moi qui adore les fleurs. Il habitait à l'extérieur de l'hôpital et venait chercher le Moditen à notre pharmacie.

Stéphane pénétra dans le petit bureau de consultation. Je portais mon sarrau blanc. Il y avait une immense table entre nous. Je remarquai son regard. Un regard présent, allumé, contrairement à bien d'autres regards que j'avais croisés jusqu'ici, depuis mon embauche à l'hôpital. Puis, au moment de prendre dans ses mains le flacon que je lui tendais, sa langue sortit de sa bouche, de tout son long, épaisse, mouillée, pâteuse... j'étais horrifiée!

Ma première réaction fut celle de la peur. Peur de regarder, de m'approcher, de chercher à comprendre. Peur de m'engager.

Robert Giffard... J'avais si peur de ces longs corridors, des fameuses clefs et de ces petites fenêtres dans certaines portes, témoins d'une époque de la psychiatrie que j'aimais mieux ignorer. J'avais accepté ce poste parce qu'on m'offrait un contrat un peu plus long qu'ailleurs et que je venais d'acheter une maison. Rien de très noble, à vrai dire.

Lorsque je rencontrais des patients sur les unités de soins, je frôlais le mur opposé, mon cœur s'accélérait, j'étais toujours sur mes gardes. J'avais si peur de toutes ces personnes étranges, à la démarche funambulesque, grimaçantes. Elles m'apparaissaient repoussantes, certainement inintelligentes. Je ne voulais rien savoir d'elles au fond. J'avais trop peur.

Je ne sais pas trop à quel moment tout a changé.

J'ai commencé à travailler en recherche. J'ai participé à des entrevues au miroir, à lire sur la psychose et son traitement, tout en côtoyant les personnes atteintes. Étrangement, c'est à travers la description des échelles de psychopathologies utilisées en recherche que je suis arrivée à démystifier un peu les symptômes de la maladie. Ils n'étaient pas fous, ils étaient malades. L'idée a commencé à germer et la peur, à s'estomper. Mais j'étais bien loin d'être à l'aise.

Alors que je travaillais auprès des jeunes en début d'évolution de psychose, l'histoire d'une jeune femme, Suzanne, nous est décrite lors d'une réunion interdisciplinaire. Son parcours, avant la maladie, avait un air de déjà vu : violoncelliste émérite, partie en Europe étudier avec les grands maîtres, jusque là magnifique, enviable, tellement belle. La plus belle de mon école secondaire, Suzanne, c'était bien elle. Alors que je la croyais évoluant dans un orchestre de Strasbourg, je la retrouvais quinze ans plus tard, au fond d'un lit de la Clinique Roy-Rousseau, les cheveux à moitié arrachés par trichollomanie, tenant des propos saugrenus sur les extraterrestres et Julie Payette. Elle était méconnaissable. Elle avait vécu d'itinérance pendant au moins cinq ans, trop malade même pour obtenir l'aide des refuges de Montréal. Sa mère la cherchait depuis un moment, la croyant toujours en Europe. Suzanne, avec qui j'avais fait de la musique, joué St-Saens... Suzanne, tellement meilleure et plus talentueuse que nous tous! « La plus malade des patients que j'ai vue depuis longtemps », avait déclaré Dr Bouchard avant de se rendre compte que mes yeux s'embrouillaient de larmes. Je l'avais tant enviée pour son courage à partir au loin, pour aller au bout de son talent, de ses rêves.

Elle s'est suicidée dans sa trentième année, au bout d'une corde, au bout d'une vie inachevée surtout. Elle portait une robe bleue, comme toute l'immensité de ses yeux, partie au Ciel, malgré nos soins. Ce soir-là, elle avait joué de la musique alors qu'elle ne le faisait plus depuis de nombreux mois.

J'ai pris la mesure de façon brutale de ce qui motive les programmes d'intervention précoce auprès des jeunes psychotiques depuis la dernière décennie : il existe une toxicité biologique et sociale à la psychose non traitée.

Je peux en témoigner.

L'expérience aidant, j'arrivais à mener des entrevues, à me libérer de ma fameuse peur, enfin à aider. À travers les échanges riches et fructueux auprès de mes collègues travailleuses sociales, psychologues, psychiatres, j'appris à me détendre un peu, à m'adresser davantage à l'humain qu'à la maladie.

Puis, en 2003, trois mois après la naissance d'un second enfant, on m'apprend que j'aurai à mener une bataille tout aussi épuisante qu'inattendue : je suis atteinte d'un cancer. Pendant des semaines, je connaîtrai l'impuissance, la peur, la douleur, physique, morale. Ma fille fera ses premiers pas alors que je serai encore en pleine chimio et radiothérapie. Je traverserai ce chemin, habitée d'une profonde détermination, accompagnée par mes proches et guidée par une docteure engagée, claire et franche. J'ai compris le sens du consentement éclairé. Dans ma chair. Et celui de l'empathie. Dans mon cœur.

Après presque trois ans d'absence, je suis rentrée au travail progressivement. Le premier jour, un patient se présente en détresse à la clinique. Je le reçois dans mon bureau. Il est de toute évidence extrêmement tendu et confus. Il porte un gros sac à dos qu'il dépose sur ses genoux et auquel il s'accroche. Notre conversation me permet rapidement de comprendre qu'il est venu à notre clinique pour se protéger de commettre l'irréparable : il envisage de poignarder la personne qui le persécute. Son délire est alimenté par des voix incessantes contre lesquelles il a du mal à lutter. Je lui ai dit tout simplement, avec une assurance que je ne me reconnaissais pas : « Antoine, il n'arrivera rien maintenant. Tu es venu au bon endroit. » Il a accepté avec soulagement l'hospitalisation. À l'urgence, on trouvera toute une panoplie de couteaux dans son fameux sac à dos!

J'avais franchi un nouveau cap. Je n'avais plus peur de toucher la souffrance des gens. Ni de faire face à la mienne.

Apologie de la pharmacothérapie

Lors de ma première rencontre avec Luc, je me suis sentie obligée de lui affirmer d'entrée de jeu que j'étais *pour* les médicaments. J'avais besoin d'établir que je ne pourrais collaborer à des projets qui encourageaient les gens à cesser leurs médicaments et que si c'était ça, l'idée derrière le rétablissement, je passerais mon chemin. On a beau dire, ce jour-là, c'est bien moi qui étais la plus méfiante.

J'ai la conviction profonde que les médicaments jouent un rôle de premier plan dans le traitement des personnes atteintes de schizophrénie. Cette conviction se base non seulement sur les données scientifiques probantes, mais sur une expérience clinique acquise au cours des quinze dernières années. J'ai vu, en de multiples occasions, des personnes souffrant de psychose obtenir une réduction importante de leur symptomatologie voire une rémission complète de leurs symptômes avec l'introduction d'une médication appropriée. À l'inverse, j'ai aussi vu des personnes expérimenter la rechute psychotique à l'arrêt de leur médication. J'aborde donc le concept de rétablissement dans cette perspective : la médication contribue de façon significative à ce qu'une personne atteinte de psychose soit disponible aux différentes approches psychosociales afin qu'elle puisse mobiliser ses forces vives et qu'elle puisse s'engager dans le processus du rétablissement.

La schizophrénie est une maladie du cerveau. L'expression des symptômes de cette maladie a des conséquences multiples et complexes sur la relation qu'a un individu avec son environnement. On dit que c'est une maladie de nature bio-psycho sociale. Les médicaments visent donc à contrôler les symptômes, par exemple, les hallucinations auditives. Ils diminuent la méfiance, la paranoïa. Lorsque l'intensité de ces symptômes diminue, l'individu atteint peut commencer à reprendre pied, à être plus ouvert à d'autres explications pour tenter de se représenter ce qui appartient au délire ou à la réalité. De mon point de vue, cette capacité de rendre l'individu atteint disponible à différentes interprétations de sa situation, c'est l'essence même de l'apport des médicaments dans une perspective de rétablissement. L'individu peut se dégager de ses symptômes pour émerger, faire valoir ses forces, mener son combat.

Comment agissent les médicaments? Malgré toutes ces années à lire et à tenter de comprendre la modulation pharmacologique des systèmes de neurotransmission, force est de constater que ces concepts restent à ce jour encore fort complexes, intriqués et difficiles à superposer de façon directe aux impacts observés en clinique.

L'explication à elle seule du modèle dopaminergique (i.e. que la maladie serait causée par un dérèglement de la transmission de dopamine dans le cerveau) ne suffit plus : il est vrai que la psychose s'explique entre autre par un excès de l'activité de la dopamine dans certaines régions du cerveau, mais d'autres régions, à l'inverse, montrent un hypofonctionnement des systèmes dopaminergiques. D'autres systèmes de neurotransmission sont aussi impliqués dans le dysfonctionnement qui conduit à l'expression de la schizophrénie, notamment le système glutamatergique (i.e. le système de neurotransmission qui implique un autre neurotransmetteur, le glutamate). Comment s'y retrouver? La littérature foisonne autour de l'infiniment petit, pour tenter d'expliquer cette maladie du cerveau, avec l'aide de technologies en neuro-imagerie de plus en plus raffinées, de biologiques moléculaires, de génétique, etc. Ces travaux progressent à une vitesse fulgurante vers le jour où nous pourrons enfin élucider les causes de l'expression de la schizophrénie et élaborer des médicaments, qui non seulement arriveront à maîtriser les symptômes, mais peut-être, à les éradiquer.

Pour les personnes atteintes, comment adhérer à cette explication *biologies moléculaires* pour comprendre cette voix qui nous insulte sans arrêt, cette conviction d'être au cœur d'une machination, ou encore cette constante crainte de représailles pour des motifs qui nous apparaissent plus que plausibles? C'est là toute la difficulté de la maladie : certaines pensées sont en quelque sorte prises en otage. Les médicaments agissent donc en permettant aux individus une amélioration de leur état sur les plans suivants :

Retrouver une pensée plus organisée
Dormir mieux
Se sentir moins anxieux
Être à nouveau capable de faire confiance
Départager les perceptions étranges de la réalité
Interpréter la réalité sans surajouter des liens inexistants.

L'utilisation des médicaments vise deux cibles principales :

La maîtrise des symptômes de la psychose aigue
La prévention de la rechute

Chaque rechute a des conséquences significatives pour un individu et son entourage et est associée à des risques suicidaires et à des gestes hétéro-agressifs accrus. De plus, il est possible, voire probable, que chaque rechute soit plus difficile à traiter, qu'il faille plus de temps pour atteindre à nouveau la rémission des symptômes. La prévention de la rechute constitue donc une cible majeure du traitement, et cela, afin de favoriser le rétablissement et l'atteinte des objectifs de la personne.

Outre les symptômes psychotiques à proprement parler, l'expérience de la psychose s'accompagne souvent d'autres manifestations ou troubles qui méritent une attention toute aussi grande. Ainsi, près de 50% des personnes atteintes de psychose souffrent également d'un trouble anxieux. La dépression et l'abus de substances sont fréquemment associés et contribuent à complexifier la maladie. L'ajout d'un traitement spécifique à cette indication doit être judicieusement envisagé.

Il existe donc un enjeu majeur autour d'une utilisation judicieuse et appropriée de la médication. Cette utilisation exige un ajustement fin de la pharmacothérapie pour l'ensemble des problèmes qui peuvent cohabiter avec la psychose; tout ceci est donc, on le constate, fort complexe.

Critique de la pharmacothérapie

Si je suis profondément convaincue de la nécessité de la médication dans le traitement des psychoses, je constate malheureusement qu'elle est souvent utilisée de façon non optimale. D'ailleurs, étrangement, malgré ma formation de pharmacienne, j'ai commencé la rédaction de la première version de ce texte par une dénonciation de l'utilisation inappropriée des psychotropes. Attention, il ne s'agit pas là d'une simple charge contre les prescripteurs, mais plutôt d'un constat que les attentes et exigences à l'égard des traitements ne sont pas suffisamment élevées; celles des patients et de leurs familles, mais aussi celles des professionnels.

Première règle en médecine : ne pas nuire. Or, trop souvent, une médication mal ajustée peut nuire.

Le premier contact avec la médication : faire bonne impression

La psychose peut être spectaculaire. Son traitement aussi. Au fil du temps, trop de patients m'ont raconté leur expérience traumatisante lors de cette première injection qu'ils ont reçue à l'urgence dans un contexte de grande confusion et de vulnérabilité. Je suis toujours étonnée que des dystonies aigues de la mâchoire (crampes intenses et douloureuses provoquées par la médication, souvent associées à une première exposition et dont le risque est majoré par l'utilisation d'une dose élevée), des yeux qui plafonnent ou des crampes dans le cou se produisent encore si fréquemment, mais surtout que ces épisodes soient plus ou moins bien reconnus et soulagés. De telles situations m'attristent. Nous pourrions les prévenir davantage. Les travaux de Voruganti et Awad[75] ont pourtant démontré l'influence négative que de telles expériences initiales avec la médication ont sur la poursuite de la médication à long terme. Pourquoi prescrire des doses élevées d'halopéridol[76] intramusculaire chez un jeune qui n'a jamais été exposé à un antipsychotique? La fameuse recette Haldol 5- Cogentin 2[77]...! Comment se fait-il qu'une crise

---

[75] Voruganti L, Awad AG. Neuroleptic dysphoria: towards a new synthesis. Psychopharmacology 2004 Jan;171(2):121-32. Epub 2003 Nov 27

[76] Haloperidol (HaldolMD) est l'un des premiers antipsychotiques disponibles dont on parle souvent comme une référence parmi *les antipsychotiques de première génération*

[77] La recette Haldol 5-Cogentin 2 i.e. on administre en situation d'urgence par voie intramusculaire halopéridol comme antipsychotique à une dose de 5mg, combiné à Cogentin 2mg (benztropine), un correcteur pour prévenir les troubles du mouvement incluant les fameuses crampes... cette recette est fréquemment utilisée dans de nombreux milieux.

oculogyre[78] ne soit pas reconnue comme un effet indésirable et qu'elle soit plutôt décrite dans les notes au dossier comme des symptômes de la maladie : « Le patient présente un regard fuyant, un refus de contact »?

Les effets d'un psychotrope ne sont pas toujours évidents. Il faut être vigilant. Par exemple, la dysphorie aux antipsychotiques est un phénomène sous-estimé et souvent négligé en terme d'impact sur la perception du traitement pharmacologique. Pourtant, il s'agit d'une réalité connue depuis de nombreuses années. Biologiquement, on explique cette dysphorie par le blocage dopaminergique engendré par les antipsychotiques. Les patients nous la décrivent en disant se sentir vides, dépossédés de leurs propres capacités intellectuelles, figés dans leurs têtes, sans l'être en apparence. Sans saveur, sans odeur! Tout devient insipide. Rapidement *flatte, plate*, dès les premières heures du traitement.

Je ne souhaite absolument pas mettre le corps médical au banc des accusés. Il est extrêmement difficile de juger globalement toutes ces situations éminemment complexes. Il faut cependant apprendre, former tous les intervenants impliqués, être plus sensibles et mieux outillés quant à de telles réactions indésirables. Le médicament n'a pas plusieurs chances de faire une première bonne impression.

Les effets extrapyramidaux

Certains effets extrapyramidaux se voient, d'autres non. Tous nuisent.

Les effets extrapyramidaux sont reliés au blocage dopaminergique dans une région du cerveau particulièrement responsable du contrôle des mouvements, le système extra-pyramidal. On entend par effets extrapyramidaux l'impatience motrice, le ralentissement psychomoteur, les raideurs, les tremblements, les crampes, les troubles d'équilibre. L'avènement des antipsychotiques de seconde génération a certes diminué la prévalence de ces effets extrapyramidaux,

---

[78] On parle de crise oculogyre en présence d'un spasme (contraction) des muscles rotateurs fixant les yeux le regard tourné vers le haut (yeux au plafond : crise de plafonnement ou d'anoblepsie). (Wikipedia)

mais a surtout diminué le grand parkinsonisme[79] reconnu aisément par les cliniciens depuis longtemps; cependant, l'ère de l'éradication du ralentissement psychomoteur n'a pas encore sonné. Celui de la dysphorie non plus. Le ralentissement psychomoteur, la dysphorie, les symptômes négatifs secondaires (i.e. induits par le traitement lui-même) sont encore présents avec les médicaments de nouvelles générations, mais de façon plus subtile, moins évidente. Le problème est que ces effets indésirables restent invalidants et amènent les personnes traitées à penser que la médication leur nuit, au lieu de les aider. Et d'une certaine façon, cette impression est justifiée. À la question de l'effet indésirable qui dérange le plus les patients, je répondrais sans hésitation que c'est le ralentissement de la pensée et l'impression d'être *zombie*. La suppression des phénomènes perceptuels anormaux (qui demeure l'indication primaire du traitement antipsychotique) ne doit pas se réaliser au prix d'une perte de sa vivacité intellectuelle et du sentiment d'être en possession de ses moyens.

Il y a un réel intérêt à ce que les personnes s'expriment au sujet de leur première impression de la médication. Parfois, ces souvenirs douloureux permettent de remettre en perspective le chemin parcouru. D'autres fois, pouvoir échanger sur des peurs et des expériences troublantes ouvre la porte à l'établissement d'une relation thérapeutique fertile basée sur l'échange.

L'effet de cric

Les effets extrapyramidaux peuvent être un obstacle au rétablissement. Pour tenter de les atténuer, on ajoute des médicaments correcteurs, comme des anticholinergiques[80] de type Cogentin[MD], Kémadrin[MD], des benzodiazépines[81] ou d'autres médicaments. Ces agents causent eux-mêmes des effets indésirables qui peuvent affecter négativement la mémoire et les capacités d'apprentissage et ainsi nuire au fonctionnement optimal des personnes et à leurs

---

[79] La maladie de Parkinson est issue d'un manque de dopamine dans les circuits du cerveau qui contrôlent le mouvement. Les antipsychotiques, utilisés dans le traitement de la schizophrénie (caractérisée par un excès de dopamine) bloquent ce neurotransmetteur et créent donc un pseudo parkinson i.e. des troubles du mouvement tels la raideur, le tremblement et le ralentissement.

[80] Cogentin[MD]- (benztropine) ou Kémadrin[MD]- (procyclidine)

[81] Benzodiazepines telles que l'Ativan[MD] (lorazépam) ou le Rivotril[MD] (clonazépam), par exemple.

espoirs de rétablissement. Ces difficultés sont souvent sous-estimées, rarement questionnées. Dans une salle de cours, les performances scolaires d'une personne traitée avec des antipsychotiques sont-elles les mêmes que celles de personnes non exposées à ce type de médicaments? Si notre réflexion nous amène à constater que la médication nuit à cette personne, il faut sans aucun doute revoir notre approche. La prescription d'antipsychotiques, entre autres, est tributaire de la conception que le prescripteur se fait de l'avenir de la personne qu'il traite. Si les anticholinergiques peuvent être utiles et nécessaires par moment, la revue de leur impact sur le fonctionnement et la ré-évaluation de l'ensemble du traitement antipsychotique doivent se faire régulièrement. Dans la même lignée, les combinaisons d'antipsychotiques différents accroissent les risques de devoir utiliser des anticholinergiques.

Dr André Beaudoin, psychiatre maintenant retraité, a mené une vaste opération de réduction de l'utilisation de psychotropes chez des personnes hospitalisées depuis plus de 25 ans. Il expliquait le recours fréquent à la polypharmacie à travers ce qu'il désignait comme étant *le phénomène du cric*, i.e. on ajoute un médicament pour traiter des effets indésirables d'un autre précédemment prescrit. Ainsi, on ajoute d'autres anticholinergiques (ou tout autre médicament d'ailleurs) pour contrer des effets du second et ainsi de suite. Est-ce vraiment ce que l'on peut offrir de mieux?

Tolérer l'intolérable

Il y a plusieurs explications à la source de la faible importance accordée aux effets extrapyramidaux de même que leur sous-évaluation. La première explication provient des études cliniques elles-mêmes : les outils de mesure de ces effets indésirables ont été développés pour évaluer les effets extrapyramidaux induits par les antipsychotiques de première génération. Or, aujourd'hui, nous utilisons davantage les nouveaux antipsychotiques qui affectent la motricité de façon différente. Idéalement, il faudrait des outils d'évaluation adaptés qui permettraient de mieux mettre en évidence, i.e. de façon plus raffinée, le ralentissement psychomoteur généré par les antipsychotiques des nouvelles générations. Les études peuvent nous amener à conclure, à tort, que les antipsychotiques de nouvelles générations n'entraînent pas d'effets extrapyramidaux. Il faut toutefois s'interroger : les outils de mesure permettent-ils d'évaluer le débit locutoire, la diminution de l'expression du visage ou encore les variations des intonations de la voix? Ces derniers aspects peuvent être modulés par l'utilisation d'agents de seconde et même de troisième génération et échappent aux outils d'évaluation décrits précédemment.

La seconde explication de la sous-estimation des effets extrapyramidaux est associée à une certaine tolérance des équipes traitantes quant à ce type d'effets indésirables. Les intervenants peuvent percevoir les effets extrapyramidaux comme un mal nécessaire, une incontournable fatalité contre laquelle on ne peut rien si, en contrepartie, on veut atteindre la suppression des hallucinations et délires. S'installe alors une certaine résignation devant ce phénomène.

La troisième explication provient finalement des patients eux-mêmes. La littérature décrit bien comment les personnes qui présentent des effets extrapyramidaux s'en plaignent bien peu. Les patients reconnaissent rarement les effets stigmatisants d'une dyskinésie tardive[82] ou d'un parkinsonisme.

À ce propos, j'ai en tête l'histoire de François, ce jeune homme de 22 ans, traité avec un antipsychotique de première génération, Trilafon[MD] 32mg par jour.[83] S'ajoutaient à cela du Kémadrin[MD] et de l'Ativan[MD], deux agents utilisés comme correcteurs des effets extrapyramidaux induits par l'antipsychotique. François ne se plaignait de rien. De rien. Il avait abandonné ses études en génie, se contentait d'un petit boulot de plonge dans un restaurant. Il affichait un air hébété et zombie. Nous avons dû insister et lui offrir beaucoup de soutien pour qu'il envisage un changement d'antipsychotique. Il avait, comme ses parents, des craintes et redoutait, plus que tout, la rechute et la ré-hospitalisation. Le médecin qui avait amorcé ce traitement leur avait affirmé qu'il s'agissait d'une schizophrénie défici-

---

[82] C'est une réaction extra-pyramidale au niveau bucco-facial qui se présente sous la forme de mouvements de mâchonnements et de protrusion de la langue répétitifs et incontrôlables.
C'est ce dont souffrait Stéphane, le premier patient que j'ai rencontré dans ma carrière et dont je parle en introduction.

[83] Le Trilafon[MD] (perphénazine) est un antipsychotique de première génération et la dose de 32 mg par jour peut être considérée comme une dose plutôt élevée.

taire, marquée par une grande prédominance de symptômes négatifs et ce faisant, avait prédit à François et sa famille un bien sombre avenir. Il a fallu plus d'un an pour diminuer progressivement le profil pharmacologique et mettre en place une nouvelle médication moins invalidante et mieux ajustée. Je me rappelle entre autres les bégaiements qui sont apparus en cours de changement et qui ont beaucoup inquiété François. Puis, peu à peu, lentement, patiemment, il a émergé. Du haut de ses six pieds et deux pouces, il s'est déplié, il s'est allumé. D'abord, timidement, puis de plus en plus, assurément. Vivant, vibrant, beau comme je ne l'avais jamais connu. Il a pu reprendre ses études universitaires et a finalement obtenu son diplôme. Récemment, nous avons reçu de ses parents une carte de vœux à l'occasion des fêtes. Ces derniers nous remerciaient avec beaucoup de reconnaissance de ce qu'on avait fait pour leur fils, mais le plus touchant, était leur façon de signer leur mot de remerciement : Monsieur et Madame X, parents de François, ingénieur. Aux dernières nouvelles, il occupe un poste d'ingénieur, revenait d'un mandat en Afrique et confiant, poursuivait sa route.

François luttera toujours contre la tentation de l'abus de substances omniprésent dans les débuts de sa maladie, contre cette vulnérabilité qu'il porte désormais en lui, contre une somnolence matinale qui continue de l'ennuyer et secondaire à la médication, contre les quelques hallucinations visuelles qui le confrontent à la nécessité de garder une hygiène de vie saine et stable. Mais il vit avec la conviction et la force qui l'ont accompagné à travers son parcours, malgré les difficultés. Il est droit, résilient, tellement brillant. C'est une des personnes les plus courageuses que je connaisse. N'empêche! Je me demande parfois : et s'il était resté sous Trilafon[MD]?

Faire le poids contre la menace du syndrome métabolique

Le gain de poids n'est pas un phénomène nouveau associé à la prise d'antipsychotiques, mais il s'est alourdi, si je puis dire, au cours des années '90, avec l'avènement des antipsychotiques de seconde génération. Certains médicaments, par un mécanisme qui n'est pas encore élucidé, entraînent un gain de poids important et, surtout, rapide chez un bon nombre de personnes. On ignore toujours pourquoi des patients gagnent énormément de poids, tandis que ce n'est pas le cas chez d'autres. Plusieurs personnes décrivent une augmentation de l'appétit, mais surtout une diminution du sentiment de satiété à la fin d'un repas. Certains constatent un gain de poids malgré l'absence de changement des habitudes de vie.

Les patients mentionnent souvent aux équipes jusqu'à quel point avoir faim à tout moment peut être souffrant! Se lever la nuit pour manger, penser continuellement à ce qu'on peut, veut, doit manger, avoir tellement envie d'un aliment qui est plus ou moins sain. Et se sentir coupable d'avoir succombé... encore!

David, un jour, demande à l'infirmière d'examiner son ventre : « Est-ce que je suis allergique à mon médicament? Quelles sont donc toutes ces marques bleutées qui tapissent mon ventre? » Non, tu n'es pas allergique : ce sont des vergetures, dut répondre l'infirmière.

Au-delà du gain de poids comme tel, de l'impact sur l'apparence, sur l'estime de soi et sur la confiance, il y a bien sûr les répercussions possibles sur la santé globale des individus. Les personnes souffrant de schizophrénie ne sont pas les personnes les plus revendicatrices en matière de suivi médical, c'est le moins que l'on puisse dire! Elles ont d'ailleurs une espérance de vie significativement réduite, les données américaines évoquent une réduction de 15 à 20 ans, en raison, notamment, du risque accru de développer un diabète ou de souffrir de maladies cardiovasculaires ou de cancers liés à l'obésité. Développer des façons de surveiller de près toutes ces modifications pondérales et métaboliques, réagir avant que ne survienne la catastrophe, mais aussi offrir aux personnes atteintes et leurs familles des accès privilégiés aux mesures de prévention et de traitement efficaces sont autant de défis auxquels nos équipes ont à faire face dans une approche intégrée de soins psychiatriques et physiques.

Du yin et du yang

« Je voudrais vous parler de quelque chose, mais je suis un peu mal à l'aise », me chuchote Gabriel. « Depuis que je prends VOS médicaments, je n'y arrive plus. » Trop souvent, une grande gêne entoure la discussion concernant les dysfonctions sexuelles, occasionnellement associées à la prise d'antipsychotiques. Cette gêne provient des personnes traitées elles-mêmes et des intervenants de soins. À travers un questionnaire systématique passant en revue les différents effets indésirables des psychotropes, on arrive souvent à mieux détecter ces problèmes qui peuvent fréquemment être à l'origine des arrêts de traitement. Et pour cause, d'ailleurs! Aborder ouvertement ces difficultés permet bien souvent de départager celles qui sont réellement induites par les psychotropes de celles qui pourraient être associées aux difficultés relationnelles souvent vécues par les personnes aux prises avec un trouble psychotique. Des solutions existent. En parler est un premier pas vers un plus grand confort à cet égard.

La résistance au traitement

Le phénomène de la résistance au traitement constitue un défi de taille pour quiconque s'intéresse à cette maladie; pourquoi donc certaines personnes semblent ne pas répondre au traitement pharmacologique proposé? Comment les identifier? La résistance au traitement est difficile à prévoir. On peut toutefois affirmer que certains facteurs l'alimentent, l'abus de substances au premier plan.

L'abus de substances

Convaincre une personne atteinte de psychose de la nécessité d'un traitement pharmacologique représente déjà un défi de taille. Mais si cette même personne est de surcroît dépendante aux drogues ou à l'alcool, ce défi peut devenir gigantesque! Au cours des dernières années, les situations où les personnes s'enfoncent de plus en plus à force de se défoncer sont celles qui ont généré chez moi le plus grand sentiment d'impuissance. Comment regarder quelqu'un se faire du mal sans trouver la façon d'intervenir, sans arriver à l'en dissuader?

L'histoire de Michel... ce grand jeune homme, si mal en point au départ. Je me rappelle notre première entrevue :

« Ne les vois-tu pas par la fenêtre avec leur bâton de baseball? me dit-il. Ils sont là pour moi c'est sûr! » Il suait à grosses gouttes. Il était apeuré, traqué, désespéré. Il a commencé à consommer pour se calmer, je crois, comme on le constate souvent chez des personnes aux prises avec des symptômes psychotiques. Il a fréquenté des gens qui ont profité de lui; il a rapidement consommé des drogues dures. Il demeurait psychotique, malgré nos traitements, les doses qui augmentaient, jusqu'à ce que nous instaurions la clozapine, un antipsychotique souvent utilisé après l'échec des autres traitements. Il a pourtant bénéficié de tous nos services : la thérapie cognitivo-comportementale, un suivi en toxicomanie, du soutien psychosocial, et j'en passe. On le recevait toujours à la clinique, qu'il soit intoxiqué ou pas. Nous étions de plus en plus inquiets de sa déchéance.

J'ai particulièrement en mémoire une réunion multidisciplinaire où tous s'accordaient à dire que la situation s'aggravait. Michel prenait sa clozapine de façon erratique (quand on sait à quel point cela peut avoir des conséquences), consommait jusqu'au coma éthylique,[84] se droguait aux amphétamines et vivait ensuite des périodes d'épuisement profond, qui accentuaient d'ailleurs les effets indésirables de sa médication. J'étais d'avis que nous n'avions d'autres choix que celui d'abdiquer, c'est-à-dire de cesser de prescrire la clozapine. Je tentais de convaincre le médecin de battre en retraite... C'était trop dangereux.

Puis, à force d'accueil et de persévérance, Audrey, l'infirmière de notre équipe, a perçu une brèche dans son opposition à changer de vie, a saisi l'occasion, a semé l'espoir, l'a amené à croire en son rétablissement... (Ah! L'interdisciplinarité, la force d'une équipe : un sujet sur lequel nous reviendrons...) Il a alors accepté d'aller vivre dans une ressource de réadaptation psychiatrique avec un suivi en toxicomanie, le tout en association au CTR.[85] Sans crier gare, à force d'essayer, comme si les plus grandes victoires sont parfois celles qui s'affichent le moins, il est devenu sobre, plus observant, plus engagé dans son traitement. Cher Michel, sauras-tu un jour jusqu'à quel point tu nous as tous inspirés?

---

[84] Le coma éthylique est dû à l'ingestion massive d'alcool.
[85] CTR Centre de traitement et de réadaptation de Nemours.

La non adhésion au traitement

La résistance au traitement se nourrit de la non adhésion au traitement. Celle qui existe à notre insu, celle qu'on sous-estime, qui défie notre bon vouloir, qui met en échec nos interventions. Plusieurs études font état de la surestimation de l'adhésion au traitement pharmacologique par les cliniciens. La résistance au traitement peut survenir alors qu'on avait pourtant l'impression d'avoir si bien fait notre travail. Il n'y a qu'un pas vers la tentation de remettre toute la responsabilité de la non adhésion au traitement sur le patient, le mauvais patient qui ne suit pas nos directives. La non adhésion au traitement peut s'observer autant chez des patients dont la résolution des symptômes est partielle que chez ceux qui vont très bien. Il y a un risque qu'on ne puisse jamais retrouver par la suite la même réponse thérapeutique au traitement pharmacologique, si une rechute survenait. La résistance au traitement se nourrit donc des fluctuations dans la prise irrégulière de la médication. C'est pourquoi cette question est si importante et devrait faire l'objet d'une approche concertée et régulièrement réévaluée au sein des équipes traitantes.

L'hétérogénéité de la maladie

Il y aussi la maladie en elle-même, plus compliquée, qui est plus difficile à traiter chez certaines personnes. Ça me rappelle *Oscar et la dame Rose*, ce roman extraordinaire écrit par Eric-Emanuel Smith. Le protagoniste, Oscar, atteint d'un cancer incurable, révèle dès le premier chapitre de son histoire, à quel point il y eut un tournant identifiable dans sa relation thérapeutique avec son médecin. Avant, il était un *bon malade* : il pouvait encore espérer guérir. Maintenant, c'est comme s'il était responsable d'une faute; il ne répondait pas au traitement, il allait mourir... Ce qui me frappe dans ce roman, c'est la beauté qui subsiste, même dans la maladie et, malgré elle. Oscar continue à vivre, à s'émouvoir, à rire, à se sentir aimé, tout comme les personnes parmi les plus malades que nous rencontrons et que nous soignons. Cette perspective m'aide à me sentir utile, même dans les pires situations. Il peut survenir un sentiment d'impuissance chez les intervenants qui accompagnent parfois les personnes dans des situations qui semblent désespérées. Les études de suivi longitudinales[86] montrent pourtant que, même après plusieurs

---

[86] Le suivi longitudinal réfère à des observations sériées dans le temps, de façon prospective.

années de mauvaise évolution, certains individus peuvent émerger et s'engager sur la voie du rétablissement. Et puis reste la nécessité d'accompagner les personnes, le devoir d'être à l'affût des nouvelles avenues de traitement en développement, mais surtout le besoin de partager l'espoir dans l'équipe et avec le patient et sa famille.

S'approprier le traitement pharmacologique

S'outiller de connaissances dans la confiance

La personne qui doit prendre des antipsychotiques a besoin de connaître les effets attendus et les effets indésirables de son traitement. Aurions-nous l'idée d'administrer de la chimiothérapie à un patient souffrant de cancer sans le prévenir des effets indésirables potentiels et des effets recherchés? Quels seront les paramètres de mesure d'efficacité, de tolérance et dans quel délai? À quel moment pourrons-nous réévaluer? Il existe pourtant des craintes au sein des équipes de soins quant à l'information à donner au patient sur les effets indésirables de son traitement : n'y a-t-il pas un risque de suggérer à la personne traitée des bonnes raisons qui risquent de l'amener à refuser le traitement proposé? Au fil des années, j'ai pu expérimenter à plusieurs reprises jusqu'à quel point l'information prodiguée à la personne, à ses proches ainsi que la disponibilité du soignant dans les jours qui suivent l'amorce d'un nouveau traitement, sont des éléments essentiels pour que l'expérience subjective à l'égard des médicaments soit positive.

Il faut donc que tous les professionnels et intervenants puissent être à l'aise avec toute la problématique de la médication et qu'ils connaissent les délais d'action, les principaux effets indésirables, les limites, les précautions et les attentes réalistes à l'égard de l'approche pharmacologique. En plus de l'information à donner aux patients par les professionnels du domaine médical comme tels, la cohérence du message, en ce qui a trait à l'importance de la médication, par les autres professionnels, i.e. psychologues, travailleurs sociaux, éducateurs, par exemple, rassurent et contribuent au succès de l'approche pharmacologique.

Donner une place à l'expérimentation

Certaines personnes ont du mal à exprimer leur inconfort, leurs difficultés à l'égard de leur traitement. Certains symptômes de la schizophrénie peuvent contribuer à ces difficultés, particulièrement les symptômes négatifs et cognitifs. Comment aider les patients à nous parler, à nous décrire librement leur insatisfaction? Il arrive trop souvent que les patients cessent d'eux-mêmes leur traitement sans qu'on ait eu seulement la chance de pouvoir intervenir et d'en discuter avec eux. Comment alors les amener à se confier? Leur permettons-nous d'exprimer leurs perceptions négatives, leurs impressions?

Il est important aussi que tous les intervenants qui oeuvrent auprès des patients et de leurs proches reçoivent une formation adéquate sur la pharmacothérapie. Ils pourront mieux aider les patients à se livrer quant aux problèmes reliés à la pharmacothérapie et identifier les sources d'aide à aller chercher en ce sens. Cet aspect est non négligeable : comment se fait-il que certains professionnels, par exemple, certains éducateurs, travailleurs sociaux se sentent mal à l'aise face aux questions qui concernent la médication, qu'ils soient gardés à l'écart des formations sur la psychopharmacologie et qu'ils n'aient comme seule réponse à offrir aux personnes traitées que c'est avec le docteur qu'il faut en parler? Je crois, au contraire, qu'il peut être fort utile que ces intervenants participent aux discussions entourant le confort relié au traitement, l'efficacité, les difficultés entourant la prise de la médication. Ça semble évident, mais ce ne l'est pas toujours. S'ils ne peuvent y participer, ils doivent se sentir suffisamment formés et habilités à être capables d'aider la personne traitée à préparer son entrevue avec le médecin, à reconnaître certains effets indésirables, à poser des questions, à remettre en question ce qui doit l'être.

Au fil des dernières années, tant de fois je me suis confrontée à l'immense besoin de formation des différents intervenants qui gravitent autour des personnes atteintes. Comment arriver à nous *réseauter*, nous faire confiance, améliorer les connaissances? Surtout, comment légitimer les observations de chacun? Il faut faire des essais. Nous modifions la dose, nous changeons de médicament, nous mettons chacun à contribution, nous nous consultons. Et nous plaçons le patient lui-même, comme le principal investigateur de son essai pharmacologique.

Nous devons aussi développer des façons plus systématiques et objectives d'évaluer les traitements pharmacologiques. En ce sens, l'utilisation de questionnaires de révision d'effets indésirables, d'échelles visuelles analogues[87] ou d'autres outils peut permettre d'échanger de façon constructive et plus tangible sur les difficultés reliées à la pharmacothérapie.

Et puis le *médicament*, ne prend-t-il pas parfois trop de place dans la relation thérapeutique? C'est difficile pour certains cliniciens de bien nous positionner par rapport à cette réalité : après tout, je suis pharmacienne! Qu'est-ce qui peut bien m'intéresser d'autres que les pilules? Pourtant, un jour, dans un groupe que nous animions à la CNDV[88], un patient a déclaré que c'est justement parce que j'avais continué à le suivre pendant quelques mois, même s'il se refusait à tout traitement, qu'il avait finalement consenti à en prendre.

Hausser les exigences par rapport au traitement pharmacologique

J'ai du mal à saisir pourquoi on se contente de si peu parfois, à l'égard des résultats obtenus suite aux traitements en psychiatrie. Je ne peux m'empêcher d'y voir là les manifestations d'un certain pessimisme face à une réelle possibilité de rétablissement. Par exemple, quand le traitement fait en sorte qu'un jeune ne peut avoir de vie sexuelle active, c'est inacceptable; quand une jeune femme n'a plus de menstruations à 25 ans, c'est inconcevable. Bien sûr il y a des situations complexes; si c'était si simple, tout serait déjà réglé! Mais n'empêche, il faut continuer à se creuser les méninges, à se remettre en question, à utiliser les nouvelles technologies, à développer des approches, à chercher mieux... Le traitement pharmacologique doit se moduler dans le temps, selon l'évolution clinique, la situation de vie, les projets. Dans cette perspective, le médicament devient un agent promoteur du rétablissement. S'il faut être exigeant envers l'approche pharmacologique, elle demande à son tour notre contribution active, celle du patient, de ses proches... Si on avait les outils, disait

---

[87] L'échelle visuelle analogue est un outil d'autoévaluation qui se présente sous la forme d'une ligne sur laquelle le patient doit lui-même indiquer le niveau qu'il perçoit de l'efficacité, du confort, de son observance et de sa connaissance de son traitement.
[88] CNDV Clinique Notre-Dame des Victoires

Antoine, les outils de mesure comme la tension artérielle ou le taux de sucre dans le sang pour ajuster le traitement, tout serait bien différent. Mais il nous reste nos mots, nos impressions, notre capacité de nommer notre inconfort, les bienfaits ressentis, nos indicateurs d'efficience.

Le regard de l'autre, le regard sur soi

Au-delà de la stigmatisation, il y a l'auto-stigmatisation qui peut être encore plus insidieuse et délicate à démystifier. Richard, 23 ans, fréquente la clinique depuis près de deux ans. Fils d'un riche homme d'affaires, la perspective de devoir vivre aux prises avec une certaine vulnérabilité le confronte continuellement, malgré une excellente réponse au traitement pharmacologique et à la thérapie cognitivo-comportementale dans laquelle il s'est impliqué activement. Comme plusieurs, il a l'impression que tout le monde sait qu'il prend un médicament, que c'est apparent, à son seul contact. Certains ont plus de mal que d'autres à surmonter cette blessure inhérente à la reconnaissance de leurs limites, ne perçoivent pas qu'ils portent en eux un potentiel de courage et de résilience.

Situer le traitement pharmacologique dans l'arsenal des approches de soins

Dénonciation prononcée par une pharmacienne

Pourquoi y a-t-il si peu d'accès à la thérapie cognitivo-comportementale pour les personnes qui souffrent de troubles psychotiques, à la remédiation cognitive et aux autres approches psychologiques en développement? La thérapie cognitivo-comportementale, par exemple, a été démontrée efficace hors de tout doute dans des études avec allocation aléatoire contrôlée. Pourtant, bien peu de personnes atteintes y ont accès actuellement. À mon sens, c'est comme si on privait les gens d'un médicament reconnu efficace et efficient. Actuellement, peu de psychologues sont formés à cette approche. Pourtant, j'ai vu des jeunes évoluer de façon exponentielle en combinant cette thérapie à une pharmacopée bien ajustée. Et justement, tout est là : la thérapie cognitivo-comportementale repose sur l'idée qu'un individu atteint de psychose peut développer des stratégies dans ses pensées qui l'amèneront à développer des hypothèses alternatives pour mieux expliquer les phénomènes perceptuels anormaux qu'il ressent. Pour arriver à participer activement à cette thérapie, on comprend qu'il ne doit être ni amorti, ni ralenti par la médication. Il doit être capable de se rappeler, de raisonner, de mettre en pratique différentes stratégies cognitives raffinées.

C'est tout un changement de paradigme depuis cette vision pessimiste de démence précoce décrite par Kraeplin : aujourd'hui, on affirme que la personne atteinte peut exercer son pouvoir pour renverser les symptômes de sa maladie!

Et puis, que dire de la puissance des approches psychosociales, notamment de l'intervention familiale? Émule des mentors Gosselin et Viau, deux travailleuses sociales chevronnées qui ont développé un modèle d'intervention auprès des familles de nos jeunes psychotiques, j'ai souvent pu observer l'influence de la réduction des émotions exprimées (i.e. critiques, attitudes négatives) dans les familles sur les enjeux entourant l'observance. C'est avec elles que nous avons adopté l'approche systémique de l'observance : connaître les impressions de l'approche pharmacologique dans les familles, leurs perceptions des psychotropes, les tensions qui entourent le respect de la prise de la médication, etc... J'ai souvent pu observer l'influence favorable de ces interventions sur les enjeux entourant l'adhésion au traitement pharmacologique.

Un jour, je rencontre un fils et son père.

-   Vous, Monsieur, que pensez-vous des traitements que reçoit votre fils?
-   Ah, et bien, je suis bien d'accord qu'il en prenne. Ça lui fait du bien, mais moi, je ne les prendrais jamais!

Parfois, l'enjeu est tout autre :

-   Écoute bien, mon garçon, écoute bien madame Demers. Elle, elle sait ce qui est bon pour toi. Et je t'avertis, je vais voir à ce que tu fasses tout ce qu'elle te dira.

L'union fait la force

La combinaison des approches représente une occasion de bien situer le médicament dans l'arsenal des outils disponibles pour atteindre les objectifs que se fixe la personne atteinte. Trop souvent, le médicament est perçu comme l'agent de changement, la seule arme capable de vaincre ce monstre à deux mille têtes qu'est la schizophrénie (tel que le définissait la mère d'un jeune qui fréquente la clinique). Or, une telle perception peut provoquer bien des déceptions. Elle suscite aussi des craintes. Croire que le médicament a autant d'emprise sur un individu laisse planer l'idée à ce dernier que le médicament peut changer sa personnalité, contrôler sa créativité, annihiler ses couleurs. Le médicament ne fait pas le travail seul: il le soutient. C'est l'individu qui émerge. C'est lui qui a le pouvoir de reprendre sa vie en main. Et c'est là que les approches psychosociales agissent avec tant d'efficacité. Il est très important, voire crucial, que le personnel médical reconnaisse la puissance des approches psychosociales, en vante les mérites aux patients et à leurs familles, fassent des pressions pour les rendre plus accessibles et sollicitent les collaborations en ce sens.

Le rétablissement fait son nid dans cette combinaison d'approches. Le nid à partir duquel la personne prendra son envol!

La prise d'un médicament en conclusion

Je suis un étudiant en pharmacie et j'étais au cours que vous avez donné sur la schizophrénie. Je souhaite vous dire merci pour l'approche humaine illustrée à travers vos exemples vidéo, particulièrement celui d'Alexandre, le jeune homme atteint de schizophrénie dont les symptômes sont contrôlés par sa médication.

J'apprécie votre insistance quant au fait qu'il est possible pour des gens de redevenir fonctionnels et mener une vie normale malgré la présence d'une vulnérabilité persistante apportée par une maladie psychiatrique sérieuse. Lorsque j'ai été diagnostiqué avec une maladie psychiatrique, il y a près de cinq ans, je ne croyais certainement pas qu'il était encore possible pour moi de vivre une vie normale... certainement pas de retourner à l'école et de m'inscrire en pharmacie. J'ai reçu et je continue de recevoir de l'aide qui m'a non seulement remis sur pied, mais qui m'a aussi donné le goût d'en faire autant pour d'autres.

D'un autre côté, vous avez raison de dire qu'il y a beaucoup de préjugés dans la population face à la maladie mentale. C'est également vrai parmi certains intervenants en santé, ainsi que pour ceux qui en sont atteints via l'auto-jugement.

La maladie fait maintenant partie intégrante de moi, et j'ai parfois de la difficulté à discerner entre ses symptômes et ma personnalité. Je ne peux m'attendre à ce que tous ceux qui m'entourent soient capables de faire cette distinction, et c'est pour cela que j'ai choisi la discrétion... même avec mes amis proches.

Tout comme le jeune homme présenté dans le vidéo aujourd'hui, je suis sûr que plusieurs de mes collègues de classe seraient également surpris d'apprendre quels médicaments je prends et que, malheureusement, je serais peut-être jugé défavorablement aux yeux de certains d'entre eux.

Par ailleurs, je suis d'accord avec votre propos : le médicament est un outil très puissant et doit être utilisé dans l'optique de créer les conditions gagnantes au rétablissement. J'aimerais vous témoigner également de mon appui à la psychothérapie cognitivo-comportementale. Elle a eu des effets bénéfiques dans mon cas. J'ai pensé que vous apprécieriez le fait que vous ayez touché au moins une personne ce matin.

Un étudiant animé de l'espoir d'aider comme je l'ai été.

La prise d'un médicament bien ajusté et le processus de réta-blissement sont donc deux concepts conciliables. Ils sont, à mon sens, indissociables. Le médicament devient une condition nécessaire, mais non suffisante, au rétablissement. Il doit être associé aux autres modalités de traitement reconnues comme étant efficaces, notamment les approches psychologiques et l'intervention auprès des familles.

Prendre un médicament chaque jour nécessite du courage. Le reconnaître, même dans notre rôle de professionnel, est une forme d'engagement envers la personne traitée et sa famille.

S'engager pour que l'équilibre entre le confort et l'efficacité soit optimal, rester ouvert, rechercher les meilleures façons de soutenir le projet de vie de la personne, accueillir ses doléances, voir le médicament comme l'un des vecteurs de la réalisation de ce projet, tenir compte des enjeux dans l'entourage et surtout, projeter l'espoir d'un rétablissement.

C'est à travers les échanges que nous pourrons avoir pour objectif commun de favoriser la mise en place d'un contexte optimal à partir duquel pourront émaner pleinement toutes les forces de la personne.

Les garde-fous du rétablissement

Dre Marie-Luce Quintal et Luc Vigneault

Les garde-fous du rétablissement

Les piliers du rétablissement sont maintenant bien en place. L'espoir est permis, il est possible pour quiconque de se rétablir, c'est-à-dire d'avoir une vie satisfaisante malgré les limites de la maladie. Nous avons vu aussi que dans sa quête vers le réta-blissement, la personne passe de l'impuissance dans laquelle la maladie l'a placée, à la reprise du pouvoir sur sa vie. Pour-suivons maintenant notre chemin, car même s'ils sont essen-tiels, ces deux éléments ne sont pas suffisants pour permettre à la personne de se rétablir. Nous parlerons maintenant des garde-fous du rétablissement. Ces éléments nous aideront à demeurer sur le bon chemin. D'abord retrouver la partie saine ou travailler avec les forces de la personne; puis reprendre sa position de sujet ou redevenir un « je »; et finalement, reprendre sa place de citoyen ou être un « je » à l'intérieur d'un « nous ».

Vous avez dit partie saine?

Marie-Luce : Je me souviens Luc, lorsque j'étais étudiante, j'ai lu quelque part que nous devions nous adresser à la partie saine de la personne, car celle-ci existe toujours même dans les moments les plus difficiles. Honnêtement, je me demandais bien comment je pouvais faire pour m'adresser à cette partie saine surtout que je ne savais pas où elle pouvait bien se situer! Pourtant, je suis médecin et j'ai réussi mon cours d'anatomie humaine et nulle part cette partie saine n'est mentionnée.

Luc : Est-ce que tu as fini par la trouver?

Marie-Luce : Un jour, j'ai compris ce que cela voulait dire. Je faisais alors un stage dans un hôpital général comme résidente en psychia-trie. Nous étions vendredi, jour de tournée, et je rencontrais une dame qui était en manie. Elle était très agitée, parlait sans arrêt et son jugement était altéré par la maladie. La dame n'en était pas à sa première hospitalisation et, malgré tous ses efforts, la maladie était la plus forte. J'étais seule avec elle dans sa chambre et elle se promenait de long en large en gesticulant et en parlant très vite. Elle a fini sa tirade en me regardant et en disant : « Puis, je veux un congé de fin de semaine! » Il n'était pas difficile de savoir que le congé de fin de semaine n'était pas une bonne idée, mais comment lui dire? Je m'imaginais déjà avec le personnel infirmier, car j'étais certaine qu'elle n'accepterait pas mon refus. J'avais peur qu'elle se mette en colère et qu'on doive malheureusement l'amener en isolement. Puis, j'ai eu une idée et j'ai tenté une autre approche sans savoir où cela me mènerait. Je lui ai proposé de jouer un jeu avec moi. Je lui ai demandé de s'imaginer qu'elle était le psychiatre et que j'étais la personne malade. Elle m'a regardée étonnée peut-être en se disant : « Mais qu'est-ce que c'est que cette résidente? » Je me suis mise alors à marcher de long en large dans sa chambre en tentant de reprendre son discours et en gesticulant tout en espérant que personne n'aurait l'idée de regarder par la fenêtre de la porte, car c'était peut-être moi alors qui se retrouverait en isolement! Finalement, je termine en reprenant sa phrase : « Puis, je veux un congé de fin de semaine! » Elle m'a regardé et spontanément elle m'a répondu : « Vous êtes bien trop malade pour ça! »

Voilà, j'avais trouvé la partie saine. La dame savait qu'elle n'était pas bien et avec l'expérience qu'elle avait, elle savait aussi qu'elle n'aurait pas de congé de fin de semaine, mais elle était en colère. Elle en avait assez d'être malade, d'être hospitalisée à répétition, de recommencer son histoire avec les stagiaires de toutes sortes et j'étais une de ceux-là. Mon petit jeu a permis d'amener la conversation sur autre chose que sa sortie de fin de semaine. Nous savions toutes les deux qu'elle ne pouvait pas sortir de l'hôpital à ce moment-là. Tu comprends bien Luc que je n'ai pas arrêté l'entrevue tout de suite, il y avait une ouverture pour parler de cette souffrance et de cette colère, puis des solutions envisagées pour l'aider et elle était disposée à en parler. Avec le temps, j'ai raffiné ma technique et j'y mets beaucoup moins d'aspect théâtral, mais il m'arrive encore de demander à la personne de s'imaginer dans mon rôle et la plupart du temps, j'évite ainsi des confrontations inutiles.

Luc : Il m'arrive aussi de vivre une expérience semblable Marie-Luce. Par exemple, au travail parfois c'est Jésus lui-même qui m'appelle! Je comprends rapidement que la personne à l'autre bout du fil ne va pas très bien et pourtant, elle s'est souvenue de mon nom et qu'elle pouvait me rejoindre pour que je puisse l'aider. Malgré la maladie, il y a une partie en soi qui travaille pour s'en sortir.

Marie-Luce : Tu as raison Luc, il ne faut pas oublier que la personne devant nous a les capacités pour s'en sortir et que ses forces dépassent ses limites. Nous avons tous appris à utiliser des échelles d'évaluation afin de mettre en lumière les difficultés de la personne, mais nous passons souvent rapidement sur ses forces. Pourtant, les difficultés sont les pièges qui emprisonnent la personne dans son impuissance, alors que les forces sont les leviers du changement. S'adresser à la partie saine c'est faire alliance avec les forces, les utiliser comme leviers pour amorcer le changement. Par exemple, si on m'avait dit que pour gagner ma vie, il faudrait que je devienne couturière, je pense que j'aurais été non seulement malheureuse, mais incapable de le faire, car je suis nulle avec mes dix doigts. Heureusement, j'ai pu étudier et utiliser mes capacités d'écoute et d'empathie pour exercer une profession que j'adore. Même si la maladie produit des incapacités, elle épargne aussi plusieurs habiletés, utilisons-les!

Luc : Tu sais Marie-Luce, parfois nous n'arrivons même plus à voir nos forces tellement nous sommes pris par la maladie. Je me souviens d'une époque où les personnes que je fréquentais se présentaient par leur diagnostic. « Bonjour, je m'appelle Luc et je suis schizophrène. » « Bonjour, je m'appelle Hélène et je suis bipolaire. » Impossible de savoir le nom de famille de la personne! L'identité du diagnostic était en lieu et place de la personne. D'ailleurs, si vous allez dans un bar pour créer des liens avec d'autres citoyens et que vous dites : « Bonjour, je m'appelle Luc et je suis schizophrène », vous allez vite vous rendre compte que ce n'est pas vraiment la bonne façon de procéder.

Plus tard, dans mes fonctions de directeur général de l'Association des personnes utilisatrices des services de santé mentale de la région de Québec, j'ai embauché des personnes avec une maladie mentale. Lors des entrevues, elles ne me parlaient que de leurs maladies et de leurs difficultés. Je réalisais qu'elles avaient perdu leur identité de travailleur.

Maintenant, je dis souvent à mes pairs d'être fier de ce qu'ils ont accompli et de ne plus marcher la tête baissée. Marchez la tête haute comme si vous aviez un carcan autour du cou, ainsi vous allez dégager plus de charisme et de confiance en vous.

Marie-Luce : Ce n'est pas facile d'amener la personne à changer son angle de vision pour regarder ses capacités et la sortir du rôle de malade. J'aborde parfois cet aspect en entrevue, en utilisant la métaphore suivante : imaginez que vous êtes propriétaire d'un grand champ où vous allez vous promener en VTT. Dans votre champ, il y a un trou de vase quelque part. Que risque t-il de se passer? Il y a de fortes chances que vous vous retrouviez pris dans le trou de vase à moins que vous n'ayez pris le temps d'aller délimiter le trou en posant une clôture autour.

Dans votre vie, c'est un peu la même chose, la maladie ce n'est pas le champ, mais uniquement le trou de vase, tout le reste n'est pas malade. Il y a vos qualités, vos habiletés, vos passions, vos rêves et vos réussites. Nous allons travailler avec toutes ces parties de vous qui fonctionnent bien, mais avant, il faut s'assurer de ne pas retourner dans le trou de vase et bien délimiter les contours de la maladie.

Cette métaphore aide souvent la personne à accepter de parler de la maladie avec moi. Elle ne se sent pas réduite à des symptômes qu'il faut débusquer et traiter à tout prix. Je reflète sur elle la vision positive que j'ai d'elle et lui explique la raison de mon intérêt pour les symptômes qu'elle peut vivre. Nous avons à délimiter la partie malade et nous assurer qu'elle prendra le moins de place possible dans sa vie afin qu'elle puisse continuer à grandir et à atteindre ses objectifs.

La place de citoyen

Reprendre sa position de sujet, puis sa place de citoyen

> « Être de parole convoqué par autrui à répondre de ce qu'il dit, l'humain se trouve à chaque étape de sa vie devant la question cruciale de savoir quel est pour lui à ce moment-là l'itinéraire du devenir-soi, le chemin de l'autonomie, le sentier de l'authenticité. »[89] *Jean-François Malherbe*

Marie-Luce : Cette partie pourrait être résumée de cette façon : redevenir un « je » à l'intérieur d'un « nous ». Je m'explique. Redevenir un « je », c'est reprendre la direction de sa vie. C'est être en cohérence avec soi-même, ses valeurs, ses désirs, ses capacités et ses limites. Enfin, remettre la maladie à sa place.

Dans le tourbillon de la maladie, on peut avoir l'impression de ne plus être une personne, mais un objet qui reçoit des soins comme le disait Jean-François Malherbe[90] dans le titre même de son ouvrage sur la pratique de l'éthique clinique. Reprendre sa position de sujet, c'est affirmer haut et fort que « je » existe encore, que « je » demeure le propriétaire et qu'il est en droit de décider ce qui est bon pour lui. Il faut bien sûr reconnaître que le cataclysme de la maladie a laissé la maison pas mal à l'envers et, parfois, il ne reste que le terrain! Mais qu'à cela ne tienne, c'est l'heure des bilans afin de planifier la reconstruction. Procédons à l'inventaire des dégâts et, surtout, à ce qui reste de sain afin de rebâtir sur du solide. On peut dire que c'est la partie de la réadaptation telle qu'on la connaît. Nous n'élaborerons pas sur ce sujet, car cela a déjà été très bien fait dans divers ouvrages. Mais lors de cette étape, la personne est appelée à se définir un projet de vie, se fixer des objectifs, faire l'inventaire de ses forces, préciser les difficultés qui nuisent à l'atteinte de ses objectifs, développer ensuite les habiletés nécessaires pour réaliser ses objectifs, sans oublier la possibilité d'adapter son environnement au besoin. Nous avons malheureusement tendance à sous-estimer cette modalité en réadap-

---

[89] Malherbe, J.-F., Sujet de vie ou objet de soins : Introduction à la pratique de l'éthique clinique, Fides, 2007, p.43.
[90] idem 1

tation psychiatrique, alors que cela est tout à fait naturel en réadaptation physique. Prenons l'exemple de la personne qui a perdu l'usage de ses jambes. Elle apprend à se déplacer en fauteuil roulant, à faire ses transferts du fauteuil à son lit ou au bain etc. On imagine immédiatement les adaptations dans son environnement immédiat comme les barres d'accès, les accessoires de bain, etc., et cela, sans oublier les rampes d'accès un peu partout dans les espaces publics. Sans ces rampes, la personne est condamnée à se promener dans son appartement sans possibilité d'être vraiment intégrée dans la communauté. Elle est un « je » isolée chez elle. La personne ayant un problème de santé mentale a, elle aussi, des déficiences liées à la maladie, qu'on appelle les symptômes, qui lui occasionnent des incapacités, ce sont les impacts des symptômes au quotidien qui, à leur tour, handicapent son intégration sociale comme par exemple les difficultés liées à l'école ou en emploi. Le travail de réadaptation avec cette personne devra toucher l'ensemble des impacts de la maladie. Viser la réduction des symptômes et une bonne gestion des symptômes résistants, c'est s'attaquer aux déficiences. On doit donc ensuite aider à développer de nouvelles habiletés et adapter l'environnement de la personne afin de contrer les incapacités et finalement s'attaquer à la stigmatisation sociale qui empêche la personne de prendre sa place de citoyen.

Quelques exemples concrets

Il peut être parfois utile d'offrir un programme de gestion des biens si différentes stratégies d'aide ont été inefficaces afin de permettre à la personne de s'impliquer dans un projet qui lui tient à cœur et qui lui permettra de vivre une réussite. Il n'y a pas que des personnes avec les problèmes de santé mentale qui recourent à de l'aide pour la gestion de leurs biens, les conseillers financiers et les comptables gagnent très bien leur vie! Se rétablir, ce n'est pas devenir une personne totalement autonome qui n'a plus besoin d'aucune aide pour fonctionner, car ce genre de personne n'existe pas. C'est comme si quand on paye pour un service on est *autonome*, mais quand c'est offert par le système on est *incapable*. Quand je paye pour faire le ménage, le gazon ou établir mon budget, c'est que je n'arrive pas à le faire moi-même. Parfois, c'est par choix pour faire autre chose et parfois, j'en suis incapable. La véritable autonomie réside peut-être dans un équilibre de capacités et de soutien adapté qui permet le fonctionnement désiré par la personne.

Luc : Lorsque j'étais suivi en psychiatrie c'était la travailleuse sociale qui m'aidait à faire mon budget, maintenant c'est mon comptable. La seule différence, c'est que mon comptable me coûte plus cher, mais je ne suis pas meilleur pour autant dans la gestion d'un budget. Pourtant, personne actuellement ne vient me dire que je ne suis pas autonome. J'aime bien aussi te rappeler que tu n'es pas *totalement autonome* puisque tu as une femme de ménage, n'est-ce pas?

Marie-Luce : Oui, et je refuse tout de suite tout plan d'intervention qui aurait pour objectif de me faire perdre cette aide précieuse.

Luc : Redonner une place à la personne dans sa propre vie n'est pas juste une question de philosophie, mais une question de droit. Depuis la nuit des temps, le *fou* fascine, effraie et dérange la communauté humaine. Quand le *fou* n'était pas adulé comme un élu recevant la parole divine, il était craint et réprimé par des mesures extrêmes. Toute l'histoire de la folie témoigne d'une longue série de traitements et d'interventions aussi saugrenus les uns que les autres.

Prenons conscience que toutes ces formes d'abus furent souvent bien involontaires de la part des soignants des différentes époques. Fini le temps où le système prenait possession de ton corps, de ton âme et de ton esprit. Maintenant, nous soignons des citoyens malades qui ont les mêmes droits que vous et moi. Il faut donc y penser à deux fois avant de retirer les droits d'une personne pour des raisons thérapeutiques ou soi-disant pour son bien.

Le respect de l'intégrité et l'inviolabilité de la personne doit être intégré à notre culture. Les droits des citoyens sont les mêmes hors du système des soins en santé mentale que dans le système lui-même. Agir comme si c'était vous qui receviez des soins peut vous guider dans vos interventions. Le respect des personnes qui sont vulnérables est une façon reconnue d'enclencher le processus du rétablissement et aide la personne à garder son identité de citoyen.

Être un « JE » à l'intérieur d'un « NOUS »

Marie-Luce : Être un « je » isolé, c'est un peu déprimant. Nous sommes faits pour vivre ensemble, l'être humain est un être social. Le rétablissement vise cette intégration sociale qui permet à la personne de redevenir un citoyen à part entière.

Luc : Le monde parallèle des malades mentaux vient sans doute du manque d'imagination lors de la désinstitutionalisation. C'est donc dire que des services dans la communauté ont été mis en place, mais à part du reste de la société. Nous sommes des citoyens comme les autres, sauf que nous avons des centres de jour pour les malades mentaux, des loisirs pour les malades mentaux, des hôpitaux pour malades mentaux, des centres de travail pour malades mentaux, des maisons d'hébergement pour malades mentaux, etc. Ce phénomène s'appelle dans le langage universitaire la trans-institutionnalisation. C'est-à-dire que la grande institution a été recréée en petites institutions dans la communauté. Le constat en a été fait dans les années 1995-1997[91] environ. Le gouvernement a aussi remarqué que le budget en santé mentale était mal réparti. En effet, 60 % du budget était utilisé pour les hôpitaux et 40 % du budget pour les services dans la communauté (incluant les CLSC, pavillons d'hôpitaux, cliniques externes et organismes communautaires). Ainsi, le gouvernement de l'époque ordonna de renverser cette proportion soit 40 % du budget pour les hôpitaux et 60 % du budget dans la communauté. Où en sommes-nous rendus maintenant?

Par ailleurs, les services ont été orientés pour permettre aux structures de s'auto-régulariser, c'est-à-dire que le système rend des comptes à lui-même au lieu d'être imputable aux personnes pour qui il existe. Les services de santé mentale ont la mauvaise manie de créer des services spécialisés au lieu d'intégrer les personnes, avec le soutien nécessaire, dans les services existants. Par exemple, des personnes atteintes de maladie mentale souhaitent jouer au soccer. Les services en santé mentale vont donc créer une ligue de soccer pour *malades mentaux*. Nous devons tout mettre en œuvre pour sortir les gens de ce réseau parallèle. Heureusement, cette tendance

---

[91] Défis de la reconfiguration des services de santé mentale, MSSSQ 1997, page 80 http://msssa4.msss.gouv.qc.ca/fr/document/publication.nsf/0/d1251d29af46beec85256753004b0df7/$FILE/97_155co.pdf

s'estompe avec l'implication des municipalités, des groupes communautaires, du réseau de la santé, celui de l'éducation, etc. À l'Institut universitaire en santé mentale de Québec, par exemple, un effort est entamé pour mettre fin à l'hospitalo-centrisme. Est-il normal de continuer à faire de l'exercice physique dans un hôpital psychiatrique quand notre période de soins est terminée? Je pense que non. Nous devrions, comme tout citoyen, aller dans la communauté. Ainsi, l'Institut a mis un service de soutien pour aider les personnes à continuer à s'entraîner, mais dans les ressources de la communauté afin de leur permettre d'être des citoyens à part entière.

Un autre exemple concerne le retour à l'emploi. Plusieurs de mes pairs sont dans des programmes d'intégration en emploi comme stagiaires. Les stages sont d'une grande utilité pour retrouver la confiance en soi et nos habiletés de travailleur. Le problème réside dans le fait que certaines personnes sont stagiaires à vie. Travailler dans une entreprise comme stagiaire depuis deux ou trois ans m'apparaît questionnable. J'ai moi-même fait un stage pour avoir ma certification de pair aidant, mais il y a eu un début et une fin. Je n'aurais pas apprécié être stagiaire à vie puisque, d'une part, le salaire n'est pas le même. D'autre part, cela aurait nui à mon intégration citoyenne.

Heureusement, des organismes communautaires et des services du réseau public orientent maintenant leurs services vers la pleine citoyenneté. De nos jours, les groupes d'intégration à l'emploi n'intègrent plus des malades mentaux, mais des citoyens. Les services médicaux ainsi que la recherche scientifique ont également emboîté le pas.

Pour assurer des mesures de soutien dans la communauté pour les personnes les plus vulnérables, les CSSS poursuivent, en collaboration avec les centres hospitaliers et les organismes communautaires, l'implantation d'un système de suivi intensif et de soutien d'intensité variable qui ont fait leurs preuves et permettent aux personnes d'avoir un milieu de vie où ils sont véritablement chez eux.
Marie Luce : On pourrait dire que la désinstitutionalisation n'a été au départ qu'un processus de trans-institutionnalisation, car nous avons

maintenu le mur entre *eux* et *nous,* et cela, sans aménager les *rampes d'accès* nécessaires à leur intégration, comme nous l'avons fait pour les personnes avec un handicap physique.

Les problèmes de santé mentale nous obligent à être créatifs. Quand on regarde une personne en fauteuil roulant, il est facile d'imaginer les rampes d'accès pour lui permettre de se déplacer dans la ville. Pour quelqu'un avec un problème de santé mentale, les besoins sont moins évidents, mais tout aussi importants. Comment permettre à des personnes ayant un handicap lié à une maladie mentale de participer activement à la société? Comment les soutenir pour qu'elles puissent travailler avec nous, se récréer avec nous, demeurer avec nous et aimer avec nous?

Au-delà de la stabilisation des symptômes, l'intégration sociale véritable des personnes aux prises avec une maladie mentale grave demeure un défi à relever par tous!

L'alliance avec les familles et les proches

Yolande Champoux et Cécile Cormier

L'alliance avec les familles et les proches

Pourquoi un chapitre sur les familles?

L'être humain n'évolue pas en vase clos, mais en interaction avec d'autres personnes qui influencent son développement. Le rétablissement est un processus dynamique qui met en jeu toutes sortes de facteurs : certains sont hors de notre contrôle, mais nous pouvons avoir du pouvoir sur certains autres. Nous devons apprendre à connaître ces facteurs amis du rétablissement. Nous pouvons aider à ce que tous les acteurs de ce processus dynamique constituent une force positive pour le mieux-être de la personne.

Entre les deux extrêmes que sont la famille idéale et celle qui est lieu de maltraitance, il y a une panoplie de réalités. Notre rapport avec notre famille est souvent complexe. Malgré leurs imperfections, la plupart des gens tiennent à ces relations. Les personnes atteintes de troubles mentaux ne font pas exception.

Dans la grande majorité des cas, quelques proches sont présents dans la vie de ces personnes et ils jouent un rôle significatif. Il arrive que la personne en rétablissement ou la famille ait fait le choix de rompre toute relation. Même dans ce cas, si nous voulons soutenir le rétablissement, nous devons en tenir compte comme un facteur qui a et aura une incidence déterminante. Il n'est pas exclu non plus que la personne atteinte change de point de vue et veuille reprendre contact avec ses proches. Nuisibles ou favorables, les liens qui l'unissent aux membres de sa famille sont uniques et difficilement remplaçables. De plus, dans la vie des personnes, bien souvent les intervenants passent, mais leur famille, elle, reste.

Les études démontrent que celles qui ont un soutien de leur entourage ont de meilleures chances de se rétablir[92]. À l'inverse, l'isolement ou un milieu hostile peuvent concourir à freiner leurs efforts. D'autre part, l'occurrence de la maladie mentale a un impact considérable sur les membres de l'entourage, brise un équilibre et les oblige à s'adapter à une nouvelle réalité. Si nous facilitons ce processus d'adaptation, nous favoriserons alors le soutien au rétablissement.

---

[92] Spaniol et coll., 2002; Fisher, 1997; Anthony, 1993.

J'ai commencé à travailler dans le domaine de la santé mentale sur le tard, 25 ans après mon entrée sur le marché du travail. À mon arrivée au Centre Hospitalier Robert-Giffard – maintenant l'Institut universitaire en santé mentale de Québec – je connaissais peu de choses à propos de la maladie mentale. Je remercie mes collègues du service social de m'avoir offert leur soutien et partagé leurs connaissances, de même que l'Institut pour toutes les opportunités de formation dont j'ai pu bénéficier. J'avais roulé ma bosse dans des milieux professionnels divers, presque toujours auprès de personnes socialement et économiquement démunies. J'ai mis bout à bout mes expériences de vie et de travail, les connaissances glanées dans ces milieux culturellement très différents afin d'apprendre à accompagner les personnes atteintes et leurs proches sur le long chemin du rétablissement.

Quand j'ai franchi les portes de la grande bâtisse grise, je me suis sentie dépaysée (le mot est faible!). Je m'y suis même perdue dans le labyrinthe de ses sous-sols. J'ai été déstabilisée par les comportements étranges, par les tenues vestimentaires bigarrées, et déconcertée par les propos ésotériques, décousus ou poétiques des habitants de cette cité dans la ville. J'ai été intriguée par le langage codé, presque hermétique du milieu hospitalier.

Mais mon premier grand choc, je l'ai ressenti lorsque j'ai rencontré un patient, un jeune homme hospitalisé qui aurait pu être mon fils... Beau, brillant, sensible, touchant! Je n'ai plus jamais regardé les personnes malades de la même façon. L'expérience aidant, j'ai appris à mettre, comme on dit, une certaine distance, enfin ce qu'il faut de neutralité émotive, pour accompagner l'autre dans sa souffrance sans être submergée par elle.

J'ai été amenée à rencontrer des parents, tout d'abord de façon occasionnelle, car les familles ne faisaient pas d'emblée partie du "plan de traitement" hospitalier. Lorsque j'ai travaillé par la suite dans les ressources externes du centre hospitalier, j'ai développé une pratique familiale plus spécifique qui faisait partie intégrante du plan de réadaptation. J'ai rencontré des parents, des conjoints, parfois des frères ou sœurs, des enfants devenus adultes, des amis à quelques reprises, seuls ou accompagnés, ou en petits groupes. La nécessité d'impliquer le(s) proche(s) significatif(s) fait partie de mes convictions les plus profondes, toutes les fois où c'est possible et souhaité par la personne impliquée dans le suivi ou le traitement.

Je suis touchée par leur détresse qui rejoint ce que j'ai moi-même ressenti dans mes moments d'impuissance, d'incompréhension ou d'épuisement. J'ai deux enfants maintenant adultes, heureusement en bonne santé. Avant de se lancer dans la longue épopée de l'éducation d'un enfant, aucun parent ne sait ce qui l'attend, ni ne connaît les habiletés et les trucs qui feront de lui un parent "suffisamment bon". Nous ne pouvons imaginer l'ampleur des difficultés et des surprises que nous réserve l'histoire de chaque enfant que nous mettons au monde.

Comme toutes les mères, j'ai eu mes moments de déprime, d'impuissance, d'impatience et, parfois d'agressivité. J'ai souffert de solitude et d'isolement en raison de mes responsabilités familiales et des difficultés qui se présentaient. Je me suis retrouvée à certains moments en panne d'énergie, de motivation et d'optimisme, dépassée par la situation.

Je sais à quel point il peut être difficile de demander de l'aide. C'est un peu comme m'avouer vaincue, admettre que je n'ai pas su trouver le bon mode d'emploi et être assez bon parent. Je sais rationnellement qu'il n'en est rien, mais quand on est plongé dans les difficultés, on ne peut avoir la distance suffisante pour voir juste et évaluer correctement les moyens d'en sortir.

Alors, quand un proche vient cogner à ma porte, il mérite que je l'écoute et que j'entende ce qu'il a à me dire, sans juger à priori ses mots, ses choix ou ses émotions, parfois si intenses.

De même, je peux aussi comprendre et accepter que certains ne répondent plus, et aient, temporairement ou définitivement, jeté la serviette.

Yolande

Être témoins de ce que vivent des familles

> *18 h 25, Rencontre d'accueil avec les familles : tout semble en place, les chaises, les documents d'information, le café et la collation. Nous brassons encore un peu la disposition, déplaçons des papiers, davantage pour tromper notre anxiété, car même après tant d'années et de rencontres, nous demeurons inquiètes de ne pas réussir à bien accueillir ces familles éprouvées par la maladie d'un proche, et le défi est toujours aussi grand.*
>
> *Nous offrons une poignée de mains franche, nous espérons que notre sourire soit réconfortant...*
>
> *En tant qu'animatrices, nous sommes touchées de plein fouet par la souffrance, la détresse et souvent la colère de ces proches : père, mère, frère ou sœur, conjoint, beau-parent ou ami. Exprimées à voix haute ou non, les émotions sont à fleur de peau.*
>
> *à suivre... (voir l'encadré page 217).*

Un sentiment d'incompréhension se vit devant des comportements nouveaux, bizarres, irrationnels, parfois agressifs ou violents, devant un retrait excessif, face à une personnalité qu'on ne reconnaît plus chez l'être qu'on aime. Les difficultés de l'adolescence sont-elles en cause? La consommation de drogues est-elle responsable? Certains proches nous confieront aussi se sentir incompris par les professionnels du réseau de santé. Ils ne comprennent pas pourquoi on leur donne si peu d'informations, alors qu'ils sont tellement inquiets. Parfois, ils se disent mal accueillis, peu respectés comme parents préoccupés de l'état de leur enfant. Bien sûr, ils comprennent mal la maladie, la médication, le système de santé, la loi qui protège le *malade mental*[93]. Mais ils rapportent souvent qu'on tient peu compte de ce qu'ils connaissent de la personne, de son histoire, du contexte dans lequel elle vit! On ne reconnaît pas les efforts qui ont été faits, les moyens qui ont été tentés, ni ceux qui ont réussi!

Un choc terrible à l'annonce du diagnostic d'une maladie qu'on dit souvent chronique, irréversible. Comment se fait-il que les familles nous rapportent encore des propos tels que : « *Votre fils,*

---

[93] Loi sur la protection des personnes dont l'état mental présente un danger pour elle-même ou pour autrui.

madame, va se bercer toute sa vie! » Certains m'ont confié que les mots peuvent tuer, à tout le moins, ils tuent l'espoir!

Un refus de croire que la personne aimée ne sera plus jamais la même. De reconnaître et d'accepter les limites et les incapacités, de croire que la *paresse* n'est pas en cause.

Une peine immense de constater les pertes réelles de capacité de fonctionnement, l'abandon des projets en cours. Existe-t-il un avenir pour la personne atteinte de maladie mentale? Que va-t-elle devenir quand les parents ne seront plus là?

Un isolement de plus en plus grand, car les amis et les proches s'éloignent à mesure que les difficultés dégénèrent et que la crise perdure.

Un sentiment d'impuissance déconcertant. La compréhension, la discussion, l'autorité sont insuffisantes pour maintenir les ponts de la communication, les moyens habituels ne fonctionnent plus. On ne sait pas à quelle porte frapper pour avoir de l'aide. Certaines familles essaient pendant de longues années d'obtenir des services, médecins, psychologues, centre local de services communautaires (CLSC), hôpitaux, sans succès. Quand elles trouvent enfin, on les écoute à peine et trop souvent on les dépossède de leur pouvoir d'agir. Plusieurs ont dû vivre de véritables tragédies et passer maintes fois par l'urgence pour être pris au sérieux. Comment rester calme devant des traitements et des règles qu'on ne comprend pas? Devant l'isolement et la contention?

Et si c'était mon fils, ma sœur, mon ami qu'on enfermait ainsi?

Enfin beaucoup de colère et de révolte, contre le mauvais sort, contre cette maudite maladie, mais également envers "le système de soins psychiatriques" et ceux qui y travaillent. Colère que les proches tentent de contenir, car elle serait mal reçue et sans doute perçue comme une émotivité excessive, comme un manque de coopération et pourrait peut-être nuire à la personne que l'on aime.

Voilà autant d'émotions qui sont verbalisées ou que nous percevons au cours des premières rencontres avec les familles. Nous recevons ces proches et nous entendons ce qu'ils expriment. Nous accompagnons les personnes dont ils nous parlent et nous sommes témoins de leur souffrance, des situations parfois aberrantes qu'elles doivent affronter et des luttes quotidiennes qu'elles doivent mener. Dans un premier temps, nous leur apportons peu de réponses, mais nous offrons notre écoute, nous partageons notre expérience et quelques connaissances. Certains déjà nous disent être soulagés de recevoir enfin de l'aide pour leur proche. D'autres témoignent du chemin parcouru depuis le début de la maladie et de l'espoir qui renaît.

> *Nous devons mettre fin à un échange riche de questions qui demeurent en suspens. La glace est brisée. Nous terminons la soirée émues et remplies d'une nouvelle énergie, prêtes à continuer.*

Être à l'écoute de ce que nous vivons comme intervenants

Comme intervenants, nous arrivons dans le milieu de la santé mentale avec notre histoire, notre formation et nos expériences, avec nos problèmes et nos propres préjugés.

Il n'y a pas si longtemps, la psychologie nous enseignait que les dysfonctionnements des familles causaient la maladie mentale. Les institutions hospitalières sont encore en bonne partie imprégnées de cette croyance, et les interventions auprès des familles parfois teintées de cette vieille méfiance. Nous utilisons, sans nous en rendre compte, des termes empreints de jugement de valeur. Nous sommes portés à juger rapidement les attitudes et les comportements des gens que nous recevons, et cela, sans tenir compte de leur détresse et des circonstances atténuantes.

Nous sommes, par exemple, étonnés de constater que l'information que nous transmettons demeure mal comprise. Nous leur avons déjà expliqué plusieurs fois! Mais lorsqu'elles nous consultent, les familles sont souvent en crise, préoccupées par des problèmes urgents à solutionner et surtout, par la souffrance de leur proche atteint! Dans ces conditions, elles ne sont pas toujours en mesure d'assimiler toutes les informations dont on les assomme. De plus, jusqu'à quel point notre jugement professionnel peut-il être altéré par des comportements davantage attribuables à la crise qu'à la dynamique familiale habituelle?

Même en étant des professionnels aguerris, nous sommes parfois victimes de nos peurs. Comme toute personne dite *normale*, les comportements bizarres nous dérangent, les attitudes agressives nous portent à nous éloigner, en particulier chez les personnes que nous ne connaissons pas et dont nous ne pouvons pas prévoir les réactions. Nous avons besoin d'un temps d'apprivoisement et de mise en confiance.

Les émotions ressenties et les opinions exprimées nous bousculent et confrontent à certains moments notre façon de voir. Un contexte institutionnel de travail nous amène lentement à percevoir les individus sous l'angle de la maladie, des problèmes ou des difficultés. Nous perdons de vue les forces, les compétences et les réussites passées. Nous doutons des capacités de rétablissement et des possibilités d'avenir.

> *L'autre jour, M. A. m'a reconnue et saluée sur une rue près de chez moi, en vélo. « J'étais gêné de te saluer, me dit-il, tout souriant, mais j'ai osé et je suis content de moi. » Il partage depuis six ans un appartement avec des amis, atteints de maladie mentale comme lui, et continue de peindre, malgré des épisodes occasionnels de rechute où il doit être traité de façon plus intensive.*

Nous ne reconnaissons plus les personnes quand elles sont hospitalisées, tellement la maladie les enferme dans une bulle de souffrance. Mais quelle joie de reconnaître sur la rue une personne qui a repris en main le cours de sa vie! Nous pouvons à la longue nous habituer aux portes barrées, au climat déprimant des unités de soins, et parfois même développer une certaine tolérance devant des traitements invalidants ou des interventions musclées. Les familles, quand elles se racontent, nous remettent brusquement les pendules à l'heure et le cœur à la bonne place.

Nous avons parfois tendance à croire que nous connaissons mieux la maladie, les services, le système et surtout *ce qui est bon pour la personne*. Les familles, elles, côtoient la maladie depuis de longs mois, de longues années, ont cogné à toutes sortes de portes, ont rencontré des dizaines d'intervenants; il arrive qu'elles fréquentent depuis un certain temps La Boussole[94] ou un autre organisme pour les familles. Et surtout, elles connaissent leur proche beaucoup mieux que nous. Ils en ont long à dire... Cette information est précieuse, même si elle est partielle et même si les perceptions sont subjectives. Écouter d'abord, puis poser de questions pour mieux comprendre, ensuite partager notre propre expérience et nuancer, s'il y a lieu.

> « (...) au cours d'un long processus qui a pris une douzaine d'années, nous avons progressivement réalisé que ce n'était pas tant les familles qui avaient besoin de nous pour aller mieux que nous qui avions besoin d'elles pour faire notre travail correctement. » (Guy Ausloos, La compétence des familles, Édition Érès, 1995, p.27.)

À titre de travailleuses sociales, nous devons faire des évaluations psychosociales et, en conséquence, porter des jugements sur des situations, sur des problèmes, sur des personnes également. C'est une responsabilité très importante et une tâche particulièrement délicate. Nous devons prendre une distance, non seulement par rapport aux faits que nous observons, mais aussi par rapport à nos valeurs et à nos croyances, tout en respectant des balises claires sur les plans professionnel et éthique.

Malgré cela, les interventions des travailleuses sociales ne sont pas toujours bien perçues ni bienvenues. Les expériences que les familles ont vécues auparavant ont peut-être été négatives. La méfiance, le scepticisme ou l'irritation en sont parfois le résultat. Bien sûr, ce n'est pas agréable d'en être la cible.

---

[94] La Boussole est un organisme de Québec membre de la Fédération des familles et amis de la personne atteinte de la maladie mentale (FFAPAMM). La Société québécoise de la schizophrénie fait également un important travail de sensibilisation au niveau provincial.

Nous craignons de demeurer impuissantes à trouver, avec la personne, une solution pour régler le problème, à trouver les mots pour soulager la détresse. Nous avons peur de perdre le contrôle de l'entrevue. Nous paniquons devant les silences, la lenteur d'un processus ou l'attente d'un résultat.

Nous craignons aussi parfois de transgresser les règles de la confidentialité, ou de faire des erreurs et d'être ainsi l'objet de poursuites ou de plaintes.

Nous craignons d'être traitées d'incompétentes, ou d'atteindre les limites de notre compétence.

Nous n'osons pas assez souvent questionner les règles établies, mais rarement révisées, ni discuter ou dénoncer ce qui nous semble inacceptable. Il est toujours difficile de contester l'autorité, qu'elle vienne de l'administration ou du pouvoir médical.

Nous irons plus loin : au fond de nous-mêmes, le changement nous fait peur. Que la personne reprenne du pouvoir sur sa vie et qu'elle décide comment mener son rétablissement, ça nous inquiète pour de multiples raisons : perte d'un certain contrôle de l'intervention, risques liés à ses décisions (à titre d'exemples : retour aux études, diminution de la médication, quitter une ressource adaptée...), décisions qui ne vont pas nécessairement dans le sens de ce qui est proposé par l'équipe traitante.

Changer nos rapports avec les familles est difficile et insécurisant. D'un côté, les attentes et les besoins sont énormes. De l'autre, les moyens à notre portée sont tellement petits.

Loin de nous l'idée de diminuer la valeur de ce que nous tentons de faire. Nous aimerions simplement humaniser davantage notre image de professionnelles. Reconnaître nos peurs, nos jugements de valeur, nos limites et nos préjugés, tout cela est déjà un premier pas pour arriver à les dépasser. C'est aussi apprendre à travailler avec plus d'authenticité. C'est ne jamais faire l'économie d'une autocritique sans complaisance, mais admettre que l'erreur fait aussi partie de la vie professionnelle. C'est faire confiance aux familles et leur donner accès plus directement à nos compétences au sens large, humaines et spécialisées. C'est commencer à bâtir un pont pour rejoindre les personnes que nous voulons accompagner car...

les intervenants passent...!

Portrait des familles

Les familles que nous avons croisées proviennent de tous les horizons socioéconomiques; elles représentent tous les niveaux d'instruction et toutes les sphères professionnelles. La maladie mentale ne considère pas les frontières de classe, et les conditions socioéconomiques des familles n'auraient aucune incidence sur l'apparition de la maladie, si ce n'est l'impact du stress considérable causé par la pauvreté. Par ailleurs, les conditions de vie précaires font certainement partie des effets secondaires indésirables pour ceux qui en sont atteints, et qui sont la plupart du temps contraints d'abandonner un cycle d'études ou un travail, temporairement ou définitivement. Mais les conditions financières de la famille ne sont pas déterminantes de la qualité du soutien fourni à la personne atteinte.

Comme dans tout le reste de la société, il y a des familles sans histoire, et d'autres dont le parcours est tragique ou misérable. Nous pouvons à l'occasion mieux comprendre certains aspects de la maladie par un traumatisme, par l'histoire familiale, par certains antécédents. Mais, bien souvent, nous ne comprenons pas pourquoi ni comment c'est arrivé. De tout temps, on a cherché un coupable à la folie. Au Moyen Âge, on accusait le démon. Au siècle dernier, des courants de la psychiatrie et la société ont fait porter la responsabilité de la folie sur la famille, sa dynamique et ses problèmes. Les tendances ont changé et la biologie est mise en cause. On aimerait croire que la médication pourra un jour enrayer complètement les maladies mentales, et la recherche se poursuit. Toutefois, peut-on vraiment espérer que cela se produise dans un avenir rapproché?

En dépit du fait que nous endossons cette nouvelle façon (dite biopsychosociale) de comprendre la maladie mentale, les familles que nous rencontrons ressentent encore fréquemment de la culpabilité, ne serait-ce que celle d'être porteuses de gènes. Elles peuvent même subir du rejet de leur entourage.

Ce que l'on sait de façon certaine, c'est qu'il existe chez une proportion importante de la population une vulnérabilité à la maladie. Deux enfants élevés de la même façon, dans la même famille, ne réagiront pas de façon identique aux mêmes événements. D'ailleurs, les études sur les jumeaux identiques démontrent que si l'un développe la schizophrénie, il y a environ la moitié des autres jumeaux qui développeront la maladie (si ce n'était qu'une cause génétique : 100 % la développerait). Nous croyons donc que nous devons travailler sur l'ensemble des facteurs qui peuvent avoir un impact sur le rétablissement, et cela, avec tous les acteurs qui peuvent jouer un rôle.

Nous savons, par des recherches, que la dynamique familiale peut influencer l'évolution de la maladie et le nombre de rechutes chez les personnes atteintes de schizophrénie. Il a été démontré que l'intensité des émotions négatives exprimées augmentait le risque de rechutes avec hospitalisation[95].

Selon le modèle de vulnérabilité au stress (Zubin et Spring, 1977), les rechutes sont reliées à des facteurs de protection et de vulnérabilité comme la prise de drogues, le niveau élevé de stress, la surstimulation ou la qualité du soutien social. Les proches et l'environnement de la personne atteinte auront donc un impact important sur ces facteurs. Par exemple, les travaux sur le concept des émotions exprimées (EE) suggèrent un lien entre l'intensité des émotions imprégnant l'environnement familial et la rechute de la schizophrénie (Vaughn et Leff, 1981).[96]

La maladie a aussi un impact sur la dynamique familiale

Cependant, il est tout aussi évident que la maladie elle-même a un impact tel sur la famille qu'elle brise l'équilibre et perturbe les relations entre ses membres. Une famille qui fonctionnait de façon harmonieuse jusque là, qui gérait adéquatement les difficultés domestiques se voit en quelques mois désorganisée. Nous avons rencontré beaucoup de couples qui percevaient la situation de façon

---

[95] Vaughn et Leff, 1981.
[96] Cormier, 2009.

si différente qu'ils n'arrivaient plus à s'entendre sur les moyens à prendre. La communication peut devenir très problématique. Parfois, l'un ou l'autre membre du couple ne voulait plus être impliqué dans aucune démarche concernant le proche atteint. Plusieurs personnes se sont rendues jusqu'à l'épuisement ou sont tombées en dépression. Dans certains cas, la stabilité du couple est gravement menacée (parents ou conjoints).

M. et Mme B. ont essayé durant plusieurs années d'obtenir des services pour leur fils et chaque fois, le cycle recommençait : consommation, désorganisation, crise, intervention des policiers et hospitalisation. Peu de temps après la sortie de l'hôpital, leur fils cessait le traitement, et ça recommençait... Suite à une détention[97] qui a duré plus d'un an à l'hôpital, le jeune homme a été libéré sur la foi de sa bonne conduite et de ses engagements à respecter les visites médicales et le traitement. Mais après quelques semaines de relative stabilité à l'externe, il a espacé ses visites au médecin, relâché son traitement, et le même scénario s'est reproduit.

Nous avons été témoins de scénarios similaires, avec toutes sortes de variantes, à de nombreuses reprises. Pas étonnant que certains parents, désespérés, laissent tomber. Loin de nous l'idée de dénoncer cette loi "sur la protection des personnes dont l'état mental présente un danger pour elles-mêmes ou pour autrui", acquise après tant d'années de luttes des personnes utilisatrices des services psychiatriques, loi qui est venue corriger des abus révoltants. Cependant, on peut comprendre le désespoir des parents qui sont forcés de faire appel au système judiciaire pour sortir d'une situation critique, et qui se retrouvent impuissants, revenus au point de départ.

Monsieur C., atteint de schizophrénie, demeure depuis toujours chez ses parents qui en prennent soin et lui ont assuré, outre un milieu de vie sécuritaire, compréhensif et chaleureux, une relative stabilité mentale. Ce couple maintenant âgé craint de ne plus pouvoir longtemps être capable

---

[97] Certaines personnes ayant commis un délit et condamnées, mais souffrant de maladie mentale sont détenues au Centre hospitalier, sur ordre de la Cour.

d'assumer cette responsabilité et s'inquiète de l'avenir de leur enfant adulte, dont l'autonomie est très restreinte. Tout changement dans l'organisation de sa vie, tout placement dans un autre milieu, quelle que soit la qualité de ce milieu, risque de déstabiliser son état de santé et de causer une rechute.

Nous sommes portés à juger sévèrement la protection excessive des parents à l'endroit de leur enfant adulte malade. Que ferions-nous à leur place, dans un contexte de soins difficiles d'accès? Avec une personne sévèrement atteinte dans ses capacités, dans son jugement également? Lorsque vous avez perdu le soutien de votre entourage? Lorsque les ressources spécialisées et adaptées aux besoins sont si rares?

Ces familles sont composées de gens ordinaires qui ont à faire face à une situation *extraordinaire*. Notre travail consiste à les accueillir, sans jugement, là où elles sont rendues dans leur processus d'adaptation, y compris lorsqu'elles décident de couper les ponts.

Que dire de l'impact sur les frères et sœurs qui se voient en quelque sorte délaissés à cause de l'attention portée à celui qui est malade? Nous n'avons pas souvent l'occasion de rencontrer ces derniers, mais nous apprenons à les connaître un peu par les autres membres de l'entourage. Les relations entre eux sont fréquemment empreintes de malaise ou distantes, malgré la volonté de se rapprocher. Certains doivent porter les attentes de leurs parents quant à la protection et à l'accompagnement dans le futur.

Par ailleurs, il est plus difficile d'estimer l'impact émotionnel ressenti par les enfants dont l'un des parents est atteint d'un trouble mental. Il arrive que ces enfants doivent être placés en famille d'accueil en raison de la sévérité de la maladie et des incapacités temporaires ou permanentes qui en résultent. Mais le traumatisme n'est pas moins grave quand les enfants demeurent dans la famille et subissent les contrecoups de l'instabilité mentale. Les recherches effectuées par Marc Boily, T.S.[98], auprès d'enfants dont l'un des parents souffre de maladie mentale dévoilent les principales sources de leur

---

[98] Voir les recherches de Marc Boily, T.S. et professeur à l'Université du Québec à Rimouski.

détresse. Ces enfants souffrent beaucoup parce que trop souvent ils ignorent la cause de l'absence ou de l'incapacité de leur parent : ils souffrent de ne pas savoir! Ils souffrent de croire que c'est de leur faute si leur parent est malade ou hospitalisé. Ils ne comprennent pas pourquoi celui ou celle qui doit prendre soin d'eux est couché et incapable de répondre à leurs besoins. Ils ressentent tour à tour une grande solitude d'être maintenus à l'écart du secret; de la peur du rejet ou de l'abandon, lors des hospitalisations; de l'anxiété, de la honte parfois; de la colère ou de la culpabilité. Il arrive que des enfants exercent les rôles et les responsabilités de leurs parents, à l'endroit de leurs frères ou sœurs, ou même à l'endroit du parent malade. La relation affective est alors perturbée de façon dramatique[99].

Par ailleurs, dans un tel contexte, l'autre parent doit assumer seul toute la responsabilité parentale. La séparation du couple ou du parent malade d'avec ses enfants peut être définitive, mais il existe aussi des histoires heureuses de rétablissement où la famille se reforme et refait sa dynamique en s'adaptant à sa nouvelle réalité. Auprès de ces enfants perturbés par la maladie de leur parent, quelques organismes œuvrant auprès des proches réalisent un merveilleux travail en leur offrant des ateliers où ils peuvent se retrouver et exprimer ce qu'ils vivent.

> Les enfants de madame D. ont vécu avec leur père suite aux hospitalisations de leur mère. Devenus adultes, ils ont repris contact avec elle. Ils désirent maintenant être plus présents, lui font régulièrement des visites, collaborent avec les responsables de la résidence où elle demeure et, avec son accord, aident à la gestion de ses économies.

Toutes ces familles n'ont malheureusement pas les mêmes atouts ni les mêmes conditions pour affronter les obstacles exceptionnels causés par la maladie mentale : les ressources financières, les talents, les gènes et les occasions favorables ne sont pas répartis également. Mais elles sont toutes égales en dignité et méritent notre respect.

---

[99] Boily, St-Onge et Toutant (2006), Au-delà des troubles mentaux, la vie familiale. Regard sur la parentalité. CHU Ste-Justine.

Elles ne demandent pas qu'on les remplace dans leur rôle de parent ou d'ami, mais qu'on les soulage d'une partie du fardeau qui leur incombe en offrant des services appropriés à la personne atteinte, et en l'aidant à devenir plus autonome et à reprendre du pouvoir sur sa maladie, puis sur sa vie. Elles demandent qu'on les écoute, qu'on mette à leur disposition tous les moyens et les connaissances dont nous disposons, qu'on les aide s'il y a lieu à prendre des décisions plus éclairées.

Puis elles continuent leur route...

Si nous changions de perspective?

Tous sont habituellement très sensibles à ce que vivent et ressentent leur enfant, leur frère, leur sœur, leur conjoint ou leur ami. Ils peuvent nous éclairer sur la compréhension des comportements, nous aviser avec justesse des moments de détresse ou des signes précurseurs de rechute. Ils peuvent nous donner l'heure juste la plupart du temps sur son état de santé.

La maladie mentale arrive soudainement comme un cataclysme que les proches ne pouvaient pas prévoir et pour lequel ils n'étaient pas préparés, pour la plupart d'entre eux. C'est un événement exceptionnel qui exige des capacités d'adaptation exceptionnelles. Quand nous les rencontrons pour la première fois, c'est souvent lors d'une période de crise nécessitant une hospitalisation. Par définition, la situation de crise nous offre un portrait d'émotions exacerbées et de mécanismes de défense qui faussent notre perception quant à leurs capacités.

La grande majorité des familles que nous rencontrons sont des familles "suffisamment bonnes" [100], et nombreuses sont celles qui font preuve de beaucoup de compétence et de courage. Elles ont acquis des connaissances et des habiletés par l'exercice d'un métier, d'une profession, de rôles sociaux et à travers leurs expériences de vie. Elles connaissent des outils et des ressources dont elles ont appris à se servir, qu'ils soient ou non en lien avec la maladie mentale. Leurs membres sont aussi chefs de chantier, chefs d'équipe ou chefs de famille. Ils gèrent leur boulot, leur vie personnelle, leur vie domestique. Qu'ils soient travailleurs d'usine, architectes, commis de bureau ou qu'ils exercent la même profession que nous, toute compétence

---

[100] Expression empruntée à D. W. Winnicott (1992), Le bébé et sa mère. Payot.

acquise peut être utile pour comprendre et faciliter le rétablissement. La maladie et bien d'autres événements de la vie les ont durement éprouvés et ils ont mis en œuvre leurs habiletés, leur bon sens, leurs connaissances, leur détermination et, surtout, leur affection pour tenter de trouver des solutions à leurs difficultés. Certaines ont plus ou moins fonctionné, d'autres ont échoué; ils peuvent avoir appris de leurs erreurs et peuvent nous éviter de les répéter.

Si parents et professionnels mettons en commun nos savoirs et nos expériences respectives, nous formerons avec la personne atteinte la meilleure équipe pour favoriser son rétablissement.

> ... les familles restent!
>
> Des gens ordinaires,
> des circonstances extraordinaires,
> des défis de taille,
> mais surmontables en équipe.

Quelle approche privilégier?

Reconnaître les compétences des familles et des proches est une démarche similaire à cette approche fondée sur les forces que nous utilisons en réadaptation. Plutôt que de mettre l'accent sur les problèmes, les limites et les difficultés, nous identifions les forces, les réussites, les rêves de la personne qui serviront de levier pour émerger de la maladie et reprendre du pouvoir sur sa vie. On reproche parfois à cette approche d'occulter les difficultés, mais ce n'est pas le cas. De même, l'intervention familiale basée sur la compétence des familles ne cherche pas à nier les responsabilités de chacun dans la dynamique familiale. Par contre, le seul fait de voir positivement les familles favorise la coopération. Tout en les aidant à mettre en place les conditions pour faciliter le rétablissement de la personne dans le respect de son autonomie, nous les aidons ainsi à préserver les liens affectifs essentiels à leur épanouissement mutuel.

Faites-vous de la thérapie familiale?

Nous ressentons un certain malaise lorsqu'on nous demande, à titre de travailleuses sociales, l'approche que nous privilégions. Thérapie familiale? Thérapie cognitivo-comportementale? Résolution de problème? Court terme? Systémique?

Précisons tout d'abord que le rétablissement n'est pas une technique, mais une perspective d'intervention fondée sur un certain nombre de valeurs et de croyances. Selon les besoins, selon le contexte, mais également selon notre formation, notre expérience ou notre personnalité spécifique, nous pouvons utiliser différentes techniques ou différentes approches comme celles énumérées plus haut.

Nous ne prétendons pas faire de la thérapie familiale. Notre intervention familiale privilégie de bâtir en priorité une collaboration avec les familles ou les proches les plus significatifs pour la personne afin de faciliter son rétablissement. Cette collaboration vise à les accompagner pour qu'elles trouvent leurs propres solutions. Nous avons largement abordé cette dimension depuis le début de ce chapitre, et nous ne nous y attarderons pas davantage.

Une relation exempte de tout blâme

Nous faisons le choix d'adopter une position d'intervention où notre relation avec les proches est exempte de tout blâme ou jugement de valeur. Cela suppose que nous considérons que les membres de la famille ne sont pas le problème, mais qu'ils font plutôt partie des solutions. Les forces de tous les acteurs – personne atteinte, membres de la famille, intervenants – peuvent alors être mobilisées en coopération pour résoudre les difficultés. Les schémas qui suivent de Smith, Gregory et Higgs (2007) illustrent bien cette façon différente de voir.

Le premier schéma illustre une relation où l'un des acteurs perçoit les autres comme étant le problème : « Le problème, c'est l'autre » (en particulier, la personne atteinte). Cette perception entraîne nécessairement des réactions de blâme envers l'autre, ou les autres. À tour de rôle, chacun en vient à être blâmé. Cela exacerbe le problème davantage qu'il ne le résout et mène à l'épuisement des uns et des autres.

Au contraire, une approche intégrée est celle où chacun considère le problème comme étant externe aux acteurs en cause : « Le problème, c'est la maladie. » Elle est illustrée dans le deuxième schéma. Le travail de l'intervenant consiste à mobiliser les énergies de tous en les incitant à coopérer à la solution du problème, dans le respect de chacun. Cette approche redonne du pouvoir sur la situation problématique et favorise la synergie des forces vers un but commun, malgré les divergences de point de vue.

Schémas :

approche non intégrée et approche familiale intégrée

(traduit et adapté de Smith, Gregory et Higgs, 2007. An Integrated Approach to Family Work for Psychosis, Jessica Kinsley Publishers.)

APPROCHE NON INTÉGRÉE

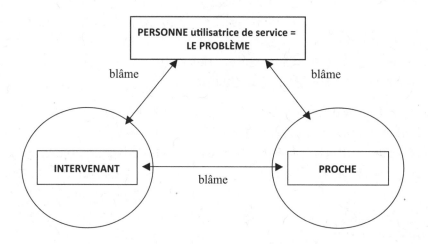

APPROCHE FAMILIALE INTÉGRÉE

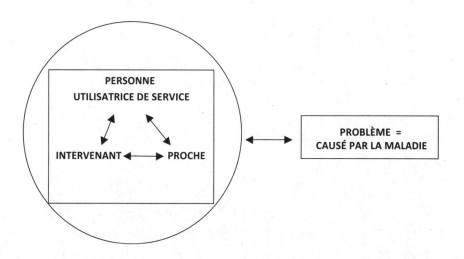

En établissant que la cause est la maladie, et non pas les personnes, chacun des acteurs peut participer au rétablissement de la personne et à son propre cheminement. Éviter les blâmes réciproques mènera éventuellement à une restructuration des interactions dans la famille. Ultimement, cette approche exempte de blâme contribue à ce que chacun ait droit à l'erreur et puisse se rattraper avec le soutien des autres.

L'intervention sert à encourager l'implication de chacune des parties et à coordonner un travail en commun. Elle vise une meilleure gestion du stress par une amélioration de la communication et l'emploi de stratégies d'adaptation aux difficultés, dans l'esprit du processus de résolution de problème.

L'information et les connaissances sont partagées dans une communication la plus ouverte possible, et reconnaît l'expertise de la famille. L'intervention psychosociale englobe la gestion des symptômes, la prévention de la rechute et la meilleure utilisation des médicaments. Surtout, elle recadre les réactions individuelles comme des réponses normales à une situation exceptionnelle : celle de la maladie et de ses conséquences.

Cela ne signifie pas que chacun ne reconnaît pas sa part de responsabilité concernant ses propres choix, ou sa responsabilité dans la dynamique familiale. Convenons simplement que se responsabiliser, c'est bien différent que de se culpabiliser ou d'accuser l'autre.

Les parents de M. B., de milieu aisé, après plusieurs épisodes difficiles, considèrent qu'il serait préférable qu'il quitte la maison et leur fils désire partir. Les parents ressentent beaucoup de culpabilité devant la maladie de leur fils. Dans ce contexte, les propos des intervenants sont facilement perçus comme des blâmes.

Après un essai infructueux dans une ressource d'hébergement en réadaptation, les parents déçus de cet échec songent à reprendre leur fils à la maison. Celui-ci veut plutôt sa liberté, mais manque de discernement dans le choix d'un milieu de vie.

Mon intervention consiste alors à convaincre les parents de laisser leur fils choisir malgré des lacunes évidentes, tout en leur assurant que l'équipe lui offrira le soutien requis. Bien sûr, des risques demeurent.

Le soutien le plus important est celui offert aux parents afin qu'ils puissent tolérer la situation. Beaucoup d'informations sont données sur la dynamique familiale, le rôle de chacun et l'influence mutuelle, tout en normalisant ces réactions en lien avec l'apparition de la maladie, situation qui sort de l'ordinaire d'une famille.

Après quelques mois dans une pension privée peu recommandable, M. B. demandera lui-même une ressource mieux protégée de façon provisoire, jusqu'à ce que l'on trouve un appartement avec supervision.

Au fil d'un parcours de plusieurs années, ce travail de coopération, fait dans la confiance mutuelle, a permis de diminuer les demandes et les sources de tension entre eux, tout en préservant des liens répondant mieux aux attentes de chacun.

L'approche systémique : travailler ensemble

L'intervention familiale proposée s'inspire de l'approche systémique.

Pour la résumer brièvement, cette approche considère que tout individu est en relation avec d'autres, ce qui constitue un *système*. Une personne (par exemple, un client) d'un système donné (sa famille) sera également en relation avec d'autres membres d'autres systèmes (système de santé, école, milieu de travail, etc.). À son tour, chaque système est en interaction avec son environnement, composé lui aussi de *systèmes*.

Pensons à notre système solaire : si une planète subit une modification, cela influencera l'équilibre de tout le système. Ainsi toute action, si petite soit-elle, aura une influence sur tous les membres qui sont en relation. Ce qui est intéressant pour notre intervention, c'est que même si un membre du système familial ne veut pas ou ne peut pas opérer un changement, nous pouvons agir sur un autre élément pour obtenir un effet de domino, une réorganisation du système, donc un changement. Dans cette approche, la personne intervenante fait partie du *système* sur lequel elle porte son intervention.

Dans ce sens, elle propose l'utilisation de soi non seulement comme professionnelle d'expérience, mais aussi comme personne avec ses émotions, ses malaises, et l'expression authentique des informations perçues lors des contacts familiaux. Ces dernières sont retransmises non pas dans un seul but d'enseignement, mais afin de les faire circuler entre tous les membres de la famille.

Nous ne connaissons pas LA solution à laquelle la famille doit *se conformer*. Celle trouvée par la personne concernée, ou par la famille, est mieux intégrée, et souvent plus appropriée, qu'une solution venant de l'extérieur. Cette confiance dans le potentiel des familles est primordiale pour travailler avec elles. On comprendra que le développement d'une relation plus égalitaire, privilégiée dans le processus de rétablissement, est aussi recherché dans notre communication avec la famille.

Tout comme les personnes en rétablissement, les familles ont besoin de temps pour changer, à travers un processus d'essais-erreurs. Encore faut-il, parfois, les accompagner afin qu'elles expérimentent quelque chose de différent. Car l'utilisation des mêmes moyens donne les mêmes résultats...! Il devient donc impératif qu'un changement dans la dynamique familiale – même tout petit – s'opère pour donner l'occasion à la personne en démarche de rétablissement d'expérimenter, par exemple, davantage d'autonomie.

Les familles qui vivent de nombreuses crises ont besoin davantage de permanence. Ausloos, dans son livre *La compétence des familles* (op.cit. 1995), émet l'hypothèse que lorsqu'elles ont atteint une relative stabilité, le temps *se fige*, car elles cherchent à maintenir l'équilibre, en évitant toute source de stress qui puisse provoquer d'autres épisodes psychotiques. Les intervenants tenteront de faire évoluer la situation en créant un déséquilibre afin que les familles découvrent de nouvelles solutions qui leur sont propres.

Finalement, ce n'est pas tant les *résistances* des familles ou leur dysfonctionnement réel ou imaginaire qui nous intéressent mais de savoir comment elles arrivent à fonctionner en dépit de la maladie, et de les aider à trouver des moyens pour faciliter le rétablissement, en s'engageant vers l'avenir.

En ce sens, l'intervention familiale systémique se rapproche des valeurs propres au rétablissement, où la personne est au centre des décisions et des actions à entreprendre, où elle est le sujet de son rétablissement.

À la manière d'Ausloos, au lieu de convoquer les familles pour leur proposer une thérapie, nous préférons leur dire :

> « Nous avons besoin de vous pour faire notre travail parce que vous avez l'expérience, vous en savez beaucoup, vous avez essayé de nombreuses solutions et vous avez connu des échecs, mais aussi des réussites. Avec votre collaboration, nous avons plus de chances de faire du bon travail. » *(Ausloos, 1990, cité dans l'op.cit. p. 27)*.

Les familles aussi passent par un processus d'adaptation

Les familles et les proches ont également à s'adapter aux conséquences de la maladie, aux changements, aux essais-erreurs de la personne atteinte en démarche de rétablissement. En quelque sorte, les familles et les amis font eux aussi une démarche de croissance, une forme de rétablissement. Mais avant de retrouver un équilibre, on passe parfois d'un extrême à l'autre dans la recherche d'une adaptation et cela contribue, selon nous, à l'épuisement.

Si nous reprenons le schéma proposé par D^re Quintal sur le processus d'adaptation conduisant au rétablissement (Représentation schématique depuis la maladie jusqu'au rétablissement, p. 74), nous pouvons constater des similitudes entre les phénomènes d'adaptation que vivent les proches et ceux d'une personne recevant un diagnostic de trouble mental.

Comme animatrices de groupe pour les familles, nous avons eu l'occasion de leur exposer les commentaires suivants qui accompagnent les diverses parties du schéma du modèle. Les familles ont reconnu ces mécanismes d'adaptation. Ce sont des réactions normales. Ce sont les mêmes qu'éprouvent les familles dont un enfant est gravement malade physiquement et qui doivent retrouver leur équilibre.

Donc, en parallèle du schéma de D^re Quintal, convenons que les familles partagent les émotions et les sentiments décrits suite à l'annonce d'un diagnostic (échecs, perte de contrôle, impuissance, désespoir).

Ajoutons une colonne supplémentaire de chaque côté du modèle, avec des réactions d'adaptation typiques des familles :

Si les familles (ou un membre) croient

qu'il n'y a que la maladie :

elles ont tendance à ne rien demander (ou peu)

au *pauvre malade* et à devenir surprotectrices.

Ceci également par crainte de rechutes et de suicide.

IL N'Y A QUE LA MALADIE

MORT

LE COEUR SE FIGE
PASSIVITÉ

Cette attitude ne favorise pas le rétablissement car, d'une part, on n'ose pas poser de limites ni demander la coopération et les efforts nécessaires à la réadaptation; d'autre part, on tend à éviter de prendre quelque risque que ce soit. Elle encourage donc en quelque sorte, quoique involontairement, la passivité.

Par ailleurs, si les familles (ou un membre) pensent

qu'il n'y a pas de maladie :

elles peuvent trop en demander et blâmer la personne

pour ses écarts (paresse, manque de volonté

ou d'*obéissance*...). La personne qui nie sa maladie

est forcément insoumise. Si en plus elle consomme

de la drogue ou de l'alcool de manière excessive,

elle risque de se mettre en danger. Les critiques des

proches s'ajoutent aux difficultés.

```
        ┌─────────────────────────┐
        │  IL N'Y A PAS DE MALADIE │
        └─────────────────────────┘
           ↙              ↘
   ┌──────────────┐  ┌──────────────┐
   │  NÉGATION    │  │  CONDUITES   │
   │  RÉBELLION   │  │ DESTRUCTRICES│
   └──────────────┘  └──────────────┘
```

Évidemment, comme les personnes en processus de rétablissement, les familles passent aussi d'un pôle à l'autre.

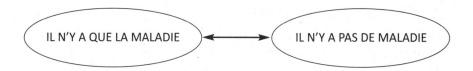

IL N'Y A QUE LA MALADIE ←——————→ IL N'Y A PAS DE MALADIE

Ou encore chacun prend une position opposée. Ainsi, un des parents peut être très, voire trop, permissif et trouve que l'autre parent ne comprend pas la maladie, tandis que ce dernier considère que la personne devrait faire des efforts et parfois, il ressent envers elle une grande colère. Ici, comme dans le travail d'équipe, il faut ajuster nos perceptions. Il faut tenter de trouver un terrain d'entente pour un plan d'action commun qui converge vers les objectifs de rétablissement .

Un processus de rétablissement impliquant les familles et les proches

Les différentes dimensions du processus de rétablissement ont été abordées dans les chapitres précédents. Nous regarderons ici comment les proches peuvent y concourir de façon positive. Le premier aspect incontournable d'un traitement en psychiatrie est l'aspect biologique, incluant le traitement pharmaceutique et le maintien d'habitudes de vie saines. Comme les auteurs précédents l'ont bien démontré, l'approche selon le rétablissement y a aussi une place essentielle. On pourrait penser que les familles n'ont rien à faire dans la gestion de la médication, considérant l'importance que la personne en vienne à assumer ses responsabilités à ce chapitre.

Qu'ont à faire les proches en ce qui concerne le traitement pharmaceutique?

Les proches ont souvent une influence déterminante sur la façon dont la personne perçoit sa maladie et son traitement. Leurs valeurs, leurs croyances, leurs connaissances à ces égards varient énormément et conditionnent en quelque sorte la façon dont eux-mêmes et leurs proches réagiront à l'annonce du diagnostic, puis du traitement proposé. Connaître ces perceptions nous permettra de mieux comprendre ces réactions et d'ajuster notre intervention en conséquence.

Les opinions des familles face à la médication sont similaires à celles que nous observons dans la population en général. Plusieurs personnes sont méfiantes devant les médicaments et inquiètes des effets secondaires indésirables qu'ils peuvent causer. Elles considèrent qu'on se trouve mieux quand on peut s'en passer et acceptent à contrecœur de devoir y recourir. Quelques-unes croient que les médicaments sont un véritable poison pour l'organisme. D'autres rebutent à penser et accepter que leur proche atteint doive peut-être en prendre durant toute sa vie. Plusieurs redoutent qu'on prescrive trop, qu'on tente *d'assommer les patients pour les tenir tranquilles*, parfois en raison d'expériences vécues. Les multiples essais nécessaires peuvent laisser croire *que les patients servent de cobayes*. La plupart espèrent que la médication apportera un soulagement des symptômes, la stabilisation de la maladie et, sait-on jamais, un véritable rétablissement. Et c'est vrai pour un certain nombre de personnes, même gravement atteintes.

Certains proches possèdent une bonne base de connaissances provenant de leur formation, leurs expériences ou par Internet, mais tous désirent en connaître davantage. Chaque membre de l'équipe professionnelle a la responsabilité de sensibiliser à l'importance de la médication et de partager les connaissances qu'il possède avec les proches concernés. Car une information pertinente, nuancée et juste permet assurément de diminuer les inquiétudes et de créer la confiance nécessaire à une saine coopération vers le rétablissement.

> *Lors d'une soirée d'accueil d'un groupe de parents, la mère de M. W. exprime son opposition à la prise de médicaments en général, et ses grands doutes quant à une solution à la maladie passant par la médication.*
>
> *Surprise pour cette mère : elle peut exprimer sans entrave ce qu'elle pense, nous accueillons ses réticences. Différents points de vue sont amenés et discutés, incluant les nôtres, mais sans insister.*
>
> *En intervention individuelle et familiale, j'accepte, avec le soutien de mon équipe, de travailler en tenant compte de ces croyances. Le médecin, de son côté, propose dans un premier temps une médication légère afin de soulager certains symptômes plus gênants pour M. W., pour une période qui sera à réévaluer. Comme sa fidélité au traitement est erratique dès qu'il quitte le centre de traitement, la médecin suggère une médication par injection, volontaire, ce qui permet de diminuer son ambivalence face au traitement. La mère accepte cette approche et soutient son fils en parlant de vaccin. L'équipe tolère cette appellation, et graduellement l'ensemble de la famille acceptera le traitement proposé et envisagera même plus facilement qu'il puisse se prolonger à plus long terme.*

Les familles ont-elles à se mêler des habitudes de vie?

Les situations de vie varient beaucoup en fonction de l'évolution de la maladie, des capacités de la personne, de ses conditions de vie, et autres. Certains habitent encore chez leurs parents, d'autres vivent en appartement autonome depuis des années, et toutes les situations intermédiaires sont possibles. Si on considère une autonomie la plus complète possible comme étant un idéal à atteindre, le concours des proches sera d'autant plus utile, en particulier lorsque la personne demeure toujours dans sa famille. Bien comprendre sa médication, son rôle, ses effets; acquérir de bonnes habitudes de vie : sommeil, alimentation, exercice sont autant d'aspects qui touchent la vie quotidienne et qui ont une incidence sur l'état de santé. Les proches ont alors un rôle délicat et difficile à jouer, car il leur faut stimuler sans harceler, responsabiliser sans culpabiliser, prendre soin si nécessaire sans trop protéger.

Beaucoup de familles ont joué un rôle essentiel pour renforcer cette autonomie, en étant des *modèles*, en offrant de l'aide au bon moment, en soulignant les réussites ou en encourageant leur proche aimé à faire confiance à son équipe médicale. Beaucoup de personnes dites *sévèrement atteintes par la schizophrénie* peuvent maintenant gérer seules leur médication et maintenir des habitudes de vie qui favorisent une meilleure stabilité mentale.

Reprendre du pouvoir sur la conduite de sa vie

Ces personnes peuvent ainsi exercer plus de contrôle sur leur vie quotidienne, malgré qu'elles puissent avoir besoin d'aide ou de services compensatoires. Nous avons souvent observé la fierté des personnes qui intégraient un milieu de vie bien à elles, par exemple après une longue hospitalisation. Que ce soit un petit appartement ou une chambre dans une ressource non institutionnelle, c'est là que commence pour elles le sentiment d'être chez soi et de reprendre une *vie normale*.

Les parents ont souvent un rôle décisif à jouer pour faciliter l'acceptation et le passage vers un autre milieu de vie. Leur éclairage peut être utile pour le choix d'un milieu bien adapté aux besoins. Ce sont eux souvent qui facilitent le maintien dans un logement autonome, en aidant à réaliser certaines tâches domestiques, en fournissant un complément financier essentiel ou en aidant à gérer certaines responsabilités ou des difficultés ponctuelles, qui pourraient être sources importantes de stress.

M. E. doit quitter son logement, à cause de plaintes de voisins lors d'une crise où il a dû être hospitalisé. Il préfère être aidé d'un membre de sa famille pour traiter avec les propriétaires et trouver un nouveau logement, et ainsi ne pas dévoiler qu'il est suivi en psychiatrie.

M. F. se charge entièrement d'entretenir son logement, de gérer son budget, de faire son épicerie et de toutes les autres tâches nécessaires à la vie en appartement. Une fois par année, un membre de sa famille lui fait cadeau d'un grand ménage pour l'encourager et le féliciter.

M. G. vit en pension. Ses parents le visitent régulièrement, l'amènent passer quelques jours à la campagne ou prendre un repas en famille. Ils s'occupent de lui acheter des vêtements, car M. G. a tendance à en faire cadeau ou à les mettre à la poubelle.

Les types d'aide et de soutien sont multiples et contribuent la plupart du temps à permettre à la personne d'avoir une vie un peu moins difficile, compte tenu de ses conditions financières précaires. C'est de plus pour les familles une façon de garder des liens significatifs tout en préservant l'autonomie de leur proche atteint.

... et recréer une image de soi saine et positive!

Retrouver une image de soi positive, malgré les pertes causées par la maladie, est une tâche particulièrement difficile qui exige un travail sur soi considérable. Nous sommes tous influencés par le jugement que les autres portent sur nous. Les personnes atteintes de maladie mentale y sont très sensibles, parfois à l'excès. Les yeux des autres, les mots qu'ils utilisent peuvent blesser de façon tragique et définitive.

Ceux qui ont l'influence la plus profonde sont bien sûr les parents. Comme nous l'avons dit précédemment, ils ont l'impression de ne plus reconnaître leur enfant lorsqu'il devient malade. Leurs attentes sont déçues, leurs rêves, brisés, laissant place à l'inquiétude devant l'avenir. Cependant, au fur et à mesure qu'ils connaissent et comprennent mieux la maladie, leurs perceptions évoluent, l'espoir renaît et la confiance reprend sa place. Ils adoptent des attitudes plus adéquates, leurs yeux et leurs mots changent.

> *Pour Mme H., voir souffrir son enfant a été la chose la plus douloureuse de sa vie. Une meilleure connaissance de la maladie lui a permis de cheminer, de mieux composer avec les conséquences de la maladie et, avec modestie et amour, de trouver en son fils une nouvelle personne, dont elle admire chaque jour le courage.*

Ces attitudes positives se refléteront et aideront la personne à retrouver ou préserver une image de soi plus saine et lui redonneront confiance en sa propre valeur.

Pour plusieurs d'entre eux, il est difficile de fréquenter les lieux publics. Tout geste ou activité d'un proche qui lui permet de vivre *comme tout le monde*, qui l'aide à s'intégrer à cette société, parfois hostile ou méfiante, concourra à lui redonner une meilleure image de lui-même : partager un repas à la maison, aller au cinéma, faire l'épicerie, faire du ski ou de la marche.

Enfin, réapprendre à jouer un rôle social

Les parents fournissent les premiers exemples de la façon dont on exerce des rôles sociaux. D'abord comme parents, mais aussi comme citoyens : payeurs de taxes, locataires ou propriétaires, travailleurs ou consommateurs ou comme membres d'une association.

La maladie mentale a pour conséquence de retirer la personne atteinte de la communauté durant une certaine période, parfois à plusieurs reprises. À chaque rechute, cette dernière doit se réintégrer à son milieu : son milieu de vie, son travail ou ses études, ses occupations, sa famille, son réseau social. À chaque fois, c'est autant sinon plus difficile. Trop souvent, elle perd le contact avec l'un ou l'autre.

Trop souvent, elle doit affronter l'incompréhension et les préjugés, y compris chez les membres de sa famille. Ceux-ci peuvent aider au retour dans la communauté, en brisant les tabous, en partageant l'information, en suscitant la tolérance et le respect. Auprès de gens dont les préjugés sont tenaces, le jeu n'en vaut peut-être pas la chandelle, mais ils peuvent aider à discerner les amis et les alliés, à mettre des limites et à les faire respecter. Encore là, le soutien des proches est essentiel.

Pour certaines personnes qui ont dû abandonner leur projet de vie, le soutien de leurs proches a permis un retour au travail ou aux études avec succès, et cela, malgré tous les obstacles.

> *M. I. rêvait de faire un cours en horticulture. On savait que ce cours est très exigeant, sur les plans théorique et pratique, d'autant plus qu'il se donne de façon intensive. Les difficultés pour M. étaient nombreuses : consommation régulière de marijuana, difficulté à se lever, inactivité et abandon des études depuis une longue période, d'un côté; préjugés face à la maladie mentale, appréhensions du personnel scolaire, de l'autre. Sans le soutien et l'encouragement de sa famille au quotidien, sans l'appui d'intervenants qui ont cru à son projet auprès de l'école, sans les efforts qu'il a fournis pour gérer le stress et persévérer malgré les obstacles, la réussite n'aurait pas été possible.*

Le retour en société représente pour la personne un défi magistral, car il faut briser sa coquille de protection et affronter un monde qui n'est pas d'emblée sympathique. Tenter d'aller vers l'autre exige de faire confiance, ce qui est spécialement difficile pour beaucoup de personnes atteintes de schizophrénie. Le milieu familial peut fournir cette expérience de la confiance et de la sécurité et faciliter cette ouverture à autrui qui permettra de reprendre vraiment la place qui lui revient.

Cette croyance en la capacité de la personne à reprendre son rôle social et à mener une vie plus signifiante, nous avons la responsabilité de la transmettre aux proches.

Quelques réflexions sur l'impact de la toxicomanie

Nous observons de plus en plus fréquemment, particulièrement auprès des personnes nouvellement diagnostiquées, un abus de substances (drogues ou alcool) joint au trouble de santé mentale. Cette problématique a un impact à différents niveaux:

- sur la maladie mentale elle-même et son traitement;
- sur la reconnaissance ou le déni de la maladie mentale par la personne et son entourage;
- sur les liens de la personne atteinte avec son entourage en rapport avec des comportements difficiles, voire déviants, la gestion budgétaire, le climat de confiance ou de méfiance qui teinte ces relations;
- sur la croyance en la capacité de se rétablir de la maladie et donc, sur l'espoir;
- sur la capacité réelle d'agir de la personne, en raison de sa dépendance, et sur la capacité de l'entourage de la soutenir, en réaction aux comportements négatifs.

L'incidence négative de l'abus de substances sur la maladie mentale et sur l'efficacité des traitements est maintenant bien documentée, nous laisserons donc à d'autres le soin d'aborder cet aspect *(voir le chapitre Le médicament au service du rétablissement de la personne)*. Nous questionnerons ici sommairement les effets sur la famille et sur notre travail.

Crise d'adolescence, crise toxique ou crise psychotique?

La consommation abusive, qui apparaît parfois au tournant de l'adolescence, occasionne des inquiétudes et des maux de tête à bien des parents. Jointe aux difficultés mêmes de l'adolescence, elle peut occulter durant une bonne période l'existence d'une vulnérabilité mentale ou de symptômes d'une maladie. Elle aggrave plutôt qu'elle ne soigne les signes du malaise psychologique. Elle entraîne des comportements problématiques (isolement, méfiance, agressivité pouvant aller jusqu'à la violence) qui peuvent provoquer une véritable crise de la dynamique familiale.

Lorsqu'un diagnostic de maladie mentale est posé, nous pouvons aisément comprendre que plusieurs personnes atteintes adoptent une attitude de déni ou de révolte et qu'elles puissent contester le bien fondé du traitement proposé. Certains proches trouveront eux aussi plus difficile d'admettre qu'une maladie mentale est en cause et accuseront plutôt la consommation de drogues ou d'alcool.

Outre les comportements bizarres, difficiles voire violents que peut entraîner l'abus de substances, celui-ci accroît également chez le consommateur ses besoins financiers, ce qui peut mener à des conduites de harcèlement, de mensonge, parfois de vol. Un climat de méfiance s'installe et les rapports avec les membres de la famille sont perturbés, provoquant une crise au sein de la dynamique familiale. Tous vivent une période très chaotique: « C'était l'enfer! », diront plusieurs. Quand la situation se prolonge et que l'on ne trouve pas les services appropriés, elle peut mener à une rupture entre la personne atteinte et un ou des membres de la famille.

Il arrive qu'un membre de l'entourage contribue en partie à la problématique de toxicomanie. Certains banalisent l'impact de la consommation sur la maladie, ou la consommation de drogues dites *douces*; d'autres consomment avec la personne atteinte ou l'incitent à le faire. Il arrive qu'un proche facilite l'approvisionnement d'alcool ou de substances illicites au consommateur.

Heureusement, cette situation n'est pas courante et la plupart des proches avec lesquels nous travaillons reconnaissent le problème et désirent coopérer à le solutionner. Ils ont même des attentes élevées à cet égard, et nous obligent à remettre constamment en question nos approches et nos moyens d'intervention.

En accord avec les autres professionnels de l'établissement où nous intervenons, nous privilégions en ce qui a trait aux problèmes liés à la toxicomanie, une approche motivationnelle d'une part, et une intervention fondée sur la *réduction des méfaits*, d'autre part. En résumé, ces dernières proposent d'accompagner la personne à faire une réflexion sur ses motivations, les inconvénients et les avantages de sa consommation et de l'amener ainsi à mesurer les coûts et les risques qu'entraîne cette consommation abusive. La motivation à changer la situation chez l'individu s'accroît au fur et à mesure où la *balance des avantages et des inconvénients* devient négative. Nous travaillons alors à trouver avec eux les moyens de réduire les conséquences néfastes et de diminuer progressivement ou d'arrêter la consommation. Cette approche mise sur la collaboration et exige du temps, mais démontre son efficacité à long terme. Par ailleurs, les mesures coercitives et légales sont difficiles à obtenir et n'entraînent pas toujours les résultats durables souhaités. Elles demeurent cependant un outil nécessaire dans certains cas.

Nous avons pu constater que tant que la problématique de consommation est présente de façon importante, l'efficacité de nos interventions sur la maladie mentale et ses conséquences est limitée. Nous savons que nous devons accorder une égale attention à l'une et à l'autre, et de façon simultanée. De la même façon, nos actions auront beaucoup plus d'impact si nous coopérons avec tous les acteurs impliqués : tous les membres de l'équipe professionnelle et tous les proches, en s'assurant que le client soit au centre des décisions qui sont prises.

Le rétablissement est-il possible lorsqu'il y a consommation?

Une personne qui consomme abusivement reconnaît difficilement sa maladie, donc l'utilité du traitement qui doit lui être prescrit. Cette reconnaissance facilite grandement le processus de rétablissement, mais nous croyons que nous pouvons y travailler conjointement avec la personne, en adoptant une approche adéquate. La consommation met aussi en doute la croyance des proches en ses capacités de s'en sortir et de se rétablir. Elle influence directement l'espoir.

La dépendance jointe à une consommation abusive perturbe la capacité réelle d'agir, car elle amène la personne à prioriser le besoin de substances avant tous ses autres besoins. Les proches en viennent souvent à refuser leur soutien, en réaction aux comportements négatifs qui surviennent à répétition.

Tous ceux qui ont été touchés par la maladie mentale le confirmeront : la toxicomanie multiplie les obstacles sur le chemin du rétablissement. De plus, nous avons constaté au cours des dernières années une augmentation significative des problèmes d'abus de substances chez ceux qui sont hospitalisés en psychiatrie ou référés à nos services spécialisés (réadaptation, premières psychoses...).

Mais le rétablissement est toujours possible et faisable. Les exemples pour nous le démontrer sont nombreux, nous en sommes témoins. Et tous ces cas heureux de rétablissement nous rappellent l'importance de miser sur les forces de la personne atteinte et de tous ceux qui peuvent lui apporter un soutien significatif.

Une approche d'accueil, de compréhension et de coopération avec les proches s'avère selon nous un élément incontournable de toute intervention en vue de faciliter le processus de rétablissement.

Devenir une alliée professionnelle

Même avant que je sois née, ma mère était atteinte de schizophrénie. C'est un mot difficile à prononcer, une maladie encore plus difficile à comprendre.

Aussi loin que je me souvienne, ma mère a toujours agi différemment des autres. Elle posait des gestes étranges en public et ça me gênait. Elle dormait beaucoup et ne se préoccupait pas beaucoup des tâches quotidiennes. C'était mon père qui prenait la relève. Ma marraine me gardait souvent, mes frères s'occupaient de moi, je me sentais quand même bien entourée. J'aimais l'école et j'y récoltais de bons résultats. Malheureusement, mes parents n'y portaient pas attention et ça m'attristait.

Quand ma mère se sentait bien, je partageais de beaux moments en sa compagnie. Elle chantait, me racontait des histoires. J'avais confiance en elle et si elle me mettait en garde contre quelque chose, je l'écoutais, même si le danger n'était pas toujours réel. J'ai appris très tôt à me débrouiller. À sept ans, je préparais mes repas et à dix ans, je faisais l'épicerie pour toute la famille.

J'ai aussi appris à épier ses moindres changements d'humeur pour me préparer aux crises éventuelles.

Chez nous, tout le monde savait quand une crise se préparait. La tension était palpable. Je ressentais de la rage, de la tristesse et de l'impuissance. Après le choc de l'hospitalisation de ma mère, parfois sous escorte policière, on vivait une période de soulagement et de répit. Je trouvais l'hôpital psychiatrique lugubre. La médication calmait ma mère, mais la rendait parfois comme une zombie. Je m'ennuyais d'elle lors de ses longs séjours à l'hôpital et encore plus dans certains moments de ma vie d'enfant, vivant chacune de ses rechutes comme un nouvel abandon.

A l'adolescence, je me suis distanciée d'elle, ne voulant surtout pas lui ressembler, même si elle était intelligente et généreuse. Lorsqu'elle était délirante, elle donnait son opinion à propos de tout et de rien dans les tribunes téléphoniques et j'en avais honte. Elle me refusait des sorties en classe pour des motifs nébuleux. Je ne savais jamais à quelle mère je m'adressais. J'ai donc appris à contourner ses décisions.

En m'éloignant de la famille, mon autonomie et la confiance en mes moyens se sont renforcées. De bonnes amies m'entouraient, me protégeant sur le plan émotif, c'était mes garde-folles. Tous les membres de ma famille gardaient d'ailleurs une certaine peur de devenir malades ou craignaient que leurs enfants le soient. Je me suis longtemps tenue loin de la psychiatrie jusqu'au jour où...

Non, je ne suis pas devenue malade, mais d'autres membres de ma famille l'ont été. Ça arrive d'ailleurs dans les meilleures familles!

Pour ma part, j'ai cheminé en m'engageant dans mon quartier pour différentes causes. Je suis devenue travailleuse sociale. J'avais toujours évité de travailler en psychiatrie.

Un jour, j'ai accepté un contrat pour suivre à l'externe des personnes atteintes de maladie mentale et leurs proches. J'avais craint longtemps que la maladie de mes proches ne nuise à ma crédibilité. J'ai relevé la tête, me disant : « A-t-on honte qu'un de nos proches ait le cancer? » J'ai constaté, une fois rétablie de mes blessures d'enfance, que je prenais beaucoup de plaisir dans ce travail. Je me suis branchée sur l'amour et l'intelligence que m'a légués ma mère. J'ai bâti ma crédibilité. J'utilise ma sensibilité de façon positive et je partage maintenant ma joie de vivre.

Ma mère a vécu jusqu'à l'âge de 72 ans dans un centre pour personnes âgées en dehors du réseau de la psychiatrie. On la percevait comme étant un peu étrange.

Pour moi c'était comme une normalisation, car elle ne portait plus l'étiquette de la psychiatrie et, par le fait même, moi aussi je me débarrassais de l'étiquette de famille psychiatrisée. J'ai beaucoup aimé ma mère. Elle m'a appris la bonté et l'acceptation inconditionnelle de l'humain au-delà de la charité, et surtout de la pitié.

Aujourd'hui, tous les espoirs sont permis. On soulage les symptômes de cette maladie beaucoup mieux qu'à l'époque de la maladie de ma mère. Par contre, son évolution et son pronostic demeurent difficiles à prévoir.

Aussi, il faut donner toutes les chances à la personne de se rétablir. La personne atteinte progressera si elle peut exploiter ses talents, trouver un sens à sa vie et prendre sa place dans la société.

Rappelez-vous qu'il y a toujours des alliés quelque part, même dans les institutions. La maladie du parent a parfois des conséquences inattendues sur les enfants : le développement de la compassion.

Cécile

Mon p'tit homme

Chez le jeune garçon, la maladie mentale a toutes les apparences de la délinquance juvénile. C'est à l'adolescence, une manifestation qu'on reconnaît partout.

Mon fils n'était pas un enfant difficile, mais le plus facile de mes enfants, sociable, joyeux. Un petit papier trouvé dans sa chambre sur lequel était écrit : J'ai besoin d'aide, nous a interpelés. Un rendez-vous a été pris à la fin du mois d'octobre à l'hôpital du Sacré-Cœur, en pédo-psychiatrie. Notre fils a 17 ans. Deux jours avant le rendez-vous, je lui avoue : « Tu as besoin d'aide. Nous aussi comme toi, on se demande ce qui se passe, et peut-être que tu as besoin de vor un psychologue. »

Après une heure avec mon fils, le psychiatre nous fait entrer à notre tour. Première question : « Madame, est-ce que vous pensez que votre fils a présentement un problème. » Hésitante, j'ai répondu : « C'est l'adolescence, peut-être qu'il a besoin d'aide psychologique? » Mon mari aussi donne son opinion. Et le psychiatre de dire : « Il est très malade. » Je me suis mise à pleurer comme si on m'annonçait le décès de mon mari.

Un coup de tonnerre dans le ciel bleu.

On va l'hospitaliser pour observer son comportement et commencer à le soigner. Je ne sais pas si vous comprenez! Son propre enfant qu'on abandonne, on sent qu'on l'abandonne. Il ne viendrait pas coucher à la maison.

Faire face à la maladie oui, l'accepter non. Mon mari me disait : « Écoute, ce n'est pas toi qui es malade. » Et moi de répliquer : « Je lui donnerais ma santé, moi, ma vie est avancée, dans la cinquantaine, je la prendrais moi cette maladie, mais pas lui, mon fils. Il commence sa vie. »

À l'hôpital, il téléphonait à ses amis, a toujours gardé contact avec son réseau. Ses trois grands amis, à l'université aujourd'hui, ont beaucoup appris sur la maladie mentale. « Au-delà de tout, il est notre ami, d'abord et avant tout », disaient-ils. Ils l'ont encouragé à chaque étape.

Avoir un enfant avec un problème de santé mentale chambarde la famille complètement, non seulement les parents, mais aussi les enfants. Au début, les autres membres de la famille sont distants, ignorants. Quand ils ont su qu'il était hospitalisé, ses frères le visitaient et ils manifestaient beaucoup de compréhension et beaucoup de sympathie. Ils l'aiment beaucoup, et ils continuent de s'occuper et de s'intéresser à lui.

L'histoire de mon fils se déroule sur plusieurs années. Chez les jeunes garçons, les manifestations de la maladie sont très fortes entre 17-18 et 30 ans. Le premier psychiatre nous avait dit que notre fils était un cas classique! Quelqu'un de très doué, artiste, très brillant. Il ne nous a jamais causé de trouble; tu ne reconnais plus ton enfant à cause de la maladie. Et la maladie étant très active, je ne vous donnerai pas de détails précis. De 20 à 30 ans, on est soufflé. Où est-il? Que fait-il? Avec qui? Et si ... tout à coup... Les séjours en psychiatrie, la porte tournante de fois en fois...

Il y a toutes les manifestations, la passivité, l'impossibilité de s'exprimer verbalement, dire qu'il n'a plus d'idées, la fuite des idées ... le dire clairement. Il ne savait plus quoi dire à ses amis, il n'avait plus d'idées dans sa tête. Comme si à un moment donné, il y avait une cellule d'enfermement, il est comme dans un monde à part. Il s'isole. En même temps, les psychiatres changent les médicaments, les thérapies. On tourne en rond jusqu'à ce que la stabilité s'installe. J'ai pris ma retraite à cette époque-là.

Le domaine des maladies mentales n'est pas physique. Arrêter de travailler devant mon impuissance pour lui aurait été une catastrophe. Sorti de l'hôpital, il appelle ses amis, et le voilà rendu chez l'un et l'autre. Je lui disais de se reposer. Dans ma tête d'infirmière, on sort de l'hôpital, on a besoin de repos. Pas lui, il était tellement content de ne plus être à l'hôpital. Ce n'est pas du tout la même dynamique. Pendant des années, j'ai tout gardé en moi. Je ne pouvais pas me confier non plus à cause des tabous, des préjugés. Je n'aurais pas pu arriver sur mon département et dire que mon fils avait une maladie mentale. Je n'étais pas capable d'en parler, trop d'émotions.

En prenant ma retraite et sachant que je ne pouvais pas arrêter toute activité, j'ai fait du bénévolat. La psychiatre de notre fils au tout début m'avait parlé de la Boussole. Elle nous avait même prêté un livre sur la schizophrénie que mon mari et moi avons lu. « Vous pourriez aller voir à la Boussole, ils ont des activités, une association de parents. » J'y suis allée une première fois, je me suis stationnée et je suis revenue à la maison. La deuxième fois à l'entrée, j'ai pris des dépliants, et rebroussé chemin. La troisième fois, j'y suis allée. Avant de prendre ma retraite, les conférences sur la schizophrénie et la médication nous intéressaient beaucoup tous les deux. La Boussole en offrait et cherchait des bénévoles, alors...

Avoir de l'information est une vérité qui libère. Qu'est-ce que c'est cette maladie? Quels sont les symptômes que notre fils a présenté toutes ces années? À la Boussole, j'ai vu d'autres parents qui venaient aider, tout joyeux : « Comment va ta fille? Ça va bien, elle a fait telle ou telle chose. Nous partons une semaine à Cuba ». Nous autres, invités à Montréal, c'était un aller-retour dans la journée. Au Saguenay, un aller-retour dans la journée. S'il y avait un voyage, j'y allais seule, ou mon mari y allait seul, au cas où...

Ces gens croisés à la Boussole sortent, continuent leur vie. Ils ne savent pas tout le bien qu'ils m'ont fait, juste à les entendre parler. Je ne disais pas un mot, pas un seul mot. Qui est malade dans votre famille? Mon fils, point. Je ne voulais rien raconter. J'ai fait partie d'un comité de logement social. J'ai appris à connaître les autres organismes communautaires.

Quand mon fils a arrêté d'étudier à 25 ans, il fallait qu'il fasse quelque chose. Je l'ai inscrit au Pavois. On y offrait des plages horaires de travail adaptées à tous dans diverses entreprises selon l'intérêt de la personne. Le réseau thérapeutique est très important. Mon fils n'avait pas réintégré le monde dans un processus normal depuis longtemps, forcément, avec la médication, toute la difficulté de la médication, etc.

Il n'y a pas de hasard dans la vie, tout est comme un peu déterminé. Je vais à un concert toute seule, il y avait une place vide à côté de moi. Quelqu'un arrive : « Me reconnaissez-vous, Dr Evans Ville-neuve ... » (il avait soigné mon fils à Sacré-Cœur comme résident. « J'aimerais avoir des nouvelles de votre fils. » Un médecin qui vient nous parler avant un concert et qui s'intéresse à notre fils! Il est direc-teur de la clinique Le Faubourg. « Vous savez, on aimerait bien qu'il prenne plus d'autonomie. Je ne suis pas très autoritaire à la maison; je ne veux pas créer un climat ennuyeux, être sur son dos. Si sa chambre est à l'envers, je la remets en ordre et je me dis, un jour peut-être qu'il va changer, surtout gardons un atmosphère agréable. » « Vous savez Madame, je pourrais vous le transférer à la clinique de traitement et de réadaptation en psychiatrie de Nemours, CTR, spécia-lisée dans la réintégration. Mais avant, je vais l'inviter à ma clinique du Faubourg pour voir comment il se porte. »

Tout a été merveilleux à la clinique de traitement et de réadap-tation en psychiatrie de Nemours, CTR. Toute une équipe multidiscipli-naire, psychiatres, psychologues, travailleurs sociaux, éducateurs spécialisés, et tout ce monde gravite autour de la personne. L'éducatrice de mon fils nous racontait tous ses bons coups. « Il y en a qui ont repris le travail », nous disait-elle! Je ne la croyais pas du tout. Et pourtant...

Bien sûr, il y a un long parcours avant d'arriver à une stabilité. Il y en a qui n'y arrive pas. Les statistiques sont là. Devant notre impuissance, on faisait confiance au CTR. Il nous fallait faire confiance à d'autres personnes. Mon fils a arrêté de faire des tentatives de suicide. Ils l'ont convaincu qu'il fallait vivre avec sa maladie, contrôler les symptômes, accepter la médication comme un diabétique. On n'accepte jamais sa maladie, on accepte de vivre avec elle.

En deux à trois ans, on a vu un changement. Il aime bien vendre. Alors, il a commencé dans une friperie deux jours semaine, 4 heures par jour, sa médication bien dosée. Il y a des modèles à suivre dans les thérapies de ces personnes, des étapes. La gérante de la friperie, une éducatrice spécialisée, voit les symptômes chez ces personnes, les encourage, leur donne du soutien. Mon fils recommen-çait à vivre. On avait confiance en lui. Il y a deux ans, ils lui ont dit qu'il était capable de se trouver un emploi. Aujourd'hui, il travaille à temps complet. Il se bâtit et il est encouragé.

Notre famille revient de très loin. Devant un parent à qui ça vient d'arriver, désemparé, paniqué, que peut-on dire comme encouragement immédiat? Ma première réaction : « Je ressens beaucoup de peine, beaucoup de compassion. Je suis capable de l'encourager. » Tout cela est très dur, mais il faut avoir confiance. Ce qui est difficile pour certains parents, c'est lorsque la personne ne veut pas être soignée, ne veut pas prendre ses médicaments, c'est terrible. Nous, heureusement, on n'a pas connu cela.

J'ai appris une chose, entre autres, qu'il ne servait à rien de s'en faire pour rien. Au début, l'enfant n'entre pas, tu es à la fenêtre, tu descends, tu ne dors pas, il est 2 heures du matin, 3 heures moins quart. J'ai appris à dormir quand même, l'important c'est que je me repose. Si le téléphone sonne, on répondra. Si c'est demain matin, on verra ce qu'il faut faire. J'ai arrêté d'appréhender les choses, de m'inquiéter inutilement.

Quelle couleur peut-on donner à l'espoir, me demande souvent les gens. L'espoir est de voir la personne reprendre sa personnalité propre. On la retrouve comme elle était, assez joyeuse, très sociable, avec un bon jugement. Mon fils fait partie d'un atelier d'écriture au Pavois avec d'autres, ses idées ont changé, il a évolué. La poésie, la musique, les livres et sa réintégration sont son rétablissement à lui, ce qu'il est redevenu comme individu.

Je suis allée à l'Agence de la santé, dire qu'il devrait y avoir d'autres cliniques comme celle de NEMOURS, des équipes multidisciplinaires qui s'occupent des personnes, la force de ces intervenants fait toute la différence. Mon fils voit encore son éducateur, mais moins fréquemment. C'est ça le suivi qu'on défend tant, le suivi intensif après une hospitalisation, le suivi à rythme variable par la suite. Les parents n'étant pas des thérapeutes, sachant qu'ils ne seront pas toujours là, se sentent soulagés moins inquiets. Le suivi est très important. L'éducatrice nous avait dit qu'entre 20 et 30 ans, il faut mettre beaucoup d'efforts pour les rendre autonomes. Dépassés la quarantaine certains ne peuvent plus changer, mais plus jeunes c'est possible.

Le docteur Hubert-Antoine Wallot suit mon fils aujourd'hui. Quel personnage, un artiste lui-même, un peintre, ses toiles sont partout au CTR. Le docteur l'encourage dans sa poésie. Il faudrait qu'on multiplie les Nemours, ces centres de thérapie. En tant que parents, on a vraiment touché du doigt l'importance des moyens thérapeutiques et des résultats probants pour mon fils et les autres au CTR. Il y a du monde sur notre chemin qui nous aide énormément, de bonnes personnes.

À la clinique de Nemours, l'évolution a été formidable. Avant, mon fils était vu une fois par mois par une psychiatre, et ce, pendant dix ans. Il avait l'impression de ne pas progresser. La rencontre se limitait essentiellement à maintenir et ajuster la médication. Tandis qu'à Nemours, ça été merveilleux et jamais, il m'a dit qu'il ne voulait pas voir le psychiatre.

Consulter en psychiatrie, c'est encore plus pénible si les résultats ne sont pas évidents. Avec les secours adéquats, on peut aller beaucoup plus loin que seulement limiter les dégâts et éviter une psychose en offrant une médication appropriée. Tout est permis pour que la personne redonne une direction à sa vie.

Micheline Bergeron

Un nouveau mode de gestion selon un modèle de rétablissement

Louise Marchand

Un nouveau mode de gestion selon un modèle de rétablissement

Pourquoi avoir choisi de travailler dans le domaine de la maladie mentale? Je me suis souvent posé cette question. Certaines personnes ont des proches qui ont souffert de maladie mentale; ils viennent peut-être y chercher des réponses, ce n'était pas mon cas. Étudiante en éducation spécialisée, j'ai fait des stages chez les délinquants et les sourds-muets, mais c'est chez les personnes qui vivaient des problèmes de santé mentale que j'ai préféré travailler, particulièrement avec les personnes souffrant de psychose. Ce sont des personnes droites, honnêtes, très souffrantes, mais qui travaillent tellement fort pour s'en sortir que j'ai toujours été touchée par elles, elles sont mes héros!

C'est de fil en aiguille que s'est construite ma vision de la gestion selon le modèle du rétablissement. Ma première rencontre avec l'univers de la santé mentale remonte à 1973. Alors étudiante en éducation spécialisée, j'obtiens un emploi d'été au Service des loisirs à l'Hôpital St-Michel-Archange, avant d'y revenir pour y faire mes stages et compléter ma formation universitaire. Fraîchement diplômée, l'hôpital m'engage, à l'essai, pour une période de six mois comme monitrice en réadaptation. Si, au terme du contrat, je pouvais faire la démonstration que la profession d'éducateur était utile pour l'établissement, j'allais être embauchée comme éducatrice et on ajusterait mon salaire en conséquence. Il semble bien que l'expérience ait donné des résultats, puisque j'y suis depuis plus de 35 ans! Quand je fais le bilan de ma carrière, je me rends compte que je suis vraiment une pionnière dans ma profession!

Pourquoi une pionnière? Parce que dans les années '70, la profession d'éducateur en était à ses premiers balbutiements en milieu hospitalier. En fait, j'ai été la première technicienne en éducation spécialisée à travailler à l'Hôpital St-Michel-Archange. L'absence de modèle, qui pourrait être vu comme un manque ou un obstacle au développement de mon rôle, a fait en sorte que j'ai dû conjuguer mon intuition à ma personnalité, ma créativité à mes connaissances, pour m'approprier une vision conforme à mes valeurs et à mes convictions. Ma formation en éducation spécialisée m'avait sensibilisée à l'importance de préserver les forces et l'autonomie de la personne et à mes yeux, l'état de santé de la personne hospitalisée en psychiatrie ne justifiait pas une prise en charge totale, comme c'était le cas à cette époque. Mon poste dans une ressource qui faisait la promotion de ce qu'on appelait alors la réadaptation psychiatrique m'a permis de mettre des mots sur ce que je pressentais, ultérieurement, ma vision de la personne s'est enrichie de l'approche du rétablissement et est devenue, pour moi, un modèle à suivre.

Par la suite, j'ai pu accéder à certains postes de professionnelle où mes connaissances et mes compétences m'ont permis d'affiner un leadership fondé sur la vision du rétablissement.

À un autre niveau, ma pratique clinique allait me préparer à ma pratique de gestion. Je travaille depuis longtemps dans un milieu où j'ai épousé la philosophie du modèle de rétablissement, et pour y avoir cru et participé, il était facile pour moi d'incarner ces valeurs sur le plan de l'administration. En d'autres mots, le volet clinique s'adressait aux patients et la gestion s'adressait davantage aux employés y incluant leur approche auprès de la clientèle, au bénéfice d'un meilleur service aux patients. D'une aventure microscopique, mon expérience terrain s'est transformée en aventure de gestion. L'Hôpital St-Michel-Archange, devenu ensuite le Centre hospitalier Robert-Giffard et aujourd'hui l'Institut universitaire en santé mentale de Québec, a adopté la vision du rétablissement et s'applique à l'implanter à tous les niveaux, dont celui de la gestion.

Miser sur les forces de la personne

Quand je m'adresse à un usager ou à un employé, je suis convaincue que cette personne a des forces, un potentiel, des capacités et….des limites. Un peu comme le verre à moitié vide ou à moitié plein, tout dépend de l'angle ou de la paire de lunettes que l'on porte. Toutes les personnes ont ce qu'il faut pour cheminer, aller un peu plus loin et s'approcher de leur rêve. Ils peuvent se prendre en main si le rêve ou l'objectif qu'ils poursuivent fait du sens pour eux, qu'il les motive et les intéresse suffisamment pour les accrocher, les mettre en marche. Parfois, en cours de route, les événements ou les expériences inciteront les personnes à ajuster et à modifier leur cible, mais ce sera toujours leur propre choix, leur décision et c'est ce qui est primordial.

Miser sur les forces, cela peut vouloir dire aussi mettre des limites au confort qu'on offre à une personne de telle sorte qu'elle se sente un peu forcée à se mobiliser. Cette valeur va à l'encontre de l'idée reçue que le meilleur soin est celui qui confère le meilleur confort à la personne.

La nature humaine, notre culture ou notre formation nous portent souvent à mettre le focus sur la maladie, les symptômes, les limitations ou les difficultés de la personne. En travaillant avec l'approche du rétablissement, ces éléments ne vont pas être ignorés, ils sont plutôt mis en perspective. Tout en les prenant en considération, l'approche nous incite à identifier et à se centrer sur les forces, les atouts qui appartiennent à la personne et c'est d'autant plus porteur lorsque la personne est aveuglée par les épreuves qui l'accablent et qu'elle ne voit plus d'issue. L'espoir suscité devient la clé de voûte, l'étincelle qui met le moteur en marche et... qui sait jusqu'où la personne peut aller?

Le contexte historique

Tout au long de ma formation, on m'a inculqué la nécessité de tout mettre en œuvre pour préserver et développer l'autonomie de la personne. Ces valeurs font partie de mes convictions profondes et m'habitent toujours. Mais dans les années '70 où j'ai commencé à travailler, les choses étaient forts différentes.

À cette époque, on considérait facilement la personne atteinte de maladie mentale comme une personne régressée : elle avait perdu ses aptitudes et son potentiel et, donc, il fallait veiller sur elle, surtout en prendre soin sans trop lui confier de responsabilités. La perception d'alors visait à protéger le patient, mais ce faisant, la conséquence en était une d'infantilisation et de dépossession de soi. Dans cette optique, le personnel *expert* prenait en charge cette personne jugée incapable de se gérer elle-même et démunie. L'indulgence des professionnels réduisait ces personnes à un rôle de citoyen de seconde classe. Avec une vision aussi fragmentaire de la personne, il était normal qu'on se mette à surprotéger et, sans le vouloir ni sans s'en rendre compte, à déposséder graduellement les personnes de leurs habiletés, connaissances et acquis. Plusieurs d'entre elles se sont retrouvées infantilisées et s'en sont docilement remis aux intervenants pour décider à leur place.

Une gestion zéro risque

Au plan de la gestion, les organisations et leurs gestionnaires étaient habitués à ce que tout soit déjà décidé et réglé par le biais de politiques, de procédures et de règles. Ils appliquaient des normes qui avaient été élaborées par d'autres instances, à une autre époque. Connues et appliquées par tous, elles étaient *la* référence. La vie de travailleur et de patient était relativement réglée *mur à mur*, sans beaucoup de considération ou de nuance pour les situations particulières. Avec le recul, il me semble qu'on ne se pose plus beaucoup de questions sur les façons de faire…

Compte tenu de mes convictions, de telles pratiques heurtaient mes valeurs. Qu'advenait-il de l'autonomie quand on décidait pour autrui et qu'on allait même jusqu'à attacher les lacets de ses chaussures? Comme éducatrice, j'allais sur les unités de soin et je tentais de sensibiliser le personnel à une autre façon de faire comme, par exemple, à l'importance de laisser le patient attacher lui-même ses souliers, à l'accompagner pour lui montrer comment se raser au lieu de le raser[101].

Indulgence et surprotection versus autonomie et responsabilisation

Les patients étaient perçus comme tellement différents et démunis qu'on acceptait qu'ils aient des comportements anti-sociaux; ils leur étaient pratiquement déjà pardonnés. J'essayais de faire de l'enseignement sur les bons comportements sociaux. Bien souvent, un comportement jugé inacceptable dans la communauté était toléré

---

[101] *Les pratiques en cours donnaient lieu à des « actes impersonnels ». Les patients étaient souvent alignés les uns à côté des autres et un employé se penchait pour attacher les lacets de chaussures ou d'espadrilles de chacun. Il en était de même pour le rasage des patients : à l'aide du rasoir personnel de chacun, l'employé les rasait et leur mettait de la lotion, tour à tour, en série…les uns après les autres.*

et excusé dans l'institution. Par exemple, il était courant de voir des patients piger avec leurs mains et manger les restes de nourriture laissés dans les assiettes sur le chariot à la porte extérieure de la cafétéria du personnel. Il était *normal* que les patients écrasent leurs cigarettes sur le plancher, quelque soit l'endroit où ils se trouvaient dans l'hôpital, ou encore que les dames se fassent payer vingt-cinq sous pour embrasser un monsieur, etc.

On fermait les yeux sur ces comportements inappropriés parce qu'ils étaient posés par des personnes *irresponsables*. Inutile d'essayer de les corriger, devait-on se dire! Une telle tolérance avait pour effet pervers de renforcer les comportements régressés et d'en entretenir ainsi la contagion.

À titre anecdotique, la différence était tellement cristallisée et circonscrite qu'elle constituait en elle-même une microsociété. L'hôpital gérait, avec ses propres lois, ses propres normes et règles, une société malade qui pouvait avoir son carnaval asilaire.

Près de quarante ans se sont écoulés. Au rapport hiérarchique de l'époque, on lui préfère des rapports davantage égalitaires, où la personne malade détient encore le contrôle de sa vie. Plus égalitaire, au sens où la personne malade ne perd pas le contrôle de sa vie; elle est vue comme une personne capable de rétablissement avec le potentiel de se reprendre en mains. Elle est encouragée à référer à ses connaissances, à son savoir et à son expertise. Le patient est vu comme une personne qui détient une expertise et, à ce titre, est elle aussi une source de savoir.

La découverte et la mise en valeur du rêve

Lors de conversations informelles, il était fréquent que des patients relatent des souvenirs de leur famille, de leurs enfants, qu'ils parlent du rêve qu'ils caressaient de retourner dans leur village natal, de reprendre leur métier. Le personnel dévoué les écoutait sans croire toutefois que la personne ait le potentiel d'y parvenir. Par bienveillance, et probablement pour éviter la désillusion, on préférait la persuader au plus vite de renoncer à ses rêves...

L'absence des familles

À cette époque, lorsque les personnes souffrant de maladie mentale, de tuberculose ou de déficience intellectuelle étaient hospitalisées, il s'agissait bien souvent d'un *placement à vie*. La culture d'alors voulait qu'on confie la personne aux experts de l'hôpital et qu'elle y reste toute sa vie, sans possibilité d'en sortir un jour. Dans un tel contexte, on peut mieux comprendre pourquoi la visite des familles ou des proches aux *patients psychiatrisés* se faisait rare. On ne leur apportait pas de fleurs ni de chocolat, comme on le faisait pour les personnes hospitalisées dans un hôpital général. Non, une fois entré à l'hôpital psychiatrique, point de salut, on allait y finir ses jours, seul et oublié. Les familles *plaçaient* la personne et celle-ci devenait, du fait, un malade mental. Elle n'était plus considérée comme un proche avec lequel on pouvait entretenir des liens positifs. Au mieux, et dans de rares cas, certains patients pouvaient recevoir du courrier, des cartes de Noël ou un peu d'argent.

Les approches pour amener les familles à voir autrement leur proche hospitalisé n'existaient pas encore.

L'hospitalocentrisme et l'institutionnalisation intégrale

Ainsi, pour meubler la vie des patients, puisqu'ils ne sortaient jamais, l'hôpital comprenait, en plus de ses pavillons de soins, un magasin, un restaurant, un casse-croûte, un cinéma, une salle de quilles, un gymnase et des cours intérieures où les équipes de balle-molle formées de patients des diverses unités se faisaient compétition. À l'occasion, on y tenait des soirées dansantes et chaque année, l'hôpital organisait ses propres Olympiques et son Carnaval. *St-Michel-Archange* avait son propre *Bonhomme et ses duchesses*. Le véritable *Bonhomme Carnaval de Québec,* accompagné des duchesses, venaient rencontrer le *Bonhomme* local[102] et rendaient visite à tous les patients.

---

[102] *Même le bonhomme Carnaval local avait l'air malade. Alors que celui de la Ville était bien blanc, doux et bien rembourré, celui de l'hôpital avait une grosse tête en papier mâché, portait un costume en flanellette de coton toute jaunie et sans aucun remplissage. Le contraste était désolant. Les duchesses de notre carnaval local étaient élues parmi les clientes. Celles-ci mettaient leurs plus beaux atours, se maquillaient et allaient chez la coiffeuse pour l'occasion.*

Au lieu d'inclure les patients à la communauté et de partager avec eux la vie de tous les jours, on leur recréait plutôt une imitation de société... en marge de celle-ci.[103]

La fatalité qui semblait habiter les usagers face à leur avenir dans l'hôpital me troublait. Heureusement, quelques-uns retournaient vivre dans la communauté et s'y maintenaient. Avec quelques collègues, je partageais ma consternation de ne pas pouvoir envisager cette avenue pour la majorité. Nous étions conscients de leur potentiel non actualisé, mais nous ne pouvions que constater, sans plus.

Redonner la parole aux usagers et mettre leurs forces en valeur

Plus tard, vers les années 1975, j'ai travaillé au Centre Nelligan[104], centre qui offrait des activités thérapeutiques à toute la clientèle de l'hôpital. J'y animais, entre autres, un groupe de *remotivation*. Il s'agissait de rencontres de groupes de 8 à 10 personnes et on y discutait de sujets connus ou qui les intéressaient.

Cette activité contrastait franchement avec le séjour ordinaire des patients, habitués d'être silencieux, alignés dans leurs chaises le long des murs, se berçant et fumant. C'était la seule activité inscrite à leur séjour où on s'intéressait à ce qu'ils pouvaient dire, où ils pouvaient vivre une situation de groupe et où ils étaient invités à parler de leur vécu ou de leurs connaissances.

Je me souviens, la plupart du temps, je proposais un sujet de conversation. À quelques rares occasions, un participant en suggérait un : le chien, l'agriculture, la pêche. J'apportais alors des hameçons, une canne à pêche et les patients racontaient une histoire de pêche qu'ils avaient vécue. Au fil des échanges, ils s'éveillaient, leur posture accablée se dénouait, leur regard s'illuminait et d'une fois à l'autre, plusieurs revenaient à l'activité. Pour la première fois, on intégrait une façon de faire centrée sur les forces, sur le vécu de la personne, sur

---

[103] L'hôpital détenait, tout près, une base de plein air sise sur la 80e rue (maintenant Boul. Louis XIV) à Charlesbourg. C'est à cet endroit que toutes les activités à l'extérieur des terrains de l'hôpital se déroulaient : baignade dans une piscine hors-terre, pédalo et chaloupe dans le lac artificiel, épluchettes de blé d'inde, pique-nique, etc.

[104] Le Centre Nelligan était un centre de jour offert d'abord aux clients hospitalisés. Il offrait une panoplie d'activités thérapeutiques pour les clients des unités d'admission, pour les unités « long terme » et même pour les clients qui étaient radiés (6) de l'hôpital mais qui avaient encore besoin de la thérapie qui y était offerte. Autrement dit, un jour le client obtenait son congé, retournait vivre dans son milieu de vie dans la communauté, mais le lendemain il revenait à l'hôpital pour participer à ses activités thérapeutiques. Cette réalité a duré jusqu'à ce que le centre de jour externe (Centre Mgr Gauthier) voit le jour.

ses connaissances, pas juste sur sa maladie. On commençait à mettre un peu la table pour le *rétablissement*.

Le dessein d'un rêve

Comme éducatrice, j'avais découvert des aspects négligés chez les personnes hospitalisées et des aspects professionnels que je voulais bonifier, pour améliorer mes interventions. Certes, j'avais fait quelques expériences, mais je sentais le besoin de me perfectionner afin de mieux articuler mes actions. J'avais développé le rêve encore flou d'une approche nouvelle dans mon travail.

Ainsi, tout en continuant de travailler à temps complet, je me suis mise à la recherche d'une formation universitaire *sur mesure* qui répondrait aux besoins spécifiques que j'avais identifiés à partir de ma réflexion personnelle, de mon expérience de travail, mais aussi de ce que mon expérience de vie m'avait appris sur le fonctionnement des personnes.

Forte de ma réflexion, j'ai tenté de négocier, avec certains responsables du baccalauréat à l'Université Laval, pour suivre les cours les plus pertinents à mes yeux et me faire exempter de ceux qui apparaissaient moins utiles à mes aspirations. Je ne voulais pas d'une formation organisée planifiée par un département de l'université, je voulais une formation qui *colle à mes besoins*. De guerre lasse, on m'a finalement proposé le *Baccalauréat général individualisé*. Puisque sa particularité était justement que je pouvais lui donner l'orientation que je voulais, j'ai opté pour des cours qui portaient particulièrement sur les interventions en santé communautaire, sur la psychologie sociale, sur les approches cognitivo-comportementales, les outils de mesure et d'évaluation, de même que sur les particularités des adultes en situation d'apprentissage.

L'importance du plan d'intervention

J'ai vite compris que mes caprices de formation avaient un prix. En acceptant cette option, il fallait donc, avant d'entreprendre les cours, que je prépare un plan (d'intervention) à partir de mon projet (de vie); je voulais poursuivre mon travail et compléter ma formation universitaire sous la forme du Bac général individualisé.

J'ai donc identifié mes besoins de formation sous forme d'objectifs généraux et spécifiques puis, répertorié les cours qui m'aideraient à les atteindre. Autre obligation, je devais trouver un professeur titulaire qui endosse mon projet, me guide sur la justesse et la pertinence de mes choix pour qu'à son tour, il rencontre les directeurs du 1er cycle et du bac général et qu'ils entérinent ma proposition de formation. C'est dans ce contexte que j'ai vraiment expérimenté l'utilité de bien planifier un projet, qu'il soit personnel ou professionnel. Je découvrais, sans trop le réaliser sur le coup, l'importance d'un plan d'intervention pour chaque personne dont je m'occupais, un plan d'action centré sur les besoins sentis et validés. Je découvrais peu à peu, sans les joindre immédiatement tous ensemble, les concepts du rétablissement.

La découverte clinique des éléments du rétablissement

En 1998, ayant terminé ma formation universitaire, j'étais désireuse d'actualiser davantage les apprentissages faits au baccalauréat et je me suis joint à la nouvelle équipe du Centre de traitement et de réadaptation(CTR) de Nemours[105], une ressource qui venait tout juste d'ouvrir ses portes dans la communauté.

Dans ce milieu où on a consacré les premiers efforts à implanter l'approche de réadaptation psychiatrique, j'ai appris à travailler encore davantage avec les forces des personnes. Appuyée de collègues sensibles à l'écart existant entre nos propos (annonçant au patient qu'il était au centre des décisions qui le concernaient) et la tradition en place (où l'équipe d'intervenants faisait le plan d'intervention (PI) des patients), nous avons développé un nouveau PI qui mettait la personne en action, c'était elle qui élaborait et rédigeait *son* plan à partir de *son projet de vie*, et elle le coordonnait avec l'aide d'un intervenant-pivot.

---

[105] (5) Le CTR de Nemours est situé dans la ville de Charlesbourg. Il constitue une des composantes du programme des troubles psychotiques de l'Institut universitaire en santé mentale de Québec. Il offre un suivi axé sur l'approche de la réadaptation psychiatrique et fait maintenant la promotion du rétablissement des personnes atteintes. Il mise sur les forces et les habiletés des personnes, met tout en place pour raviver leur espoir, les aider à surmonter leurs difficultés et à se diriger à leur rythme vers leur projet de vie. La place centrale est accordée aux personnes, ce sont elles qui décident pour ce qui les concernent. Elles sont aussi invitées à participer aux divers comités. L'équipe interdisciplinaire du CTR déploie ses services dans la communauté, que ce soit à l'appartement du client, dans les appartements de réadaptation qu'il a développés, à sa résidence de groupe ou dans ses 7 lits de traitement dans la communauté.

En cheminant avec le CTR, j'ai découvert le concept du rétablissement et l'importance des divers facteurs qui s'y rattachent, notamment :

1) *la mobilisation du client* autour de l'articulation d'un plan d'intervention axé sur un projet de vie qui traduise sa reprise de contrôle sur son autonomie et sur sa vie;

2) *le travail en équipe interdisciplinaire* pour mieux intervenir auprès du client;

3) *le travail avec des organismes communautaires* (ex. PECH, Croissance-Travail, Le Pavois, Moisson-Québec, etc.).

Même si je détenais désormais un baccalauréat, j'ai continué pendant quelques années à travailler comme éducatrice; un poste de gestionnaire ne faisait pas partie encore de mon plan de carrière. Puis, un jour, j'ai eu l'occasion de postuler pour un emploi de gestionnaire au CTR et j'ai eu le goût de tenter l'expérience.

Le plongeon dans la gestion

Nouvellement arrivée comme gestionnaire, je n'avais pas eu l'occasion de faire mes preuves ou mes classes ailleurs. J'étais consciente de marcher sur la corde raide et de gérer de façon peu orthodoxe, du moins pour les habitués de l'établissement. Je suis donc allée puiser dans mon expérience et dans la vision acquise comme clinicienne; l'exercice s'est avéré fort utile. L'attitude que j'avais développée avec la clientèle allait devenir la base de mon approche comme gestionnaire : au même titre que le patient, l'employé était *une personne en démarche vers un projet de vie professionnelle*. C'est dans cet esprit que j'ai tenté de déployer tous les moyens à ma disposition pour mettre en place les conditions qui permettraient au client, à l'employé ou à la ressource, d'accéder à une nouvelle étape dans sa croissance.

La nouvelle vision du client avec ses forces et son potentiel, imposait un changement dans le type de gestion qui s'y rattachait. J'adhérais déjà à l'approche comme éducatrice, il me fallait la transposer au rôle de gestion.

Adapter les règles de l'organisation à ses objectifs

C'est ma conviction profonde que notre devoir est de répondre aux besoins du client qui m'a guidée depuis longtemps et c'est sur elle que j'ai tablé lorsque j'ai eu à rencontrer mes collègues ou les coordonnateurs pour demander des ajustements ou des assouplissements aux règles existantes, et cela, tant pour les employés que les clients.

Pour donner toute la place à la personne et lui permettre d'actualiser son projet de vie, je devais oser questionner les politiques et, plus souvent qu'autrement, le besoin de les ajuster s'imposait de lui-même. Si j'avais géré avec rigidité, j'aurais brimé les clients dans leur potentiel ou dans leurs droits et j'aurais aussi limité les employés dans leurs initiatives et leur créativité. Heureusement, une vision commune et une étroite complicité s'étaient instaurées entre moi et la psychiatre responsable clinique. Nous avons eu de nombreux échanges et discussions pour concilier les aspects cliniques et administratifs. Ensemble, nous avons essayé de soupeser les risques potentiels d'un écart à la règle versus le bien-être et l'apprentissage que nous voulions offrir au client. À titre d'exemple, l'interdiction de consommer de l'alcool sur les lieux et les terrains de l'hôpital.

Dans les ressources externes, comme la résidence de groupe, il arrivait de temps en temps qu'un client revienne avec un petit sac de papier brun contenant une bouteille de bière achetée au dépanneur. Sans faire de bruit et sans déranger personne, il s'assoyait à la table à pique-nique, dans notre cour extérieure, pour la boire. Bien sûr, la règle demande à ce qu'il ne se consomme pas d'alcool sur les terrains de l'hôpital, et oui, on sait qu'avec la médication, le cocktail n'est pas idéal. Si nous avions été rigides, nous aurions demandé au client d'aller boire sa bière ailleurs. Ce dernier se serait possiblement rendu dans une ruelle avoisinante, sur les marches de l'école secondaire voisine ou sur le terrain du dépanneur. La psychiatre et moi sommes tombées d'accord : tant que la quantité consommée était minime, il valait mieux être tolérants et permettre au client de consommer sa bière à la résidence. Nous allions saisir l'occasion et faire en sorte qu'un intervenant trouve un moyen de l'aborder, de façon chaleureuse et constructive, et puisse le sensibiliser sur l'impact de la consommation d'alcool, même modérée, sur sa médication.

Autre cas, celui d'un usager qui voulait prendre son *petit verre de vin* alors qu'il habitait notre résidence de groupe. Nous avons dû intervenir pour lui faire comprendre que nous ne pouvions pas accepter cette habitude dans notre milieu de vie. Mais avant d'interdire, j'ai préféré me montrer ouverte envers les demandes ou les écarts à la règle. Je voulais *comprendre la raison* qui motivait cette digression. J'ai donc pu me positionner, évaluer les avantages et les inconvénients à la situation. Sans *autoriser* la consommation de façon officielle en l'inscrivant dans les règles de vie, j'ai préféré inciter les intervenants à *gérer les situations avec jugement et discernement*, selon les cas, comme j'essayais de le faire avec eux.

Comme gestionnaire, j'ai fusionné deux centres d'activités (centres de coût) en un seul, la conséquence étant que tous les employés d'une même discipline se retrouvaient dans le même centre d'activités. Cet arrangement, approuvé par le syndicat, a permis que lorsqu'un poste se libérait, dans l'un ou l'autre de mes points de service, les employés qui voulaient un déplacement pouvaient le faire. Les employés ont apprécié cette mesure qui leur permettait de demeurer dans la composante du CTR, tout en changeant de milieu de travail. Pour moi, comme gestionnaire, j'avais des employés heureux, qui se renouvelaient et s'accomplissaient dans leur nouveau contexte de travail. De plus, ça permettait de garder l'expertise du personnel qui s'était approprié la vision du rétablissement. Une autre fois, après discussion avec un éducateur, j'ai accepté l'aménagement du temps qu'il me proposait. Malgré le changement apporté, j'assurais la présence requise de personnel pour répondre adéquatement aux besoins des clients tout en permettant un partage équitable des tâches entre les deux éducateurs présents le matin pendant les week-ends. Autre exemple, j'ai accepté qu'un employé de soir ne prenne pas son temps de repas ni ses pauses pendant son quart de travail, il m'offrait de les reporter plutôt à la fin de son quart. Cette formule convenait à l'employé et de mon côté, j'évaluais que pour les clients, ils bénéficiaient plus longtemps de la présence de l'employé pendant qu'ils étaient encore actifs, soit la préparation et le partage du repas, le rangement de la cuisine et diverses tâches. Il était aussi disponible pour échanger avec la clientèle avant que ceux-ci se retirent à leur chambre pour la nuit. L'employé s'apprêtait à quitter à peu près vers ce moment. Cette entente accommodait autant l'employé que l'employeur. Ces deux situations n'ont pas été appliquées à tous les employés, comme toutes les autres, je les ai gérées avec discernement, en évaluant et en soupesant leur impact positif et négatif à tous les niveaux.

Bien souvent, pour ne pas dire toujours, la conclusion à laquelle nous parvenions entraînait une entorse aux règles en vigueur. Bien sûr, lorsque les décisions avaient une plus grande portée, comportaient un potentiel de risque ou pouvaient avoir une quelconque incidence, je m'adressais à un niveau supérieur et me faisais appuyer dans la décision à prendre.

Les intérêts du patient au centre des décisions

J'ai souvent eu à négocier des ajustements avec mes supérieurs ou avec des collègues rattachés à d'autres services de l'hôpital. Je me souviens, entre autres, qu'à mon arrivée au CTR, on avait préparé des plans d'architecte pour relocaliser notre résidence de groupe. Des appels d'offre avaient déjà été publiés dans les journaux. Après étude des nouveaux plans, je me suis aperçue qu'ils reproduisaient, à peu de choses près, la même formule. La désuétude des lieux exigeait de déménager la résidence dans un nouveau quartier, mais l'aménagement intérieur, lui, ne présentait aucune amélioration susceptible de favoriser le développement de l'autonomie des clients. L'ensemble était on ne peut plus conventionnel : neuf chambres pour les clients avec salon, salle commune, bureaux du personnel et du médecin ainsi qu'une cuisine pour y préparer les repas. Il me fallait intervenir et vite. J'ai donc demandé à mes supérieurs de modifier tous les plans d'architecte. Ma demande comportait, certes, d'énormes coûts, mais à force d'arguments, on a finalement compris que c'était la voie à suivre si on voulait vraiment valoriser l'autonomie et les apprentissages des clients.[106] Autre avantage, la résidence, dotée de studios, allait aisément répondre aux besoins changeants

---

[106] *Les nouveaux aménagements incluaient des studios, en plus des chambres. Pour les usagers, accéder à un studio, c'était le début de la vie (tant souhaitée) en appartement. Ils étaient associés à une vie meilleure. À leurs yeux, ils devenaient une source d'espoir et de motivation importantes dans la poursuite de leurs efforts pour s'en sortir. En respectant la gradation des apprentissages, la personne gagnait des services. Selon ses capacité, la vie en studio commence par entretenir les lieux, se faire un déjeuner. Plus tard, elle obtient l'utilisation de la cuisinière électrique (grâce à un disjoncteur séparé) et peut se faire diner ou souper. Elle n'a pas à prendre en charge tous ses repas d'un coup, comme ce serait le cas si elle habitait en appartement. Au contraire, de façon graduelle, elle peut alterner entre les repas de la résidence et ceux qu'elle s'apprête. L'augmentation de son autonomie se fait progressivement.*

des clients sur une période de 7 à 10 ans (durée du bail qu'on s'apprêtait à signer).

Une fois le nouvel aménagement accepté, je me suis lancée dans une autre bataille : convaincre mes collègues d'ajuster le coût de location d'un studio selon le niveau d'autonomie de l'usager. Ce n'était pas gagné d'avance! Pour contrer les symptômes négatifs de la maladie (qui sont entre autres, le manque d'intérêt, la difficulté à passer à l'action et le manque de motivation) je me suis dit que le coût du loyer pouvait être un incitatif pour favoriser l'implication de l'usager dans sa réadaptation. Le concept était simple : plus l'usager faisait des progrès dans sa réadaptation,[107] plus il s'acquittait des tâches (AVQ), plus le prix de location de son studio baissait. Au premier abord, cette procédure semblait difficile à implanter, mais mes collègues gestionnaires, sensibles aux avantages qu'elle procurait pour stimuler la clientèle, ont fait le nécessaire pour lui faire suivre son cours. En peu de temps, ils ont réussi à la faire accepter par la Direction des ressources financières de l'hôpital. Plusieurs années plus tard, elle est toujours en vigueur et semble donner les résultats escomptés!

Gérer, oser, créer, dans le respect des autres

Je conçois mon rôle de gestionnaire un peu comme un intervenant le fait avec ses clients : prendre le temps de connaître son personnel, bien comprendre leur réalité, leurs ambitions, identifier leurs forces et les faire grandir face à leurs difficultés.

Comme le gestionnaire s'attend, dans la mesure du possible, à ce que l'intervenant module ses services en fonction des personnes et de leurs besoins, le gestionnaire, qui peut servir de modèle pour l'intervenant, aura tout intérêt, lui aussi, à ajuster et à nuancer sa façon de faire selon les employés, tout en maintenant une certaine cohérence et une équité entre tous.

Au sein de l'organisation, le gestionnaire devient l'intermédiaire entre la direction et l'usager, qui en est sa raison d'être.

---

[107] L'usager devait notamment démontrer des progrès aux plans de l'autonomie, de sa capacité à assumer ses tâches quotidiennes et domestiques, et devenir de plus en plus actif dans la communauté pour avoir droit à la réduction de son loyer.

Savoir oser

J'ai toujours su utiliser mon imagination pour contourner les obstacles et démontrer, à l'aide d'arguments solides, que l'ajustement souhaité apportait plus d'avantages au patient que le statu quo. En voici quelques-uns qui concernent l'usager :

- Possibilité de prendre un repas en dehors des heures conventionnées;

- Ne pas faire de tournées la nuit pour certaines personnes;

- Faire réparer un mur brisé par le client qui l'a brisé ou sabler et vernir un meuble par le client qui l'a endommagé;

- Permettre aux usagers de peindre les murs de leur appartement;

- Permettre à un usager de se payer un abonnement à la télé numérique;

- Avoir un hamster dans sa chambre (à la condition de bien entretenir sa chambre au préalable) et de bien soigner l'animal et son environnement;

- Proposer à un client de planifier avec lui un voyage à l'étranger (et ainsi éviter de le voir fuguer);

- Accepter la location de films 3 X pour un usager;

- Faire le suivi d'un client à l'étranger (Mexique);

- Payer les frais pour que des clients puissent participer aux colloques de l'AQRP (Association québécoise de la réadaptation psychosociale) et même l'un d'eux est venu avec nous au congrès de réadaptation à Boston;

- Ajuster le prix de sa chambre au CTR à celui demandé dans la communauté lorsqu'un usager qui a besoin de services veut quitter pour des raisons financières;

- Introduire les usagers dans tous les comités de fonctionnement interne.

Transposer l'approche individuelle du rétablissement au niveau de l'organisation et de son personnel

De même, à l'intention des intervenants, les ajustements proposés visaient à les encourager à développer l'autonomie du client. Les modifications apportées aux pratiques entourant le suivi à domicile sont, à ce chapitre, plutôt éloquentes.

Le suivi à domicile : les limites de l'intervention

J'avais noté que, dans le cadre du suivi au domicile du client, l'intervenant était porté à aller chercher le client chez lui et à le raccompagner, à la fin de son intervention. Était-ce nécessaire? J'ai donc demandé aux intervenants de se questionner sur cette façon de faire. Est-ce que l'aide au client pour faire son épicerie, pour aller au centre local d'emploi (CLE)* ou autre devait inclure obligatoirement que le déplacement soit fait avec le véhicule de l'employé? Eh bien non! Au contraire, il fallait inciter le client à se rendre à l'endroit convenu par ses propres moyens; au besoin, lui apprendre à s'y rendre avec le transport en commun, et lui indiquer comment retourner chez lui en toute sécurité. *Il fallait savoir tracer les limites de l'intervention pour favoriser l'autonomie du client.*

Ainsi, au lieu de fournir le transport aller-retour à l'épicerie, l'intervenant devait plutôt inciter le client à économiser son argent pour se procurer un panier pliant sur roues pour transporter ses provisions ou s'acheter des billets d'autobus. Son rôle était d'aider le client à faire les bons choix alimentaires, à acheter les bonnes quantités, à lui offrir le soutien dont il avait besoin.

Même que certains intervenants allaient dans les supermarchés où, me disaient-ils, le total de la facture était moins élevé pour les clients : *ils voulaient leur faire faire des économies.* L'objectif était peut-être louable, mais ce n'était pas le but de l'intervention. Le rôle de l'intervenant consistait plutôt à l'aider à faire les bons choix et ainsi, favoriser l'acquisition de son autonomie.

Si, plus tard, le client n'avait pas les moyens physiques ou financiers d'y aller par lui-même, ne valait-il pas mieux l'habituer dès maintenant à faire ses achats à un endroit où il pourra aller seul? Ce sera beaucoup plus facile pour lui lorsque nos interventions diminueront, puis cesseront. Il faut apprendre au client à se passer de nous.

---

* *Emploi-Québec dispose d'un réseau de quelque 150 centres locaux d'emploi (CLE) et points de service, répartis dans tout le Québec. Chaque centre offre des ressources et des services aux personnes qui ont besoin d'une aide en matière d'emploi ou d'une aide de dernier recours.*

On constate ici qu'un des rôles du gestionnaire consiste à recentrer, de temps à autre, le travail de son personnel, lui rappeler ce qu'on attend de lui, et lui éviter de tomber, sans s'en rendre compte, dans des solutions de facilité ou de prise en charge qui nuisent aux apprentissages du client.

Ainsi, à partir d'expériences vécues, le gestionnaire peut proposer d'autres façons de faire que l'intervenant peut adopter pour le plus grand bénéfice du client.

En voici quelques-uns :

- Permettre l'utilisation de la même toilette pour tout le monde (personnel et clients). Si elle est sale, on la lave;
- Permettre l'utilisation ou le prêt d'un ordinateur donné par la Fondation;
- S'adjoindre un usager sur le comité de sélection du futur gestionnaire de la ressource;
- Lors de l'embauche d'un pair aidant, on devait trouver un endroit dans le budget où on pourrait trouver le financement de son embauche. Certains membres du personnel sont venus me proposer d'utiliser leurs 15 minutes de pause qu'ils n'utilisaient pas. Bien que non réalisable, ce beau geste témoigne de leur motivation à introduire cet ajout à l'équipe existante;
- Créer une boîte vocale pour le représentant des usagers;
- Mettre en place le prélèvement automatique mensuel pour les clients habitant dans les appartements du CTR ou à la résidence de groupe[108].

---

[108] *À mon arrivée en fonction, les clients devaient payer leur loyer en argent comptant. L'ancien gestionnaire avait émis la directive qu'il n'acceptait plus les chèques parce qu'ils « rebondissaient » toujours! Les chèques nous revenaient régulièrement sans fonds suffisants parce que, de bonne foi, les usagers remettaient un chèque le 1er du mois. Mais, toute la démarche de dépôt du chèque au service de la comptabilité jusqu'à son encaissement à la succursale bancaire comportait un délai de plusieurs jours. Ayant déjà un budget assez restreint, lorsque les clients constataient qu'ils avaient toujours de l'argent dans leur compte en date du 5 ou 6 du mois courant, ils le dépensaient, croyant que leur chèque du 1er avait été encaissé, ce qui n'était pas le cas. Pour éviter de telles situations, le gestionnaire qui m'avait précédé avait instauré un système de cueillette de l'argent liquide qui était remis à l'agente administrative. Cette formule s'est avérée avoir elle aussi ses inconvénients. Elle impliquait que l'agente accepte de prendre la responsabilité des sommes reçues et qu'elle entrepose le tout dans un coffre-fort en attendant d'en avoir reçu la majorité. À ce moment, elle devait se rendre déposer une somme de 5,000.00 $ à 6,000.00 $ à tous les mois. Je n'étais pas à l'aise de déléguer cette énorme responsabilité à l'agente ni à qui que ce soit. En expliquant la problématique aux collègues de la comptabilité, nous avons convenu de demander aux clients d'acquitter leurs frais de loyer par prélèvements automatiques mensuels. Pour ceux qui n'étaient pas à l'aise avec cette mesure, on leur a demandé d'aller eux-mêmes faire leur dépôt au service de la comptabilité de l'organisation. Nous nous sommes délestés de cette responsabilité en profitant de l'occasion pour faire de l'enseignement aux clients sur les prélèvements automatiques ou sur le déplacement pour payer leurs comptes.*

En raison de mes convictions, j'ai souvent eu à me questionner, à faire face à des frustrations liées, bien souvent, aux limites d'une lourde organisation comme notre hôpital. Toutefois, je tiens à préciser que dans toutes mes démarches, j'ai toujours senti chez mes vis-à-vis le souhait sincère d'aider le client. Cette valeur a souvent même été mon levier pour obtenir les assouplissements demandés, mais pas toujours. Devant un refus, je n'ai pas abdiqué; j'ai plutôt choisi de faire confiance aux personnes et de tenter de leur faire comprendre les motifs qui justifiaient ma demande et mon insistance. Déterminée, j'ai quand même fait preuve de respect, de compréhension, de souplesse et de patience envers les personnes et l'organisation. Une attitude qui accueille la réalité de l'interlocuteur, qui incite à la recherche conjointe d'une solution et qui se termine par une appréciation sincère envers l'effort de l'autre, quel que soit le résultat obtenu.

Le contexte mondial en santé mentale change : l'ouverture vers le rétablissement

À sa création en 1996, le CTR de Nemours visait la promotion du potentiel du client, de son autonomie et du rôle central qu'il devait jouer dans les décisions le concernant. Ce troisième Centre de traitement, implanté dans la communauté, s'inscrivait lui aussi en marge du cadre plus conservateur de l'hôpital où les façons de travailler étaient fortement orientées vers la prise en charge et le contrôle des patients.

Puis, au fil des ans, au gré des nouvelles tendances mondiales en santé mentale, j'ai vu les portes s'ouvrir. Le rétablissement est devenu une orientation prioritaire du ministère et de l'Agence de la santé et des services sociaux, entraînant ainsi une révision et des ajustements dans la prestation des soins et des services offerts par l'hôpital. Le centre hospitalier s'est transformé pour devenir, en 2008, Institut universitaire en santé mentale de Québec. Bref, tout le monde a pris le virage, avec tout ce que ça implique.

J'ai vite senti un vent de changement. De milieu différent et marginal, le CTR de Nemours a fait l'objet de plus d'ouverture et d'encouragement que jamais dans ce qu'il entreprenait; mieux, il est devenu un modèle, un exemple à suivre. Les barrières sont tombées, mes demandes, autrefois *farfelues et dérangeantes* devenaient intéressantes et faisaient cheminer l'organisation. Puis, les prestataires de service se sont découverts une fierté à mieux répondre aux besoins des clients. Les employés du CTR, sollicités pour faire la présentation de notre philosophie, de nos services et de nos outils, se sont prêtés au jeu et sont devenus des porte-paroles et des émissaires de l'approche du rétablissement en santé mentale à Québec.

Le gestionnaire et l'amélioration de l'intervention clinique dans l'esprit du rétablissement

L'implantation de ce nouveau paradigme, surtout dans une organisation de l'envergure de celle de l'Institut universitaire en santé mentale de Québec, constitue un changement majeur qui dérange, insécurise, et cela, à tous les niveaux. Les anciens repères ne tiennent plus, les réflexes sont réprimés et on fait la promotion de la nouvelle philosophie de soins. Toutes les façons de faire sont revues; on se demande, pour chaque situation, si ça va bien dans le sens de la nouvelle orientation.

Le gestionnaire joue un rôle crucial dans ce contexte de grande mouvance où la vision du rétablissement prend une place dominante. Elle lui fournit les balises et l'aide à choisir les formules à prioriser pour optimiser la portée des changements décidés. Le gestionnaire saura inspirer et agir comme modèle s'il porte en lui la vision, la traduit dans ses gestes quotidiens et dans ses paroles. Ayant établi sa crédibilité, il devient alors un guide pour son personnel dans l'intégration et la concrétisation du rétablissement dans la prestation des soins et des services.

Intervention en amont et en aval

Dans ses interactions avec les instances supérieures, le gestionnaire négocie pour obtenir la latitude suffisante pour appliquer la philosophie du rétablissement. Ce faisant, il *éduque* en quelque sorte ses supérieurs et peut ainsi les convaincre d'initier eux-mêmes des transformations à plus grande échelle.

En aval, assouplir les règles et favoriser les initiatives amènent le personnel à se questionner davantage et à innover dans le sens du rétablissement.

Mais tout n'est pas simple et, en même temps, doit progresser une réflexion quant aux enjeux complexes que représentent certains aspects du suivi de notre clientèle, notamment la toxicomanie. Voici quelques-unes de mes réflexions à ce sujet :

La consommation est devenue un réel fléau à l'intérieur de nos murs d'hôpital. Au début de ma pratique comme clinicienne, on voyait rarement des écarts et ceux-ci étaient davantage, à cette époque, occasionnés par l'abus d'alcool. Plus les usagers avaient l'autorisation de sortie, plus fréquemment il arrivait que certains reviennent de leur sortie après avoir consommé un peu d'alcool et parfois, un peu trop.

On a entendu parler de colle d'avion qui était sniffée puis, graduellement la transition vers les autres drogues s'est effectuée. La marijuana a fait son apparition et ses effets semblaient moins dommageables jusqu'à ce que les techniques parviennent à l'épurer et aussi à l'associer avec divers autres produits chimiques qui étaient tous plus nocifs les uns que les autres. On s'est mis à entendre que le cannabis de la nouvelle génération n'était pas si inoffensif que la précédente génération (parents ou intervenants qui avaient côtoyé des personnes qui en avaient consommé ou même qui en avaient consommé eux-mêmes le croyaient). Le glissement vers les drogues dures s'est effectué insidieusement. On a entendu parler de l'arrivée de divers produits associés aux groupes musicaux, au trafic qui sévissait dans les grandes villes du monde, soutenu par des gangs, la mafia, et même certains gouvernements. LSD, cocaïne, crack, speed, etc. Nous ne sommes pas à l'épreuve de cette intrusion, nous sommes actuellement affectés par ces produits qui parviennent à s'infiltrer entre les murs des hôpitaux par tous les moyens.

Les drogues offertes sont de plus en plus chimiques, elles produisent un effet néfaste, elles transforment certaines personnes en petites bombes imprévisibles, où les symptômes psychotiques, induits par la consommation sont excessivement présents et exacerbés, les personnes intoxiquées peuvent présenter des comportements d'agitation, de violence et d'agressivité verbale et physique qu'ils ne présentent pas lorsqu'ils sont sobres. Les symptômes que ces substances peuvent induire font que les personnes sont à risque élevé de poser des gestes regrettables, envers eux-mêmes, leur entourage ou leur environnement.

Comme gestionnaire, nous nous retrouvons devant des personnes bourrées de potentiel qui, lorsque sobres, sont intéressantes et motivées à s'engager dans leur projet de vie, mais à cause de leur dépendance, deviennent victimes de leur besoin de substances et mettent en échec les projets qu'ils avaient en tête ou même initiés.

Habituellement, dans un contexte de réadaptation et de rétablissement, nous demandons à tous d'ajuster leurs interventions en s'adressant à la personne, à son intelligence, son jugement et lui laissons autant d'autonomie qu'elle est capable d'en assumer.

Lorsque la personne est sous l'effet de substances, tout doit être remis en cause. À quel point est-elle intoxiquée? Est-elle encore capable de gérer ses pulsions? Pouvons-nous lui faire confiance et lui demander un certain contrôle sur les symptômes qui l'assaillent?

Nous avons le devoir et l'obligation de la protéger d'elle-même et de protéger les autres autour d'elle, pairs et employés. Quels sont nos moyens sinon que de la retirer à sa chambre ou en salle d'isolement? Qui peut dire à quel point on peut se fier à ce qu'elle nous partage, par exemple qu'elle est en contrôle d'elle-même et quelle sera capable de gérer ses impulsions ou sinon, à quel moment devons-nous prendre le contrôle des décisions?

Pour une gestionnaire qui est imputable de la sécurité de tous, usagers, incluant la personne intoxiquée et de ses employés, où tirer la ligne? Comment apprécier le risque et bien le gérer, il n'y a pas de chance à prendre en de telles situations....

Bien sûr, les proches des usagers, les employés et parfois même les autres usagers répètent que ces substances ne devraient pas entrer dans les murs d'un hôpital ou d'un Centre qui existe pour traiter les personnes qui sont atteintes d'une maladie mentale. Les faits sont là : elles entrent et, par tous les moyens, avec la complicité des consommateurs, en utilisant parfois même la vulnérabilité de certains autres usagers qu'il nous faut aussi protéger. Je le reconnais, c'est inacceptable! On s'y oppose, on sensibilise les personnes par des rencontres qui proposent des moyens, des outils, mais rien n'y fait. La dépendance prend bien souvent le dessus, l'occasion de consommer se présente à nouveau, malgré les meilleures résolutions et tous les trucs envisagés, la tentation l'emporte et la personne retombe.

Comme gestionnaire, lorsque je suis confrontée à ce fléau qui s'infiltre et nuit au traitement, ce dernier étant notre raison d'être, et affecte le milieu de soins qui doit être sécuritaire, je me sens démunie. Si une personne vient dans mon bureau et me glisse quelques précieuses informations, je suis partagée entre l'envie d'encourager ce délateur, de le remercier des infos transmises et, en même temps, je me questionne sur le statut que ça lui donne, le pouvoir qu'il s'attribue, la dette morale qui s'engendre, le rôle que j'accepte de lui faire jouer qui, par ailleurs, pourrait éventuellement nuire à son traitement (imaginons qu'il ait un trouble de personnalité narcissique) et qui lui donne une position supérieure aux autres personnes sur l'unité. Sans compter aussi que je dois être très prudente envers le secret qui doit être gardé à propos du nom du délateur. Une fuite pourrait compromettre aussi sa sécurité, à court ou à plus long terme. Nous ne connaissons pas les réseaux de fournisseurs et ce qu'ils seraient capables de poser comme geste pour éliminer ceux qui ont joué un rôle dans des mises en accusation ou des arrestations en leur sein. Si à l'inverse, je me prive des confidences du délateur, je lève le nez sur une source d'informations précieuses qui me permettra de limiter temporairement certains dommages aux personnes qui en sont dépendantes et à tout leur entourage.

En écoutant le délateur me livrer des renseignements, par exemple sur la date de la prochaine livraison, sur le moyen utilisé pour faire entrer la substance en nos murs, sur la personne qui la fait entrer ou même sur celle qui lui fournit, je détiendrais des moyens pour contrer la ou les prochaines entrées de drogues sur l'unité. D'un autre côté, je sais pertinemment qu'en me transmettant de l'information, la personne qui effectue la délation compromet en quelque sorte sa propre sécurité.

Par ailleurs, avec mon expérience de clinicienne, je suis aussi consciente qu'en acceptant la délation, je donne un statut particulier à cet usager, je l'encourage et lui permet de détenir un rôle qui le distingue des autres, je lui attribue un pouvoir qui peut nourrir son côté narcissique. Sans compter que je me retrouve en situation de redevance envers lui, ce qui n'est pas très orthodoxe. Je ne peux pas considérer les informations qui me sont ainsi parvenues sans me questionner. Quelle est la crédibilité de cette personne? Surtout si elle est elle-même consommatrice? Est-elle en train de m'induire en erreur en m'orientant vers une fausse piste pendant que c'est elle-même qui mène le trafic? Est-elle en train de me distraire pour mieux ouvrir le chemin à une future livraison? Est-elle en train de régler ses comptes avec une personne qu'elle n'aime pas en dirigeant les doutes vers cette dernière? Quelle crédibilité accorder à un consommateur? Généralement, ce sont les consommateurs qui ont l'information (moyen planifié, cachettes existantes, personnes impliquées, contacts, dates de livraison, alliances, manigances, etc.) sur les situations passées et à venir. À moins d'un accident, les autres personnes sont tenues dans l'ignorance.

Comme pour les fumeurs qui continuent de fumer, et cela, malgré tous les avertissements, les consommateurs connaissent les dangers liés à la consommation. Malgré tout, ils continuent dans la même direction. Leur dépendance, mais aussi, l'effet bénéfique immédiat produit par la substance est peut-être mieux, à leurs yeux, que leur vie actuelle entre les murs de l'unité. Il permet une évasion, bien sûr temporaire, mais qui apporte un certain soulagement pour l'instant même.

Il est difficile de légiférer, de sensibiliser les personnes en traitement lorsqu'elles minimisent les effets de leur consommation sur leur santé, lorsqu'elles sont dans le déni de leur problématique de consommation et y trouvent plus d'avantages que d'inconvénients.

Devant notre impuissance face à la consommation qui ne cesse pas, un réflexe est de mettre en place des mesures répressives. Sous l'effet des substances, il va de soi que nous sommes justifiés de prendre le contrôle. Une fois l'effet de la consommation disparu, nous décidons que la personne doit aller à des rencontres portant sur la réduction des méfaits de la consommation. Que faire si elle s'y oppose? Et qu'elle a une ordonnance de traitement et d'hébergement de la Cour? Bien sûr, tout renforcement pour une non consommation est encouragée, mais encore. Lorsque la tentation se présente, même si la personne a quelques outils, si elle n'est pas volontaire pour cesser sa consommation, elle va retomber à moins de la mettre dans une situation de restriction majeure.

Comment rassurer l'animatrice du groupe portant sur la réduction des méfaits lorsqu'elle s'interroge sur la "règle de groupe qui dit que ce qui se dit dans le groupe restera dans le groupe à moins que cette information ait un impact sur la sécurité des lieux et des personnes". Cette règle favorise l'instauration d'un climat de confiance, la transmission de confidences ou d'informations sur lesquelles l'intervenante pourra travailler dans le groupe, avec les personnes. Cette règle fait, en quelque *sorte, partie des conditions d'efficacité d'un tel groupe. Par contre, ça place aussi l'intervenante en conflit avec la directive qui annonce que dans l'établissement,* nous appliquons la politique de tolérance zéro face aux substances, que nous dénoncerons la possession, le trafic et la consommation en nos murs.

Comment convaincre une personne jeune et pleine de rêves, qui vient d'être judiciarisée suite à un jugement de la Cour, probablement et justement, suite aux gestes posés après un abus de substance, à cesser de consommer quand la peine qui lui est imposée consiste bien souvent à demeurer internée à l'hôpital sans possibilité de sortie de l'unité pour des mois?

De plus, ces personnes, avant d'en arriver à cette situation, ont préalablement beaucoup sollicité et même épuisé leurs proches ainsi que leur réseau social.

Une fois confinées sur l'unité psychiatrique, elles sont isolées à de multiples égards. Elles ne reçoivent pas de visiteurs, ont très peu d'appels téléphoniques, un budget restreint parce qu'en statut d'hébergement, finalement ils ont bien peu d'occasions d'actualiser le peu d'intérêt qu'il leur reste.

Il est bien connu que pour aider à diminuer une dépendance, il faut lui substituer autre chose pour compenser le vide. Dans le contexte d'une hospitalisation, avec ordonnance de la Cour, quoi offrir comme emploi du temps stimulant, valorisant et intéressant en échange d'une diminution de leur consommation?

Il est facile de réfuter que la drogue s'infiltre partout, même dans les milieux carcéraux, mais je n'accepte pas cette fatalité. Il faut trouver un moyen de minimiser ses dommages. Il faut que l'on réussisse à trouver des moyens de réprimer ce fléau ou au moins de le diminuer de façon substantielle.

Changer une organisation, une question de temps

Une démarche collective

Vu sous l'angle d'un processus, le rétablissement évolue, il impose son propre rythme et s'échelonne dans le temps, avec de nombreux défis aussi complexes soient-ils. Pour un établissement comme l'Institut universitaire en santé mentale de Québec, un tel changement ne se fait pas du jour au lendemain. Il ne suffit pas qu'une équipe ou un gestionnaire se sente prêt à passer à l'action et à orienter ses services en fonction du modèle axé sur le rétablissement, que tout le système le suivra. Il faut accepter les délais, les différences dans l'évolution et dans le cheminement. Parce que les réalités sur le terrain, les perceptions et les occasions de progresser ne sont pas les mêmes pour tous.

Puisqu'il s'agit ici d'implanter une nouvelle culture au sein d'une organisation plutôt conservatrice, *il convient d'aborder le changement comme une démarche d'équipe,* de s'accorder du temps, s'entraider, s'influencer, se sensibiliser et se faire grandir, les uns les autres. La démarche exige certes, un exercice d'introspection sur nos façons de faire, et cela, à tous les niveaux. Dans la vie tout change, évolue et il en est de même dans toutes nos pratiques. On ne peut plus accepter le statu quo, il faut que tous évoluent.

En mettant à contribution les membres des divers comités déjà existants pour favoriser le développement organisationnel et la philosophie du rétablissement au CTR de Nemours, j'ai eu la surprise de voir, peu à peu, le personnel s'ouvrir et accepter de réviser ses pratiques actuelles avec objectivité, de prendre conscience de l'impact de leurs interventions sur l'autonomie des personnes et de les remettre en question. Sans tarder, des initiatives ont surgi de toutes parts; on a testé et persisté, malgré les écueils passagers. Puis, à force d'essais et d'erreurs, la nécessité du changement s'est imposée. Tous les employés, sans exception, ont résisté à l'envie de retourner dans leurs vieilles habitudes, ce qui aurait été tellement plus facile et moins bouleversant.

Toute l'organisation est concernée et elle doit faire *sienne* cette nouvelle façon d'offrir les services et de s'y adapter. D'autant plus que le changement initié n'est pas une *mode* ou une *lubie* temporaire, il est capital et incontournable.

J'ai toujours espoir qu'un jour les personnes atteintes, les intervenants et tous les autres travailleurs seront convaincus que les personnes qu'ils traitent peuvent se rétablir. Cette conviction sera tellement profonde qu'ils seront capables d'entretenir l'espoir et seront surtout capables de l'insuffler à leur client même lorsqu'ils sont au plus profond de leur maladie, de leur détresse et de leur désespoir.

Il faut qu'ensemble on s'adresse à la partie saine de la personne, qu'on aille éveiller ce qui s'est endormi ou s'est presqu'éteint. Que chacun à notre façon, on veille à entretenir la petite flamme, aussi faible soit-elle, à continuer constamment de l'alimenter, au fur et à mesure, sans l'étouffer, sans aller trop vite, mais aussi sans la ralentir ou la restreindre.

Le rétablissement repose sur cette finesse dans l'art du discernement et de l'écoute.

Des mots aux concepts : le rétablissement

Dr Hubert-Antoine Wallot

Des mots aux concepts : le rétablissement

> *« Ton devoir réel est de sauver ton rêve. »*
> (Amedeo Modigliani, Lettre à Oscar Ghiglia, 1913)
>
> *« Je suis une personne, pas une maladie! »*
> (Rapport Harnois, « Pour un partenariat élargi »,
> projet de politique de santé mentale pour le Québec, p.11, 1987)

Le rétablissement est une perspective contemporaine qui ouvre de nouveaux horizons à la vision thérapeutique dans l'approche des personnes souffrant de problèmes de santé mentale. Il n'élimine pas les approches curatives ou réadaptatives, il s'y surajoute et articule autour d'une vision autant exigeante que prometteuse quant à l'avenir. Il s'agit, au fond, d'un nouveau paradigme.

Pour comprendre ce nouveau paradigme, nous allons tenter dans un premier temps de faire un survol historique pour introduire notre propos puis, dans un deuxième temps, de bien différencier différents concepts, parfois confondus ou comportant certains éléments apparentés : guérison, rémission, réadaptation et rétablissement. Dans un troisième temps, nous allons élaborer sur l'émergence du concept de rétablissement actuel, sa fonction politique et les éléments qui sont généralement reconnus comme en faisant partie.

Quelques jalons historiques sur l'évolution des conceptions de la psychopathologie

Il est difficile de comprendre la notion de rétablissement en psychiatrie et les concepts qui s'y rattachent sans évoquer l'histoire de la psychiatrie. Jusqu'à Pinel au début du XIXe siècle, les problèmes de santé mentale relevait d'une sorte de folklore, soit religieux (la désorganisation mentale dans ses extrêmes était considérée plus ou moins comme de la possession), soit médical au sens d'un pur désordre physique.

Par sa notion d'*aliénation*, Pinel marquait que la folie n'est pas une possession, mais une pathologie, une pathologie distincte des pathologies médicales. On peut même dire que ce faisant, et en introduisant sa classification des types d'aliénation, Pinel créait en quelque sorte la discipline de la psychiatrie avant la lettre. Le nom du médecin devant prendre charge des pathologies psychiques était "l'aliéniste". Dans sa notion de l'aliénation, il restait une partie psychologique saine dans la personne aliénée, avec laquelle on pouvait s'allier pour s'occuper de la partie malsaine. Ce travail thérapeutique au sein de cette alliance avec la partie saine de la personne, Pinel le baptisera sous le nom de *traitement moral*, entendu au sens d'un traitement non physique, mais faisant appel à l'esprit. Aujourd'hui, cette partie saine ferait partie, dans le jargon de l'approche du rétablissement, du registre des *forces* de l'individu.

À partir de là, en conjugaison avec l'expérience de son infirmier Pucin, il énonce que le recours à la contrainte devient négligeable. C'est pourquoi Pinel fut présenté comme le *libérateur des chaînes*. Il avait mis en évidence un élément du rétablissement dont nous parlerons plus loin, à savoir que cet homme souffrant qu'il appellera *aliéné* a des forces, soit la partie saine de son esprit, avec laquelle il faut s'allier pour l'aider à aller mieux. Dans cette vision, l'individu *aliéné* ne peut être traité ni avec les criminels ni avec les malades ordinaires, cela lui prend une institution dont le cadre s'adressera à l'esprit : une institution thérapeutique rationnelle qui, Pinel nous y invite, devra être aussi un lieu d'observation scientifique pour mieux comprendre l'aliénation. Cette institution sera l'asile. Il semble aussi qu'avec l'influence de Pucin, il aurait embauché des anciens patients pour cette institution, soit les premiers pairs aidants.

Avec Tucke, la notion d'asile (forme de *refuge* institutionnel) comportera un élément bucolique, un retrait de la ville pour épargner aux aliénés la turbulence et, il faut l'avouer, l'intolérance et la persécution urbaines et en faire des individus productifs (notamment par la ferme) et moraux. Le travail physique était valorisé comme chassant les idées morbides. Mais l'asile, comme le traitement moral, guérissent moins qu'on s'y attendait alors qu'en le surpeuplant de plus en plus, l'asile est ainsi devenu la *renfermerie*, selon l'expression d'Esquirol, disciple de Pinel, et comportera désormais, une connotation négative Ce même enthousiasme, suivi par une même déception, atteindra le premier asile francophone d'Amérique, le *Québec lunatic Asylum*[109] fondé par le Dr James Douglas. Avec le temps et l'urbani-

---

[109] Et, au fil du temps, il changera de statut et de nom. Il deviendra l'asile de Beauport, puis l'asile St-Michel-Archange puis prendra le statut d'hôpital St-Michel-Archange sous la direction nouvelle des Sœurs de la charité, puis aura pour nom Robert Giffard, avant de devenir en 200.., l'Institut universitaire en santé mentale de Québec.

sation, l'asile devient une solution à maints problèmes : handicapés, orphelins, *gâteux, difformes*. À titre d'exemple, au Québec, pour 100,000 de population, on comptait 68.3 patients à l'asile (ou hôpital psychiatrique) en 1871 contre 383,1 en 1961 (Wallot, 1998, 2006). Après 1961, la reconfiguration des établissements permettant un élargissement de vocation ou avec des fusions ne permet pas de faire un décompte équivalent. Pour connaître plus en détail la suite historique qui nous mène à la problématique contemporaine du rétablissement, référez-vous à l'explication ci-après intitulée *un peu d'histoire sur l'émergence de la notion de santé mentale.*

Malheureusement, après Pinel, on s'attachera plus à décrire qu'à soigner, et cette idée d'alliance avec la partie saine de la personne atteinte de trouble psychique prendra de moins en moins d'importance. Particulièrement en France où se trouve la neurologie de pointe, c'est un modèle neuropsychiatrique fataliste qui prévaudra dans le domaine de la santé mentale.

Dans cette perspective restreinte, les troubles psychiques seront progressivement vus comme des maladies neurologiques ou même des tares familiales héréditaires. Avec une telle vision, l'accent thérapeutique est mis sur un hébergement protecteur qui, dans la pratique, au Québec en tout cas, déracine la personne souffrante de son milieu de vie d'origine. Il y a peu ou pas de préoccupation quant à la réadaptation et à la récupération d'une position de citoyen. Il faudra attendre les théories de l'apprentissage et la psychanalyse pour redresser progressivement cette situation.

Un peu d'histoire sur l'émergence de la notion de santé mentale
Détérioration dans la conception de la souffrance mentale : Morel, Magnan, Kraepelin.

Des cliniciens éminents amèneront, particulièrement en France, une vision autant biologique que fataliste de la santé mentale. Presqu'en même temps que Darwin publie De l'origine des espèces par voie de sélection naturelle, *Morel publie son* Traité des dégénérescences, *la dégénérescence correspon-*

dant à une déchéance par rapport à un type humain primitif qui se déroule, d'une part, sur le plan individuel selon des causes variées (intoxications, alcool, paludisme, etc. et milieu social) et, d'autre part, sur le plan des générations par l'hérédité, selon la loi de la progressivité qui implique une succession de quatre classes d'aliénation. Des criminologues, dont le plus célèbre est Cesare Lombroso (1835-1909), font de la criminalité un phénomène de dégénérescence accompagnée de stigmates physiques. Le disciple de Morel, Magnan (1890) va plus loin en faisant des troubles du comportement des maladies. La doctrine de Magnan est introduite au Canada par deux médecins qui allèrent se former auprès de lui en Europe : d'abord, le docteur Bourque de l'asile St-Jean-de-Dieu, par le docteur Duquet (1888) et par le docteur Brochu de l'asile St-Michel-Archange, quelques années plus tard.

En 1896, Kraepelin soutient, au sein du milieu médical germanique, que la psychiatrie a fait suffisamment de progrès pour qu'on puisse employer le terme de maladie. Cet abandon de la notion d'aliénation en faveur du terme maladie ne sera pas sans conséquence. Par ailleurs, Kraepelin distingue la psychose maniaco-dépressive (appelée de nos jours maladie bipolaire) et la démence précoce (appelée aujourd'hui schizophrénie), qui serait un processus dégénératif à la manière d'une maladie métabolique. Son approche descriptive de l'évolution des troubles mentaux demeure très présente dans les trois dernières versions du DSM (DSM III, DSM IV, DSM V) (1994). Dans l'univers français, la psychiatrie de la dégénérescence fleurira en même temps qu'une neurologie en pleine apogée avec, d'une part, les idées de Seglas (1892) sur les hallucinations verbales[110] comme étant le contraire des aphasies[111] et, d'autre part, l'âge d'or des localisations cérébrales avec Dejerine (1914). En 1911, Bleuler remplace l'expression démence précoce par le terme schizophrénie et en décrit deux ordres de symptômes, soit les symptômes fondamentaux ou

---

[110] Hallucination verbale : entendre une ou des voix alors qu'il n'y a personne qui parle ni appareil reproduisant le son de la parole.

[111] L'aphasie est la perte totale ou partielle de la capacité à communiquer, parler, comprendre, lire, écrire et calculer.

primaires (les fameux quatre A : autisme, associations lâches, affect émoussé ou inapproprié, ambivalence) et les symptômes accessoires (hallucinations et délires). Cette distinction est l'ancêtre de la distinction actuelle entre les symptômes (dits) positifs et les symptômes (dits) négatifs de la schizophrénie.

Contrepoids par le behaviorisme et la psychanalyse

Deux courants théoriques introduiront une conception exogène du trouble mental : exogène veut dire ici que la source du trouble n'est pas interne, mais externe. Ainsi, ce n'est pas l'hérédité, mais l'expérience vécue ou le mauvais apprentissage qui crée le trouble mental.

Le behaviorisme : Watson, Pavlov, Thorndike et Skinner

En 1913, John Watson fonde le behaviorisme : la psychologie ne doit s'occuper que des comportements observables, soit les réponses aux stimuli, et délaisse les aspects subjectifs. Watson crée, par des expérimentations, des réactions névrotiques chez l'enfant : à 9 mois, un bébé est mis en présence de divers objets et d'animaux, dont des rats blancs. À aucun moment l'enfant ne manifeste la moindre peur dans ces situations. À 11 mois, les expérimentateurs associent à la vue des rats blancs un bruit violent. Bientôt, quand le rat blanc est présenté, l'enfant manifeste des réactions de peur qui persistent au cours de vérifications ultérieures et qui se généralisent à la vue d'objets similaires : lapins, objets de fourrure. Watson et Rayner affirment qu'ainsi, la personnalité entière peut être modifiée et que beaucoup de phobies (qui sont des aversions vives et déraisonnables éprouvées par un individu à l'égard de certains objets, animaux, situations ou personnes) sont de véritables réactions émotionnelles conditionnées, soit par voie directe, soit par transfert. Dès lors, les troubles psychiques de l'adulte peuvent être ramenés à des réactions conditionnées ou généralisées dans la première enfance des trois émotions humaines fondamentales. Ces troubles pourraient être traités par immersion *ou* désensibilisation. *La première orientation importante est celle qui est fondée sur le conditionnement classique ou répondant conceptualisé par Ivan Petrovitch Pavlov (1849-1936) au début du siècle. Dans cette situation, un stimulus neutre (le son d'une cloche, par exemple) présenté un nombre suffisant de fois en pairage avec un stimulus inconditionné (la nourriture) en arrive à déclencher, lorsqu'il est présenté seul, une réponse semblable (la salivation) à celle que déclenche le stimulus inconditionné présenté seul.*

Dans le conditionnement opérant élaboré plus tard par Thorndike et Skinner (1953), tout comportement est contrôlé par ses conséquences dans l'environnement, et le conditionnement positif (dont le renforcement est la récompense) a plus de succès que le conditionnement négatif (punition).

Dans le développement du behaviorisme au cours du siècle, la vision de l'apprentissage ira du comportement à son éventuelle origine cognitive. Le comportement ne résulte plus de circuits neurologiques simples, mais d'émotions elles-mêmes issues d'idées ou de croyances fondées ou non. L'approche cognitivo-comportementale qui en résultera postule que la séquence suivante est fondamentale : cognition → émotion → comportement.

La psychanalyse

La psychanalyse est le deuxième courant théorique qui s'opposera à une vision purement biologique du trouble mental. Pour Sigmund Freud, son fondateur, la psychopathologie est attribuable à des événements psychiques survenus dans l'histoire antérieure de l'individu à certaines étapes de son développement, notamment dans sa très jeune enfance, et qui comporte des phases et des stades bien identifiés. Dans L'interprétation des rêves, Freud (1900) écrit qu'entre la normalité et la vie névrotique, il n'y a que des distinctions quantitatives. Il l'illustre en rapprochant le rêve du délire, le rituel obsessionnel du rite social ou religieux, et par l'analyse du mot d'es-

prit et de la psychopathologie de la vie quotidienne. Dans le rêve, chaque homme devient psychotique. Ce faisant, l'approche psychanalytique déstigmatise les troubles mentaux. Par une notion indirecte de santé mentale, la psychanalyse ouvre également un champ d'intervention nouveau en matière de prévention secondaire (dépistage précoce des problèmes à un stade non avancé, donc problèmes plus accessibles à l'intervention) et d'éducation (prévention primaire, c'est-à-dire dans le but d'empêcher l'apparition de problèmes).

C'est ainsi que naquirent les cliniques de guidance d'Anna Freud. Bien qu'à travers le principe de plaisir et la notion de bénéfice secondaire, la psychanalyse puisse sembler avoir certaines ressemblances lointaines avec des concepts du behaviorisme, la distinction entre le symptôme (et aussi le syndrome) et la structure [112], et le concept de pulsion de mort la situent résolument aux antipodes.

Pour des raisons historiques trop longues à décrire ici, la psychanalyse obtient d'abord, par le truchement de l'émigration de Freud, une influence prépondérante en milieu anglosaxon (britannique et américain). Malgré que sa technique repose sur une talking cure, elle est vite absorbée par le milieu médical anglo-saxon, ce qui se reflète sur le DSM-II avec la trace du terme névrose dans le DSM-III. C'est seulement après la Deuxième Guerre mondiale, qu'elle entre vraiment en France.

Au Québec, le GIFRIC (Groupe interdisciplinaire freudien de recherches et d'interventions cliniques et culturelles) a réussi à créer par des développements des théories de Freud et de Lacan, un traitement psychanalytique des psychoses (Apollon, Bergeron, Cantin, 1991, 2002).

---

[112] Grossièrement, dans une perspective freudienne précisée notamment par les disciples de Freud, on distingue trois structures névrosée, psychotique, perverse. Aucune n'est malsaine en soi. Un individu ne peut avoir qu'une seule structure, laquelle est déterminée en bas âge par les expériences précoces. Une structure ne veut pas dire avoir des signes psychopathologiques, mais seulement indiquer une prédisposition à tel ou tel type de manifestations psychopathologiques.

Différenciation des concepts associés à la question du rétablissement

Nous allons tenter, dans les lignes qui suivent, de distinguer la signification de certains termes.

Difficultés liées aux limites du langage

Lorsqu'on veut examiner un concept, on doit se rappeler que le langage est un découpage particulier dans le monde des significations. L'examen du concept de rétablissement et des concepts apparentés ou souvent associés n'y échappe pas.

Prenons un exemple banal. On parle du coucher du soleil, mais le soleil ne se couche jamais. Ainsi, en grec, on a trois mots pour désigner l'amour : (*agapè*, ou amour charité; *philia* ou amour de type amitié; *eros*, ou amour passionnel et libidinal). En anglais, on a deux mots : *love* et *like*, et en français, un seul, aimer.

Autre phénomène qui complique les choses : les mots font, avec le temps, l'objet de changements de sens qu'on appelle *glissements sémantiques*. Ces changements sont parfois majeurs et ils surviennent généralement pour des raisons historiques et culturelles. À titre d'exemple, jusqu'à l'histoire des institutions psychiatriques, le terme *asile* signifiait seulement refuge et lieu de protection, comme dans l'expression toujours actuelle de *trouver asile* par exemple, pour des réfugiés politiques. Le terme asile a acquis un sens négatif avec l'histoire des institutions psychiatriques qui, à la suite de la suggestion de Pinel, ont porté ce nom. De la même façon, le mot *charité* et le mot *pitié* ont eu un sort analogue, en raison d'un usage progressif qui discréditait respectivement les donateurs et les gens ayant de la compassion, ainsi que les personnes qui bénéficiaient de ce qui correspondait à ces concepts. De la même manière, pour le sujet qui nous concerne, le terme *malade mental*. Dans son rapport de la Commission d'étude des hôpitaux psychiatriques, le président Dominique Bédard insiste sur le statut de *malade* pour les personnes souffrant de troubles mentaux parce que c'est en ce nom de malade qu'il va réclamer et aussi obtenir un ajustement des subventions gouvernementales aux hôpitaux psychiatriques. En effet, à l'époque, ces derniers étaient financés dix fois moins que les patients des hôpitaux généraux. Aujourd'hui, le terme malade mental est souvent mal perçu, on parle de personnes souffrant de problèmes de santé mentale.

Il ne faut donc pas se surprendre de la complexité des termes et des concepts que nous allons tenter de cerner. Et il faut tout de suite dire que ce que nous en dirons ne sera peut-être plus valable dans dix ou vingt ans. Par exemple, les termes *guérison* et *rémission* et, même en bonne partie, le terme *réadaptation* dont nous allons parler, sont des concepts cliniques issus du discours médical ou du discours des soignants et qui concernent l'organe ou le fonctionnement d'un organe ou de l'organisme. Dans le domaine de la santé, le mot *rétablissement* (*recovery* en anglais) a été et est encore utilisé dans le discours médical, souvent de façon interchangeable avec le terme *rémission* (*remission* en anglais). Cependant, au cours des dernières années, le terme a pris une saveur particulière, une saveur non clinique. Cette saveur correspond à ce qu'on pourrait appeler le discours non médical de la personne qui vit puis, émerge de cette expérience bouleversante de ce que les professionnels appelle *maladie* ou *psychopathologie* ou sous l'euphémisme *problème de santé mentale*, discours où la personne tient la première place.

Plusieurs concepts et plusieurs réalités se rapprochent du concept de rétablissement. Quatre termes et les concepts sous-jacents seront donc examinés pour mieux comprendre l'intérêt et la nouveauté du concept de rétablissement. L'évolution de la langue sera interpelée au secours des distinctions qui seront apportées plus bas. Rappelons-le : la langue est d'abord une affaire de conventions de communication dans une culture donnée; comme la culture, elle évolue et se modifie avec le temps, mais en vue de traiter de réalités concrètes ou encore de concepts qui, eux aussi, évoluent avec le temps. Il ne faut donc pas s'étonner de tenter d'établir entre des termes des distinctions qui n'existent pas encore pour tous.

Guérison

Évolution étymologique du mot guérison

Selon le dictionnaire historique de la langue française (Le Robert, 1998), le mot signifie d'abord « défense, protection » (1080, guarison) puis « action de guérir » (1155). Le sens figuré de protection apparaît vers la fin du XVIIe siècle. De ce verbe vient le mot guérisseur au sens de « personne qui guérit » (gariseur au XIVe siècle), puis de médecin guérisseur pour en même temps se spécialiser comme guérisseur par opposition à médecin, « lequel est réservé aux thérapeutes formés et reconnus par l'institution universitaire, et peut-être avec une intention ironique à leur égard, pour désigner une personne qui fait profession de guérir, sans avoir la qualité officielle de médecin. » (Le Robert, 1998)[113]

L'usage courant du mot *guérison* est souvent myope et peu spécifique, avec un biais en faveur d'une vision biologique des problèmes de santé. Selon divers dictionnaires et, d'après l'encyclopédie populaire Wikipedia, le mot guérison signifie d'abord *la disparition des symptômes d'une maladie et le retour à la santé*. Mais, l'encyclopédie Wikipedia explique que la guérison est donc actuellement définie et comprise d'abord comme un processus biologique par lequel les cellules du corps se régénèrent pour réduire l'espace d'une région endommagée par la nécrose. La guérison implique la

---

[113] Ne dit-on pas en déontologie médicale comme en loi que le médecin a une obligation de moyens et non de résultats !!!!

suppression du tissu endommagé et le remplacement de ce tissu. Le remplacement peut se produire de deux façons. Soit par régénération : les cellules nécrotiques sont remplacées par le même tissu qu'auparavant. Ou bien par réparation : le tissu originel est alors remplacé par un tissu cicatrisé. La plupart des organes peuvent guérir en utilisant un mélange des deux processus. À noter que l'encyclopédie Wikipedia donne exactement la même définition au terme anglais *healing*.

De ce qui vient d'être dit, et de notre expérience du milieu de la santé, nous sommes d'avis que la spécificité du terme *guériso*n vient de ce qu'il signifie non pas seulement la disparition des symptômes, mais la disparition de la cause de la maladie. Ce qui n'empêche toutefois pas le fait que la maladie disparue peut avoir laissé des séquelles. C'est le cas, par exemple, de la poliomyélite. Ces séquelles pourront exiger de la réadaptation.

Malgré la fascination de l'idée de guérison, il faut reconnaître qu'elle est un phénomène rare. En effet, sauf pour des maladies infectieuses répondant aux antibiotiques et quelques autres exceptions, la médecine aide à la guérison, mais ne donne que rarement la guérison. En premier lieu, la médecine soulage le patient de deux façons. Elle ralentit ou limite le processus maladif dans le corps et elle adoucit ou fait disparaître les symptômes. Généralement, elle agit sur l'inflammation, la douleur, les symptômes. Elle le fait parfois en augmentant les défenses immunitaires, ou en inhibant l'action de bactéries, ou de virus. Plus rarement, elle le fait avec la chirurgie en ôtant ou en remplaçant le tissu atteint (le cas extrême étant la greffe).

Mais, si de telles interventions viennent complètement à bout des causes prochaines de la maladie, par exemple, une maladie bactérienne transmise sexuellement ou une pneumonie, elles ne tiennent pas compte la plupart du temps d'une vision globale de l'environnement de l'organe ou l'organisme atteint : milieu de vie, habitudes d'hygiène et de vie, stress, et autres.

C'est ici qu'intervient le concept de santé dont il existe plusieurs définitions, mais qui suppose le maintien d'une autonomie et d'une vie signifiante à l'intérieur du lien social, une vie de citoyen où la personne a le sentiment positif de contribuer à son environnement social et que ce dernier lui rend d'une manière ou d'une autre, d'une façon qui lui est concrètement sensible. Mais, comme pour la navigation d'un avion, pour maintenir la santé, il faut tenter de prévoir le mieux possible certains paramètres. Pour l'avion, ce sera la connaissance de l'état de l'avion, de son niveau de carburant, de son usure et de ses vulnérabilités, mais aussi la connaissance des vents, de la hauteur du plafond, de la météo, la connaissance de la présence d'autres avions, de façon à ajuster le trajet. Pour la santé, c'est l'expression *déterminants de la santé* qui entre alors en scène. Par exemple, un bon revenu, une bonne éducation et/ou un bon réseau social favorisent la santé sans pour autant la garantir.

Ce qu'on vient de dire plus haut explique que l'usage du mot guérison est souvent myope.

Rémission

Selon le dictionnaire historique de la langue française (Le Robert, 1998), le mot rémission apparaît en français d'abord au sens religieux de pardon, désignant spécialement le pouvoir conféré par le Christ aux apôtres (Jean, XX, 23) et exercé par le prêtre dans le sacrement de la pénitence, aujourd'hui aussi appelé sacrement du pardon.

Il est passé ensuite dans la langue courante par la locution "sans rémission" (vers 1138) c'est-à-dire sans possibilité de pardon. Par analogie, il a désigné en droit une remise de peine (XIIe siècle). Il s'est répandu avec le sens général d'indulgence. Pensons, par exemple, à la rémission des péchés.

Une autre acception du mot rémission est médicale; elle a trait au relâchement ou à la diminution de la fièvre (vers 1560) s'est répandue jusqu'à aujourd'hui dans l'univers médical au sens de diminution ou arrêt provisoire des symptômes de la maladie. En littérature, on retrouve l'extension figurée au sens de diminution d'intensité (1746).

Donc, en anglais, rémission peut aller de l'accalmie des symptômes à une forme de guérison. En anglais, la délimitation du concept de rémission, identifiée à celui de cure est plus subtile qu'en français.

L'encyclopédie Wikipedia écrit ceci : *"Une rémission est la fin d'une condition médicale. Le terme peut référer spécifiquement à une substance ou une procédure qui met fin à une condition médicale, comme un médicament, une chirurgie, un changement de style de vie, ou même un état d'esprit philosophique qui aide la personne dans sa souffrance cela peut aussi référer à l'état de rémission complète."* (traduction personnelle)

Dans l'usage courant actuel, le terme rémission ne signifie pas une guérison, mais une accalmie, ou une disparition des symptômes, qui peut éventuellement s'avérer passagère ou d'une durée variable, puisque la pathologie fondamentale est toujours présente. Elle peut aussi traduire une ignorance quant au statut exact de la maladie sous-jacente. C'est souvent le cas lorsqu'en médecine, on a affaire au cancer.

On peut donc employer le mot *rémission* au sens de diminution ou quasi extinction des symptômes. Par exemple, on peut l'utiliser pour des symptômes psychiques, comme l'anxiété ou l'agitation, mais aussi pour des sentiments (tristesse ou colère).

Lorsque nous verrons plus loin la notion de rétablissement, nous verrons que la rémission des symptômes positifs et/ ou négatifs contribue au rétablissement.

Réadaptation

Selon le dictionnaire Larousse, réadaptation signifie l'action de réadapter ou de se réadapter, et le retour d'un sujet physiquement diminué au niveau où il était antérieurement. En médecine physique, la notion de réadaptation est généralement centrée sur l'organe ou le membre atteint. Il suppose un état antérieur adapté. La notion de réadaptation suppose donc qu'il y a eu préalablement une adaptation qui s'est avérée insuffisante d'un individu à une étape de son existence par rapport à des défis précis de santé ou de vie.

Traditionnellement, le terme réfère à l'idée de récupérer le plus possible quelque chose qui a été perdu, ou à défaut, un équivalent qui satisfera la personne concernée et contribuera à sa santé au sens mentionné plus haut : le maintien d'une autonomie et d'une vie signifiante à l'intérieur du lien social. Dans le monde physique, cela peut aller d'un transfert d'habiletés (par exemple pour celui qui a perdu l'usage de sa main dominante, acquérir l'écriture avec l'autre main) à l'ajout d'une prothèse, ou encore à un ajustement de l'environnement (par exemple les rampes d'accès pour les personnes en chaises roulantes, etc.)

Dans le domaine de la santé mentale, la réadaptation a été conceptuellement calquée sur la réadaptation dans le domaine de la santé physique.

Et, en général, dans le milieu de la santé, le terme réadaptation a un œil tourné vers le passé, dans le registre restreint du ou des déficit(s) spécifique(s), parfois de naissance, à supprimer ou à compenser. Le terme comporte donc des connotations négatives du type incapacité, handicap, déficience, connotations qui ne conviennent pas toujours à l'expérience d'un épisode de détresse psychique.

Le rétablissement

Prompt rétablissement, souhaitons-nous la plupart du temps à quelqu'un qui a été malade bien qu'on puisse lui souhaiter de *guérir vite.* Nous verrons plus loin que c'est un souhait peut-être un peu simpliste, parce qu'en général, le rétablissement, c'est quelque chose qui n'est pas pressé, quelque chose qui prend du temps. C'est aussi que la notion de rétablissement est plus large, elle peut évoquer la guérison, mais elle évoque l'accès à un état au moins équivalent à l'état antérieur, principalement un équilibre. Cependant, les données présidant à cet équilibre peuvent être modifiées, et c'est là l'espace de ce concept.

Prompt rétablissement, c'est donc dire retrouver un état satisfaisant pour soi et l'entourage, un équilibre suffisant notamment en termes d'autonomie et de bien-être. Cet équilibre ne veut pas nécessairement dire guérison, car il y a des choses dont on ne guérit pas. On ne guérit pas d'un infarctus, on peut néanmoins s'en remettre et se rétablir, moyennant la plupart du temps des modifications dans sa manière de vivre et dans son environnement de vie. Certains symptômes ou même des limitations peuvent subsister qui indiquent qu'il n'y a pas de guérison complète, mais qui sont compatibles avec les notions de santé et de rétablissement. Il n'en va pas autrement dans le domaine de la santé mentale. Et lorsqu'on considère une organisation, on peut se représenter ses éventuels problèmes de fonctionnement comme des problèmes de santé et le processus pour en sortir comme un processus de rétablissement. C'est ainsi que nous ferons au cours des lignes qui suivent.

Le mot *rétablissement* est le substantif découlant du verbe *rétablir*, lequel vient du verbe *établir*. L'étymologie éclaire l'origine du sens actuel du mot.

Évolution étymologique du mot *rétablissement*

Le mot rétablissement *(Le Robert, 1998) vient du verbe latin* stabilire *qui veut dire* consolider, soutenir, affermir, *verbe dérivé de l'adjectif* stabilis *qui veut dire* ferme, solide *et proprement* propre à la station droite, *adjectif qui aboutira à* estable refait en *stable.* L'adjectif vient de stare, qui veut dire *se tenir debout.*

Historiquement, le mot *établir* apparait au sens de constituer, disposer d'une manière stable dans un lieu avec un contexte militaire (1080). Puis, il prend (vers 1175) la valeur de *fonder, fixer* et, dans un contexte abstrait, il signifiera *fixer de manière durable*, à propos d'une loi, d'une doctrine (*il est établi que...*). Parallèlement, il prend aussi le sens de *fixer, indiquer une date*, un jour (vers 1155), et par la suite (après 1250) de *décider*. Dès le XIIe siècle (vers 1175, établir une chapelle), avec la valeur concrète de *fonder*, cet usage se restreindra (*établir une boutique*, 1890) pour disparaître aujourd'hui. De ces sens vient l'emploi, au XVIIe siècle, pour *donner un commencement à* (quelque chose qui doit durer), et le pronominal *s'établir* au sens de *prendre naissance* et aussi *un mot s'établit* au sens où il *est reçu*. La version pronominale se spécialisera par la suite au sens de *se pourvoir d'un emploi* comme dans *s'établir à son compte* (1680) et dans un sens disparu d'usage *se marier* (1694).

Par une autre extension, *établir* signifie *fonder sur des arguments solides* (et que l'on pense), *faire apparaître comme sûr* : *établir un fait* (1647). À partir du XIXe siècle, le verbe s'emploie en comptabilité pour *rédiger*, comme dans *établir un devis* (1842).

Dans la lignée étymologique, on trouve en français le mot *établi* au sens, pour le nom, de *table de travail* et *ce qui est établi* (1390). Puis, en 1155, on trouve établissement, qui signifie d'abord *règle* pour ensuite signifier à la fin du XIIe siècle l'action *d'installer* et au début du XVIIe, le sens de *mariage*, puis en 1835 *fabrique*, ce dernier sens étant sans doute à l'origine du mot *établissement* vu non sous l'angle de l'action d'installer, mais sous l'angle d'un lieu organisationnel (établissement de santé).

En résumé, le mot établir et ses dérivés (établi, établissement, etc.) font référence à quelque chose de solide autant que, dans plusieurs cas, d'un état nouveau.

Quant à *rétablir* qui découle d'*établir*, il contient un *re* dont on peut supposer qu'il a le même effet sur *établir* que *re* dans *re*-prendre quelque chose d'une répétition. Il est intéressant de noter le sens historique de la version pronominale *s'établir au sens de prendre naissance* : se rétablir ne pourrait-il pas alors prendre le sens de re-naître?

Le verbe rétablir, apparu vers 1120 (écrit alors *restablir*) a le sens général d'*établir à nouveau*. Dès 1678, il est employé principalement sous forme pronominale, pour signifier *guérir* ou encore dans *rétablir un texte*(1690), comme s'il s'agissait d'une opération réparatrice sinon restaurative.

Ainsi, le mot *rétablissement* désigne historiquement (Le Robert, 1998), *l'action de rétablir* et s'emploie spécialement pour désigner le *retour à la santé* (1694).À noter que la conception de la santé de l'époque était sans doute moins conceptuellement développée qu'aujourd'hui. Plus tard, le mot rétablissement fut employé comme un terme de gymnastique (1694) et plus couramment, il désigne au figuré (XXe siècle) un effort pour retrouver son équilibre. Enfin, il a aussi un sens de restauration, par exemple, d'un ordre donné, comme rétablir la démocratie dans un pays.

Il importe de noter que le terme *rétablissement*, comme substantif, peut désigner autant l'action de rétablir que son résultat.

Mais si on relie ce dernier sens (résultat) au premier sens (l'action), le rétablissement devient alors le processus (ou le résultat du processus) de restauration d'un ordre dans la santé, cela dépasse la correction de la problématique biologique.

Ainsi, l'individu qui fait un infarctus peut, en organisant autrement son style de vie (exercice, alimentation, réduction du stress, etc.), acquérir une meilleure santé qu'avant son infarctus, même si la cicatrice de l'infarctus demeure toujours là.

C'est dans ce sens qu'on peut parler d'une restauration d'un certain ordre. Si l'ordre a défailli, on doit s'attendre à ce que, pour vraiment le rétablir de façon durable, on puisse réévaluer certains aspects autrefois négligés. Et parfois, si le résultat (rétablissement) est atteint, la manière dont il est atteint et dont il se maintient peut différer de l'ordre antérieur qui avait été altéré.

Comme terme, le rétablissement peut être considéré comme un objectif visé et qui peut être atteint, ou encore comme le processus en vue d'atteindre cet objectif.

Tout comme la notion de réadaptation, la notion de rétablissement renvoie à la notion d'un ordre effondré. Où se situerait donc la différence?

Différence entre guérison, rémission, réadaptation et rétablissement

C'est d'abord dans la notion de santé de la personne que nous allons situer les éléments de différenciation de ces notions.

Les ramifications étymologiques et sémantiques du mot guérison sont assez spécifiques, comme on a pu le constater précédemment. Et la réalité d'une guérison est si rare qu'on a étiré la notion pour certaines pathologies médicales. Par exemple, tel cancer, s'il n'y a pas eu de récidive pendant 5 ans, est considéré comme guéri.

Il est intéressant de voir la santé et la maladie comme deux continuums qui ne s'équivalent pas et qui se croisent sur deux axes perpendiculaires.

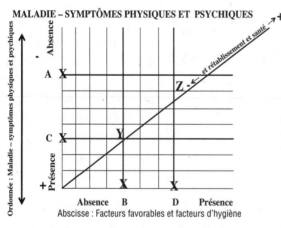

Note : C'est le point de croisement des deux lignes sur la diagonale qui indique le niveau de santé ou de rétablissement. Ainsi, l'absence de symptômes ne suffit pas pour avoir une bonne santé et un bon rétablissement. À un moment, un niveau bas dans un axe peut limiter l'impact d'une grande quantité de facteurs positifs dans un autre axe. Ainsi avec C en vertical, on ne peut avoir qu'un maximum de santé et de rétablissement à Y même si on augmente les facteurs favorables en horizontal. Par contre, avec A en vertical et D en horizontal, on peut atteindre Z pour la santé et le rétablissement. On doit aussi penser qu'il peut y avoir une influence des facteurs d'un axe sur un autre. Certains facteurs ne sont pas directement représentés dans le graphique sinon par leurs effets. Par exemple, pour l'axe vertical une médication efficace ou une compliance au traitement.

Le continuum maladie s'établit en fonction d'un certain nombre de symptômes ou maladies présentes ou absentes à divers degrés. Dans cette perspective, un symptôme ne doit pas être vu simplement comme un élément négatif. Il peut être vu comme un signal avertisseur indiquant qu'il faut veiller à maintenir la santé et à prévenir la maladie ou contrevenir à son développement. Ainsi, la survenue de la douleur ou de l'insomnie est un symptôme avertisseur tout autant que précurseur qui peut amener à poser des actions préventives. Une personne privée constitutionnellement de la sensation de douleur est à grand risque en toute circonstance. Un bon

contrôle d'une maladie et le développement de facteurs positifs à saveur préventive ou protectrice constituent de la santé
qui n'exclut pas la maladie.

Le continuum santé a trait à la présence ou l'absence de
facteurs d'hygiène, de protection et de ressources de défense,
d'adaptation ou de soutien pour la santé. Il suppose que la
personne, en dépit de limites qui croissent selon divers
éléments dont l'âge et l'axe du continuum maladie, puisse
exercer avec un minimum de satisfaction sa citoyenneté à
travers des relations sociales et une contribution signifiante
au lien social.

Cette optique de deux continuums avait été retenu par Santé
Bien-être Canada (Gouvernement du Canada, 1988) dans un document publié peu avant la Politique de Santé mentale du Québec
(1989. la perspective du document fédéral amène à réaffirmer
*certaines valeurs de la société, à savoir l'égalité, le libre arbitre et la
responsabilité sociale. Il n'y a pas de doute que la répartition et l'exercice équitables des pouvoirs (notamment le pouvoir de modifier son
propre environnement afin de favoriser un développement sain)
constituent des facteurs primordiaux de la santé mentale. Tout ce qui
nuit à l'interaction efficace et équitable de l'individu, du groupe et de
l'environnement (comme la pauvreté, les préjugés et une mauvaise
coordination des ressources) constituent une menace ou un obstacle
à la santé mentale.* (Gouvernement du Canada, 1988) Alors que le
document québécois insiste sur l'adaptation des services aux besoins
de l'individu de façon à mieux intégrer ce dernier à son milieu, le
document fédéral préconise l'adaptation de l'environnement socio-
économique aux exigences d'un équilibre individuel indispensable au
développement et au maintien de la santé physique et mentale. En
pratique, il y a avantage à travailler sur les deux plans.

Les ramifications étymologiques et sémantiques des deux
expressions, rémission et réadaptation, sont relativement limitées.
Traditionnellement, dans la littérature médicale, particulièrement en
santé mentale, la rémission et surtout la réadaptation ont été associées aux conquêtes des diverses thérapies (biologiques, psychologiques et sociales) mettant l'accent sur le rôle de spécialistes

professionnels (médecin, psychiatre, psychologue, infirmière, travailleur social, ergothérapeute, éducateur spécialisé). Selon diverses études, la combinaison des traitements suivants, médication, psychothérapie et intervention psychosociale, donne des résultats supérieurs à l'utilisation exclusive de l'un ou l'autre des trois traitements mentionnés. (Hogarty et coll., 1977, 1988, 1994).

De son côté, le concept de rétablissement a des racines sémantiques étendues, comme on a pu le constater, ce qui donne au mot des voiles ou des ailes connotatives étendues. L'ampleur vague du concept lui confère une dimension politique où plusieurs idéologies peuvent trouver pitance. C'est sans doute ce qui explique qu'il est retenu par ceux qui veulent en faire un drapeau pour une nouvelle approche humaniste globale de la santé mentale centrée sur la santé de l'individu, ses forces, son potentiel, plutôt que sur sa ou ses maladies. En fait, c'est ce que nous appellerons sa *dimension politique*. Dans le discours courant dans le milieu de la santé mentale, le rétablissement est rattaché à l'axe de la santé alors que la guérison est rattachée à l'axe de la maladie. Cette distinction n'est pas affichée partout. On comprendra aussi qu'un rétablissement requiert un minimum de rémission des symptômes et, le cas échéant, de réadaptation.

De plus, on ne peut guère dire qu'un professionnel, un intervenant ou un proche rétablit une autre personne, comme on dit parfois que le médecin a guéri tel patient ou telle médication a produit une rémission chez quelqu'un. Le verbe associé au nom rétablissement, en matière de santé, est essentiellement pronominal. **Quelqu'un se rétablit**. C'est donc un mot qui se prête bien à une vision globale de la santé prenant racine dans la mise en action autonome de la personne concernée. En somme, dans le discours courant récent, le rétablissement vient de l'intérieur alors que la guérison, la rémission ou la réadaptation, on aurait affaire à quelque chose qui vient de l'extérieur dans la mesure où il y a dans ces trois concepts l'idée d'un rôle majeur sinon dominant de l'expertise technologique réservée aux professionnels, au sens de Perrow (1965), à savoir la connaissance des causes et des moyens pour intervenir. Dans le rétablissement, il y a ce qu'on peut appeler l'expertise de l'individu, celle de la connaissance et l'expérience de ses symptômes et de son environnement mental.

On a vu que le mot *guérisseur* a quitté le monde médical pour rejoindre (et retrouver) une catégorie d'acteurs ayant une vision autre et plus globale de la santé. De la même façon, la notion de rétablissement a été récupérée et développée par les acteurs mêmes du rétablissement, soit les personnes touchées par l'expérience d'une psychopathologie sévère, notamment la psychose, pour être transformée en ce qui est considéré par certains chercheurs comme étant un paradigme.

La question que certains pourront se poser est la suivante : où est la frontière entre le rétablissement et le développement de la personne. Se rétablir suppose accéder, au cours d'un processus qui prend un certain temps, à quelque chose d'assez solide. Mais, en même temps, il faut souvent déconstruire et prendre certains risques pour construire du neuf.

Cela est évident en psychothérapie, mais cela est aussi vrai dans le processus plus large du rétablissement. Le développement personnel comme courant réfère à une position de réflexion sur soi, mais aussi d'ouverture, et donc d'une certaine possibilité de déstabilisation face à de possibles perspectives nouvelles.

En fait, la différence entre les deux pourrait simplement tenir au fait que dans le rétablissement, le point de départ est une crise ou un défi majeur de santé et de vie, alors que le point de départ du développement personnel peut être un simple questionnement et / ou un simple désir d'un *plus* dans la vie à l'intérieur d'une trajectoire de vie avec peut-être de petits nuages, mais sans crise majeure.

Enfin, si le rétablissement n'était pas à l'origine un concept clinique, son intérêt dans son ancrage clinique fait qu'il est maintenant de plus en plus réintégré dans une perspective clinique qui s'est élargie et qui met la personne souffrante au cœur même du processus du rétablissement.

Émergence du paradigme du rétablissement

Si le terme rétablissement peut être distingué étymologiquement et historiquement d'autres termes comme rémission, guérison, réadaptation, c'est aussi parce qu'il a paru comme une manière de parler d'une perspective nouvelle qui aurait échappé à la psychiatrie occidentale : insertion de la guérison, de la rémission, de la réadaptation à l'intérieur d'un projet de vie ou d'une perspective de vie.

Pour comprendre, on remarquera qu'on ne parle plus beaucoup de maladies mentales, mais plutôt de problèmes de santé mentale. De même, en psychiatrie, on va parler de moins en moins de réadaptation et plutôt parler de rétablissement, non seulement pour des raisons sémantiques, mais aussi pour indiquer une perspective plus positive. Au fond, il s'agit de se débarrasser des anciens termes stigmatisants pour les remplacer par d'autres mots plus positifs. Cette volonté d'une vision positive colore l'évolution et l'importance du concept de rétablissement en psychiatrie.

Depuis toujours, on connaît l'impact négatif de la schizophrénie et des psychoses apparentées (loin de nous le débat sur la classification des troubles mentaux) sur la qualité de vie des personnes qui en sont touchées. Impact négatif découlant des symptômes, mais aussi des handicaps psychosociaux en partie liés à la psychopathologie et tantôt liés à la stigmatisation, ce qui entraîne une perte de productivité. (Deegan, 1996)

Le terme rétablissement a donc connu une trajectoire sémantique et connotative qui, dans le milieu de la santé mentale, a de plus en plus un contenu particulier.

Ce concept de rétablissement n'est pas un concept clinique relié à la relation malade-professionnel de la santé, comme le sont les concepts de guérison ou de rémission ou même de réadaptation. C'est un concept qu'on pourrait même dire politique au sens courant en santé mentale, un concept élaboré non par des soignants, mais par des personnes ayant eu un diagnostic de schizophrénie sévère : concept élaboré avec une perspective positive quant aux troubles mentaux

On sait que depuis Kraepelin, la perspective sur l'évolution et le pronostic de la schizophrénie était pessimiste. On retrouve cela encore à la fin du XXᵉ siècle alors qu'on observe d'abord une augmentation, puis un déclin de l'évolution favorable du traitement de la schizophrénie. (Hogarty 1994) L'évolution des critères diagnostiques pourrait être en cause, mais de récentes études ont démontré que près de la moitié des personnes ayant un tel diagnostic s'étaient rétablies ou améliorées significativement aux plans symptomatique et fonctionnel. (Calabrese et Corrigan, 2005) Également, pourrait aussi être en cause ce qu'on peut appeler l'illusion clinique, c'est-à-dire le fait que les cliniciens ont affaire avec des personnes dont l'évolution est défavorable.

Pourtant, d'après une étude longitudinale s'étalant sur vingt-trois années, M. Bleuler (1968) a montré que 66 % des patients admis pour une seule fois et 53 % des patients admis plus d'une fois s'étaient rétablis (c.-à-d., les symptômes étaient moins perturbants ou avaient disparu). De même Harding (1987, 1994) en arrive à de semblables conclusions.

Il ne faut pas nier aussi la contribution de l'antipsychiatrie (Barton, 1959; Gofman, 1961; Lang 1960; Cooper 1961; Szass, 1960) aux initiatives de contestations des visions médicales à la mode au début des années 60', contestations qui conféraient un statut à la parole de la personne souffrante de trouble de santé mentale.

C'est plutôt, en Amérique du Nord, la diffusion de certains récits autobiographiques (Deegan, 1998, 1996, 1997; Spaniol et Koehler, 1994, Vigneault 1998) qui ont permis de mobiliser des non professionnels autour d'un nouveau discours dans lequel les personnes ayant souffert de schizophrénie et se considérant parfois comme des *survivants* (*survivors*) de la psychiatrie relatent de nombreux changements positifs associés à ce processus qui n'est pas proprement biologique ou pharmacologique et qu'ils appellent *rétablissement* :

Au Québec, ce sera la post face de Camille Laurin au livre Les fous crient au secours (1961) de Jean-Charles Pagé, qui fera la même chose).

« *Aux États-Unis, les années 1990 ont été celles de la 'décennie du rétablissement'. Traditionnellement (...), les systèmes de santé étaient basés sur l'idée que les personnes ayant de graves problèmes de santé mentale ne guérissaient pas et que leur état ne pouvait que se détériorer, ou au mieux se maintenir. Par comparaison, dans les nouveaux systèmes de soins, on se réclame fortement du principe du rétablissement...*» (Anthony, 1993-2001) Le rétablissement, en quoi cela consiste-t-il au juste? « *Découverte de nouvelles facettes du soi, la croyance dans son propre potentiel de transformation, l'espoir dans une vie meilleure ou le développement d'un sens critique face la stigmatisation et à l'auto-stigmatisation résultant des préjugés sociaux liés au trouble mental. Cette orientation du concept insiste également sur l'importance de pouvoir compter sur des ressources dans la communauté (par exemple, la famille, les intervenants, les organismes) qui leur offrent de véritables et concrètes possibilités de croissance personnelle et qui concourent à la diminution des préjugés et des comportements discriminatoires à leur égard.* » (Provencher, 2007).

Une apôtre du rétablissement, Patricia Deegan, écrit : « *Le but du processus de rétablissement n'est pas de devenir 'normal', mais de donner naissance à la personne unique que nous portons en nous. Ceux et celles d'entre nous aux prises avec des troubles mentaux ne sommes pas différents des autres. Nous partageons cette quête commune à tout être humain qu'est la recherche du sens de la vie. (...) Rétablissement et traitement ne sont pas synonymes. Le rétablissement est plutôt une attitude, une prise de position et une façon d'aborder les défis que chaque jour apporte.* » (Deegan 1996).

Chez plusieurs chercheurs, le propos sur le rétablissement insiste sur certaines dimensions essentielles : l'*empowerment* (ou réappropriation du pouvoir d'agir sur sa vie et sur son environnement), l'inclusion sociale et l'espoir.

L'*empowerment*, c'est l'appropriation (ou la réappropriation) du pouvoir d'agir en acquérant des stratégies de contrôle et de direction sur sa vie, sur sa santé et sur son environnement psycho-social. L'appropriation du pouvoir consiste à acquérir des stratégies de contrôle accru sur sa santé, sur sa vie, sur son environnement physique et social. Selon Patricia Deegan (1996), dans le processus de rétablissement, la personne doit pouvoir faire des choix : dans sa vie quotidienne, dans son plan de traitement, dans son environnement. Elle ajoute : « *L'information, c'est le pouvoir. Quand on partage l'information, on partage le pouvoir. En ayant accès à l'information, les personnes qui se sentent sans pouvoir arrivent petit à petit à se sentir plus efficaces.* » Daniel Fischer ajoute : « *Toute personne a droit à l'autodétermination, tant dans ses choix de vie qu'aux moments de son hospitalisation, de sa thérapie, de la prise de médication.* »

L'inclusion sociale a trait à l'ampleur et la force du réseau de soutien social, à l'existence d'une ou de personnes significatives et la participation à des activités significatives et normalisantes. L'inclusion sociale suppose l'existence d'un réseau de soutien social, de personnes significatives pour l'individu concerné et la participation à des activités significatives et, éventuellement, *normalisantes* de façon à ce que la personne soit ou redevienne un citoyen à part entière, avec une insertion dans le lien social qui peut prendre diverses formes : travail, art, écriture, bénévolat, etc.

Qu'en est-il de l'espoir? L'espoir dont il s'agit ici ne doit pas être compris au sens d'une attente passive et béate de l'intervention d'une Providence. Il s'agit plutôt d'une attente que quelque chose de mieux rattaché aux efforts de reprise en charge de sa vie, efforts qui comportent des échecs parmi les succès du parcours. L'espoir : « *C'est toujours une question de ce qui est possible. (...) La clé, c'est de dire : On ne voit pas comment, on ne voit pas où, mais c'est possible.* » (Lundin, 2003) « *L'espoir et la survie sont inextricablement liés. (...) La conviction de pouvoir exercer un contrôle sur son environnement a pour effet de prolonger la vie. (...) Il est (...) moins dangereux d'être sans ressource que sans espoir.* » (Deegan 1996) Attention, l'espoir dont on parle ici doit être vu dans le contexte où le rétablissement se déroule comme une échelle en dents de scie. Quand l'individu doute, il doit regarder (et peut être aidé pour le faire) l'endroit d'où il est parti dans son processus pour apercevoir le chemin accompli depuis; ou partir de ses rêves pour amorcer un cheminement concret qui y conduise; ou savoir repérer et entretenir des liens avec une ou des personnes qui croient en lui.

Quelle est la place du rêve dans le rétablissement? Jusqu'à maintenant, la documentation en parle peu, mais les témoignages qui affluent dans la documentation sur le rétablissement montrent son importance. En chaque personne, il y a un rêve qui profile son projet de vie. Ce rêve n'est pas toujours explicite. Pour plusieurs, ce rêve se présente comme quelque chose de très éloigné de la situation réelle de l'individu concerné : un projet à très long terme. Il peut arriver que la réalisation de ce rêve apparaisse impossible ou très improbable aux yeux des soignants. Pourtant, ce rêve s'avère souvent le levier principal de la motivation pour amener l'individu à mettre en marche son rétablissement. Généralement, si on amène l'individu à entrevoir à court terme des étapes intermédiaires pour atteindre le rêve, des étapes où l'individu se construit des outils d'autonomie et de motivation (par exemple des études), l'individu chemine à travers ces étapes pour souvent redéfinir ce rêve tout en en gardant l'énergie d'action initiale. (Rapp. 2004)

De ce qui vient d'être évoqué, on peut inférer qu'une organisation thérapeutique axé sur le rétablissement est celle qui favorise, tant sur le plan individuel que sur le plan collectif, l'*empowerment*, l'inclusion sociale, l'espoir, la dé-stigmatisation, dans ses actions thérapeutiques, tout autant que dans ses structures et son organisation des soins.

Vers une modélisation du rétablissement

Démarré principalement à partir de personnes ayant vécu l'expérience de la psychose ou de la schizophrénie, le discours sur le rétablissement a, dans les dernières années, franchi les frontières diagnostiques pour rejoindre des protagonistes au niveau des troubles de l'humeur, des troubles anxieux et des troubles de la personnalité.

Certains théoriciens ont construit des modèles avec des étapes ou phases spécifiques du rétablissement au fil du temps. (Andresen et coll., 2003 ; Ralph, 2005 ; Spaniol et col, 2002, Young et Ensing, 1999) Par exemple, celui de Young et Ensing comprend une phase initiale où l'individu sort graduellement d'un état d'apathie pour entrevoir la possibilité de faire des changements avantageux dans sa vie. La phase intermédiaire consiste à consolider le pouvoir d'agir (*empowerment*) : la personne apprend à se connaître davantage et à choisir des situations soutenant ses forces. La dernière phase se rapporte à l'optimisation du bien-être et de la qualité de vie. Cependant, dans la vie concrète, l'expérience rapportée par les personnes ayant souffert de troubles mentaux graves, présente le processus de rétablissement comme une courbe ascendante en dents de scie, c'est-à-dire avec des hauts et des bas, avec des difficultés au niveau soit des symptômes, soit des conditions de vie. Lors de ces moments bas, la personne peut même rencontrer des tentations de découragement, voire des rechutes, contre lesquelles il leur faut opposer une vision élargie de la trajectoire de rétablissement déjà accomplie. Lors des rechutes, l'équipe traitante peut prendre de façon transitoire le relais pour permettre à l'individu de retrouver sa route de rétablissement.

Ces théoriciens qui furent d'abord des promoteurs de la réadaptation psychosociale (Anthony, 1993) sont progressivement devenus des promoteurs et deviennent ainsi des concepteurs de la manière à situer la réadaptation et ses stratégies comme des moyens par rapport au rétablissement qui est le but, la fin recherchée.

Comme le dit Ellen Corin (2002), plus qu'un retour à une situation d'avant, le rétablissement s'organise selon plusieurs axes qui s'entrecroisent : trouver des mots pour dire l'expérience, apprivoiser le quotidien, retrouver un contrôle sur sa vie, rouvrir un mouvement perçu comme bloqué, pouvoir dire et faire reconnaître le caractère exceptionnel de l'expérience. Pour elle, le rétablissement implique à la fois la possibilité d'élaborer un espace intérieur significatif et celle de réaménager les rapports aux autres et au monde, selon un mouvement propre à chacun.

De son côté, dans son plus récent document (2011), le Ministère de la santé et des services sociaux reprend la définition de T.A. Kirk (2002), en définissant le rétablissement comme « *le processus qui permet à l'individu malade de développer ou de restaurer une identité positive et riche de sens malgré la condition qui l'afflige, puis de reconstruire sa vie en dépit ou dans les limites imposées par son état* ». Le document ministériel ajoute que « *le succès du cheminement de l'utilisateur de services repose entre autres sur son appropriation du pouvoir.* » (MSSS, 2011, p.8-9)

Quel que soit l'angle choisi, et dans le contexte de l'émergence sociale, pour ne pas dire politique, de ce concept dans le champ de la santé mentale au cours des vingt dernières années, nous pouvons décrire le rétablissement comme un parcours actif de l'individu en vue d'une reconfiguration, d'un repositionnement et d'une réappropriation subjectivement et objectivement favorable de sa situation de vie à l'intérieur du lien social.

Ce parcours prend en compte l'histoire de sa situation actuelle, ses forces et ses faiblesses, ainsi que les opportunités et les menaces de son environnement avec lequel une transaction avantageuse est ou doit être effectuée.

Nous avons parlé antérieurement que chaque langue avait son propre découpage dans les significations. On ne rétablit pas la personne, elle se rétablit. La langue française a ici l'avantage de rendre le verbe pronominal qui reprend de façon implicite la notion de reprise du pouvoir (empowerment) d'une personne sur sa vie.

Dans le rétablissement de la personne, la reconfiguration de sa vie est donc un processus actif de l'individu qui tient compte de la connaissance de soi, de ses capacités, de ses faiblesses, de ses cicatrices, de ses intérêts et du savoir des apprentissages issus de ses expériences de santé et de vie.

> *Le rétablissement se présente tantôt comme un résultat, tantôt comme un processus, mais, même comme résultat, il suppose une position active de l'individu dans la réappropriation de sa vie qui doit lier d'une part sa vision de ses forces et de ses rêves avec d'autre part les opportunités et menaces de l'environnement sur lequel il peut agir, et cela, à travers des liens sociaux significatifs et une insertion sociale inspirante.*

Le rétablissement peut donc être envisagé comme un processus qui permet à la personne d'apprendre à composer avec son état de santé et de gagner du pouvoir sur sa vie de manière à vivre sa citoyenneté à part entière. À ce titre, la personne ayant un trouble psychiatrique doit entrevoir le traitement avec une position qui, en face de l'expertise *technologique* (au sens large) des soignants, a une expertise de vécu et de valeurs et doit être décisionnelle au centre de ce qui se décide pour elle.

Par ailleurs, ce n'est pas seulement l'individu qui doit se rétablir, ce sont aussi les organisations, et notamment celles du secteur de la santé mentale. Pour se rétablir, elles doivent faire appel aux concepts centraux du rétablissement : savoir entretenir le sens et l'espoir, savoir redonner du pouvoir par la participation et la décentralisation des décisions là où elles peuvent se prendre, et par l'inclusion sociale, c'est-à-dire par le maillage avec les autres organisations offrant des services complémentaires.

Conclusion du chapitre

Dans ce chapitre, nous avons tenté de préciser le concept de rétablissement et de le différencier d'autres concepts apparentés. Il faut se rappeler que tout mot et tout concept ont une évolution dans le temps et que, particulièrement pour ces concepts qui n'appartiennent exclusivement à aucun univers technologique (au sens défini plus haut), peuvent se modifier de façon imprévue pour un usage qui correspond à une conjoncture contextuelle, historique ou culturelle.

Conclusion

Le rétablissement : une autre folie?
Écrire un livre : une vraie folie!!!

Voici (enfin!) la fin d'une aventure collective, bien sûr enrichissante, car elle nous a obligés à préciser notre pensée afin de mettre en mots notre expérience du rétablissement, mais parfois aussi ardue, car nous sommes loin d'être des écrivains accomplis. Par contre, cet exercice nous a permis de confronter nos points de vue et de réaliser l'importance du chemin parcouru et l'immensité de celui qu'il reste à faire! En terminant, nous vous laissons sur quelques réflexions qui vous permettront de survoler les concepts abordés tout au long du livre.

En réfléchissant sur l'impact du rétablissement dans ma vie professionnelle, je ne pouvais m'empêcher de m'imaginer ce que pouvait être l'expérience de la maladie. En effet, quoi de plus déstabilisant que de ne plus pouvoir se fier à sa capacité de comprendre le monde, à ses propres sens, à son jugement? La maladie mentale nous atteint dans ce que nous avons de plus intime et touche ainsi notre humanité. Pour sortir de la folie, il faudra à nouveau faire confiance à nos sens, retrouver un équilibre et retrouver un sens à notre agir. Finalement, il n'y a peut-être que le sens qui compte, car sans lui, nous restons dans la folie d'une vie qui ne mène nulle part. On peut s'adapter à une condition médicale qui nous prive de l'usage d'un organe, mais on ne s'adapte jamais à une vie qui n'a plus de sens!

Le rétablissement n'est pas une panacée ou une baguette magique qui guérit la maladie. Il n'est pas une nouvelle psychothérapie ou un nouveau mode de gestion. Il ne remplace pas non plus la pharmacothérapie. Le rétablissement vient donner un sens à l'expérience vécue par la personne qui vit la maladie, un sens à l'équipe soignante qui accompagne celle-ci et devrait donner un sens à toute l'organisation du système de soins.

Mais n'allons pas trop vite... Revoyons ensemble le chemin parcouru. Le rétablissement est d'abord une expérience personnelle avec ses hauts et ses bas comme nous le rappelle Luc.

«*Encore une fois, cette semaine, j'ai encaissé un coup dur. Je donnais un témoignage à une quinzaine d'employés lorsqu'un de ceux-ci m'a dit que j'avais mérité l'assaut que j'avais vécu lors d'un code blanc survenu dans mon passé de psychiatrisé. Malgré le fait que les quatorze autres personnes n'étaient pas de son avis, l'absence d'empathie et de compassion d'une seule personne venait me rappeler que la maladie mentale reste encore bien méconnue, et cela, à l'intérieur même de notre système de santé.*

En contrepartie, toujours dans la même semaine, j'ai visité une amie hospitalisée. Elle m'a dit à quel point les employés étaient empathiques envers elle. Mon amie me soulignait que tout le monde lui parlait de rétablissement et de la vie dans la communauté. De plus on lui reflétait ses forces et on travaillait son projet de vie avec elle.

Malgré les aléas de la vie et grâce au soutien constant de ma famille, de mes amis, de mes collègues, de mes soignants, et même d'illustres inconnus sur les réseaux sociaux d'Internet, j'ai maintenant une vie merveilleusement extraordinaire. Tous mettent la main à la pâte et, Dieu merci, ils sont beaucoup plus nombreux que les personnes qui stigmatisent.

Je sais que ma santé mentale est erratique, mais je suis arrivé à avoir une vie satisfaisante en respectant certaines règles et en me responsabilisant face à cette maladie qui m'habite. Certaines personnes disent que je ne suis pas comme les autres, tant mieux! Pour rien au monde, je ne changerais ma vie actuelle, même pour tout l'or du monde! »

Se rétablir exige de renouer avec l'espoir. Cécile nous rappelle que :

« Cet espoir d'être mieux n'évoque pas seulement l'aspect de l'amélioration de la santé, mais surtout d'avoir une meilleure qualité de vie. Celle-ci semble intimement liée aux projets, aux petits et grands rêves. La plupart du temps elle tourne autour de thèmes qui ressemblent à la vie de *tout le monde* dont la possibilité d'avoir : un travail, un chez-soi, de l'amour et des enfants... Toutefois, pour réaliser ses rêves, le passage à l'action demeure essentiel. »

Agir, c'est sortir de l'impuissance en utilisant notre pouvoir de changement. Accepter les allers-retours, les erreurs qui façonnent l'expérience, savourer les victoires qui rendent plus forts. Agir, c'est aussi reprendre du pouvoir sur son traitement comme le soutient Marie-France :

«Le médicament est souvent le rappel quotidien de la maladie. Au-delà des effets indésirables et de l'efficacité, reconnaître le courage qu'il faut pour composer avec un traitement pharmacologique (voire avec la maladie) constitue une étape importante de la voie vers le rétablissement pour la personne atteinte et ses proches. Trop souvent le médicament est perçu comme une fin en soi qui va tout régler, alors qu'il est plutôt à la base d'une combinaison d'approches qui vise à soutenir le rétablissement de la personne. Le médicament est aussi parfois perçu (malheureusement aussi dans certains cas vécus) comme un agent de contrôle extérieur qu'il faut subir, sans exiger quelque rendement que ce soit, et qu'on cessera à la première occasion.

Je suis convaincue que dans la confiance et avec confiance, la personne atteinte peut se positionner comme chef d'orchestre de son plan de traitement, qu'il est possible de revoir ensemble de façon dynamique les options thérapeutiques, y compris le traitement pharmacologique. Surtout ne pas nuire, voilà l'engagement qu'il faut se donner. Ce chef d'orchestre a besoin de soutien, de compétence, d'ouverture, de savoir-faire. Il cherche à retrouver l'harmonie en accord avec ses propres nuances. On doit lui offrir l'occasion de s'informer, de chercher à comprendre, de s'investir, de faire des choix éclairés, de composer autrement et de s'approprier le traitement dans la vie de tous les jours. »

Agir, puis partager notre pouvoir d'agir afin de créer un environnement qui contribue au rétablissement par la reprise de la parole, la reconnaissance de l'expertise de l'autre et le respect de la dignité et de la pleine humanité de chaque personne quel que soit son état de santé. Pour implanter une pratique qui favorise le rétablissement des personnes Louise nous dit :

> « Il est essentiel que cette vision soit portée par tous et que son application soit concrète tant au sein de la direction, à travers les politiques et les procédures, que chez les gestionnaires cliniques et les directions de soutien afin qu'elle puisse se vivre au quotidien au sein des équipes cliniques. Il faudra troquer nos vieilles habitudes et nos pratiques *quasi aveugles et uniformes* pour faire place au discernement et au jugement dans l'analyse des gains et des risques. Le gestionnaire devient ainsi un modèle à suivre par sa façon d'aborder les défis quotidiens de la gestion du personnel et des situations complexes. »

Heureusement, nous ne sommes pas seuls sur le chemin du rétablissement. Notre famille nous accompagne et nous soutient. Yolande et Cécile nous redisent :

> « Les proches sont des alliés essentiels au rétablissement de la personne. Nous devons les accueillir avec leurs souffrances, leurs difficultés, leur expérience et leurs forces. Une intervention familiale animée par les principes du rétablissement favorise les liens de confiance et la coopération, fait des proches des acteurs positifs du processus de rétablissement et génère de l'espoir, en dépit des bouleversements causés par la maladie. »

Malgré notre allégeance au rétablissement, nous ne sommes pas naïfs et notre vision n'est pas teintée par des lunettes roses. Marc-André nous rappelle que :

> « Il est dans la nature des troubles psychotiques d'être souvent accompagnés d'une non-reconnaissance du problème. Ceci pose un défi considérable aux professionnels

devant leur venir en aide, sur le chemin du rétablissement : comment concilier l'autonomie de la personne et sa protection? Je crois que la réponse tient dans une vision globale de la personne et dans la façon de l'aborder. »

J'oserais dire que le rétablissement est une œuvre collective, car il détruit le mur qui séparait les personnes malades, les *fous* de celles soi-disant en santé, les *normaux*. Soutenir le rétablissement va bien au-delà d'un plan d'intervention autogéré ou du choix du bon médicament. Il exige de chacun de poser les gestes qui permettront une véritable intégration citoyenne de tous par la possibilité de vivre véritablement chez soi avec le soutien nécessaire et de participer à la vie communautaire selon ses désirs et ses capacités.

Puisque l'histoire nous porte vers l'avenir, laissons le dernier mot à Hubert :

«Dans le contexte psychiatrique actuel, le rétablissement est un processus sous forme du verbe pronominal *se rétablir* tout autant qu'il peut être un *résultat.* Il suppose que la personne prenne ou reprenne le pouvoir sur sa santé et sur sa vie, à travers une insertion dans une existence affective et citoyenne et au sein d'une trajectoire évolutive de croissance qui n'est pas sans défis ou impasses ou écueils, mais qui vise et atteint une réalisation de soi optimale sur les ailes de l'espoir conçu non comme une attente béate, mais comme un moteur actif.

Dans un tel parcours, il peut arriver que des soignants aient à prendre momentanément des relais pour protéger la personne contre les assauts de la vie ou des symptômes, mais seulement provisoirement. Comme l'a écrit Valéry : « Le vent se lève, il faut tenter de vivre. » »

J'espère que vous avez pris plaisir à nous lire et que vous deviendrez comme nous des ambassadeurs du rétablissement!

Marie-Luce

Postface

Caroline Busque

On reconnaît de plus en plus la place de l'utilisateur de services comme partenaire de premier plan dans l'élaboration des services de santé mentale. À cet effet, il suffit de consulter le plan d'action en santé mentale 2005-2010 La force des liens *pour saisir rapidement l'importance que le Ministère de la santé et des services sociaux accorde à la participation citoyenne des personnes elles-mêmes touchées par la maladie dans le développement et l'amélioration des services. La volonté d'action semble ferme.*

Dans le cadre de mes fonctions de directrice de l'APUR, une association vouée à la promotion et à la défense des intérêts des personnes atteintes d'un problème de santé mentale, je suis témoin au quotidien de magnifiques histoires de rétablissement. À l'APUR nous y croyons fermement. Nous sommes persuadés que lorsque surgit l'espoir, toute personne peut se rétablir selon ses propres volontés. Régulièrement, des gens auxquels on n'aura par le passé attribué aucune possibilité d'améliorer sa qualité de vie, de vivre confortablement malgré la présence de symptômes, nous témoignent de leur bien-être quotidien. Grâce à la confiance de certains intervenants en leur potentiel, ils ont amené de petits changements dans leur vie, aménagé leur quotidien. Graduellement, ces personnes en sont venues à occuper une place de citoyen qui leur convenait. Ces exemples de réussite, ensuite présentés à d'autres, contribuent à cultiver l'espoir chez ceux qui ont le plus besoin d'y croire.

Ce collectif d'auteurs représente bien tous les ingrédients actifs du rétablissement. Il est intéressant de voir que pour une rare fois, tous les intervenants partagent un point de vue similaire quant à une approche. En effet, tant les psychiatres que les travailleurs sociaux, les familles et les personnes elles-mêmes touchées, même une pharmacienne rencontre le point de vue des autres quant à l'approche à favoriser, celle du rétablissement. Cet ouvrage rafraîchissant pave la voie à une approche qui se doit d'être présente dans tous les services offerts à la population. Appliquer l'approche du rétablissement et ses composantes ne peut qu'amener des résultats positifs pour la clientèle des services et même augmenter le niveau de satisfaction des travailleurs quant à leur emploi. Une approche positive de la personne, de ses perspectives de rétablissement et de ses rêves ne peut que favoriser la mobilisation de tous les acteurs vers l'atteinte d'objectifs concrets. Cet ouvrage représente une panoplie de points de vue. Il met en perspective les différents ingrédients actifs du rétablissement, ses prémisses de base.

Cette œuvre collective tombe à un moment on ne peut plus propice. En effet, le mot rétablissement est actuellement utilisé abondamment par le milieu d'intervention de la santé mentale. Plusieurs craignent que ce ne soit qu'une nouvelle mode, une approche appelée à disparaître lors de la naissance d'un nouveau concept. En fait, l'approche du rétablissement peut s'appliquer à tous les types d'intervention, pas seulement au domaine de la santé mentale. Il appert important de garder à l'esprit que chaque être humain est appelé à se rétablir de quelque chose à un moment ou un autre de sa vie. Pensons seulement à l'adolescent qui se casse un bras et dont l'os devra se ressouder, ou encore à ce couple qui se sépare et devra réapprendre à vivre son quotidien sans la présence et le soutien de l'autre. Le respect de chacun, de son autodétermination s'applique à chaque personne.

La place considérable accordée aux utilisateurs dans cet ouvrage, à leur vision et leur expérience personnelle, témoigne d'une évolution des pratiques. Alors que par le passé on se positionnait comme expert quant à la personne qui recevait un service, maintenant, on se positionne d'égal à égal. On reconnaît que la personne possède une expertise, celle de sa propre expérience, celle de son fonctionnement intérieur. Elle devient donc un partenaire inéluctable dans le choix du traitement.

« Je suis une personne, pas une maladie! » offre au lecteur à la fois une compréhension théorique des concepts, mais aussi une représentation concrète et pratique. Par ailleurs, on y retrouve même une représentation physique, imagée, favorisant la compréhension du lecteur. Cet ouvrage n'a pas la prétention de présenter de façon exhaustive le rétablissement sous toutes ses facettes, mais dresse la table aux principaux aspects. Plusieurs angles pourraient gagner à être développés davantage, à faire l'objet d'une attention particulière.

Ce livre se veut principalement un outil à privilégier pour disséminer l'espoir puisque quand il est présent, tout devient possible. L'espoir doit être présent tant chez les intervenants que chez la personne utilisatrice de services elle-même afin de permettre que le système se mette en mouvement. Le rétablissement de la personne est possible, mais certains ingrédients doivent être présents. L'espoir est l'un de ces incontournables.

N'oublions personne et remercions chaque auteur de ce livre d'avoir osé partager son expérience personnelle et sa vision du rétablissement. Il n'est pas toujours aisé de dévoiler à l'autre ce qui se trouve au fond de nous, ce qui nous anime réellement. Et à ceux qui ont d'abord lancé l'idée de cet ouvrage, merci d'avoir pris le soin d'élaborer le projet, de ne pas l'avoir laissé filer dans le néant. Nous avons un besoin criant de ce type d'ouvrage afin d'amener chacun à y croire, à avoir confiance que tout est possible.

Espérons que chacun des chapitres contribuera à augmenter les connaissances du lecteur quant à l'approche du rétablissement. Que cela contribuera à modifier sa vision des possibilités de rétablissement de l'autre. Nul besoin d'être un intervenant pour utiliser l'approche. On doit l'étendre à toutes relations sociales puisque les ingrédients actifs s'appliquent à toute situation et à chaque personne.

Bon rétablissement social.

Caroline Busque
Directrice générale de l'APUR

RÊVER ENCORE

Luc Vigneault

Errant dans son âme,
Ne sachant où aller,
L'homme s'est retrouvé devant un arbre
Qui comme lui,
Était écorché.

Cet arbre vivait inconnu dans les jardins du Luxembourg
Entouré de statues d'illustres notables.
L'homme dégustait une glace à la pistache
Cherchant ses rêves, sans doute figés dans les sculptures.

La beauté et la splendeur du paysage
Ne peuvent pénétrer sa bulle,
Car elle est remplie de la souffrance de mon âme.

Voulant désespérément se confier
Sans être trahi,
Il fut attiré par l'arbre,
Le regarda et sourit.

Sans comprendre,
L'homme se mit à lui parler de ce qu'il vivait.
L'arbre quant à lui,
Sans broncher, l'écouta.

L'homme retrouva son inspiration
Qui, comme l'arbre, était dans ses racines,
Même si l'homme était loin de chez lui
Ses racines remplies de l'innocence de sa jeunesse rejaillirent en lui.

L'homme rêvait de voir Paris et mourir
Mais voilà il n'est pas mort,
Non il n'est pas mort.
Maintenant, comme personne,
il réalise à quel point il est important d'avoir des rêves.

Car ce sont ces rêves, ces buts, ces ambitions
Qui lui ont permis de continuer la route de Québec à Paris.

Rassuré que l'arbre ne répéterait ses dires
Même dans un murmure,

L'homme qui parlait à son arbre,
Fut envahi des sentiments dont l'homme rêvait.

Exhumer ses rêves enfouis au fond de son cœur
Qui comme les nobles statues étaient pétrifiés.
L'amour, l'affection et la tendresse à l'état pur.

L'homme quitta les jardins du Luxembourg
Et s'en alla sur le parvis de la cathédrale Notre-Dame de Paris.

L'homme aperçut au sol une plaque de bronze scellée sur laquelle était inscrit :
Point zéro des routes qui sortent de Paris.

Ce point scellé, se dit l'homme, est également mon point zéro
Contrairement à son arbre.
Maintenant, il peut décider seul sur quelle route se diriger.

L'homme réalisa que ses racines sont enfouies en lui
Contrairement à son arbre, ses racines le suivront partout,
Ses racines contentent l'essence de ses rêves.

L'homme ressentit son corps se transformer
Et s'envahir d'une chaleur et de rêves.

L'homme se questionna :
Vers où vais-je aller? Vers où va aller ma destinée? À partir de ce point zéro.
Maintenant que l'homme à d'autres rêves et d'autres espoirs.
Il a un atout de plus qu'avant.
Il sait que c'est possible de revivre grâce à ses rêves.

L'homme s'en retourna
L'âme en paix,
Rempli d'espoir
Et de la sérénité qu'il cherchait.

Mais surtout, l'homme avait trouvé en l'arbre
Un ami qui avait compris le véritable sens de l'écoute!

L'homme peut désormais rêver et revivre encore!

Références

Chapitre sur l'espoir

Allott, P., & Loganathan, L. (2002). Discovering hope for recovery from a British perspective: A review of a sample of recovery literature, implications for practice and systems change. West Midlands Partnerships for Mental Health, Birmingham, Extrait du site http // www.wmpmh.org.uk

Anthony, W. A., Farkas, M., & Cohen, M. (1990). *Psychiatric Rehabilitation* (1st Ed.). Boston : Center for Psychiatric Rehabilitation.

Anthony, W. A. (1993). Recovery from mental illness : The guiding vision of the mental health service system in the 1990s. *Psychosocial Rehabilitation Journal, 16*(4) 11-23.

Anthony, W.A., Cohen, M., Farkas, M., & Gagne, C. (2002). *La Réhabilitation psychiatrique*. Traduit par F. Elbouz et B. Heyden, 2004. Belgique : Socrate Éditions Promarex.

Bourgeois, M. L., Koleck, M., & Jais, E. (2008). Validation de l'échelle d'insight Q8 et évaluation de la conscience de la maladie chez 121 patients hospitalisés en psychiatrie. Congrès Société médico-psychologique. Communication. France 2002, *Elsevier, 160*(7), 499-526. Extrait du site CNRS : http://cat.inist.fr/ ?aModele= afficheN&cpsidt=13991820.

Cormier, C. (2009). « L'espoir d'un mieux-être malgré la schizophrénie : témoignages de personnes vivant dans la communauté », sous la direction de Bernadette Dallaire, professeure agrégée, École de service social, Université Laval, Québec.

Crawford, M. E., Handal, P. J., & Wiener, R. L. (1989). The relationship between religion and mental health/distress. *Review of religious research. 1989, 31*, 16-23.

Cyrulnik, B. (2006). *De chair et d'âme.* Paris : Éditions Odile Jacob.

Davidson, L., Harding, C., & Spaniol, L. (2005). *Recovery from severe mental illness: Research evidence and implications for practice*. Boston : Center for Psychiatric Rehabilitation.

Davidson, L. (2006). *Pourquoi le rétablissement va-t-il au-delà du rétablissement et ...principes et pratiques de soins axés sur le rétablissement*. Conférence et *power-point* présentés dans le cadre d'une formation de l'AQRP et AMI-Québec, 28 septembre : « Rétablissement et pratique clinique », Montréal.

Deegan, P. E. (1996 septembre). Recovery and the conspiracy of hope. Traduit par S. Couture. Sixième conférence annuelle des services de santé mentale de l'Australie et de la Nouvelle-Zélande.

Deegan, P. E. (1997). Recovery and empowerment for people with psychiatric disabilitiès. *Social Work in Health Care, 25*(3), 11-24.

Dorvil, H., Guttman, H. A., Ricard, N., & Villeneuve, A. (1997). *Défis de la reconfiguration des services de santé mentale.* Le Comité de la santé mentale du Québec, Ministère de la Santé et des Services sociaux. Québec : Gouvernement du Québec.

Dorvil, H. et Mayer, R. (2001). *Problèmes sociaux. Tome II. Études de cas et interventions sociales.* Québec : Presses de l'Université du Québec.

Drake, R.E. (1998). A Brief History of the Individual Placement and Support Model. *Psychiatric Rehabilitation Journal, 22*(1), 3-7.

Dufault, K., & Martocchio, B. C. (1985). Hope: Its spheres and dimensions. *Nursing Clinics of North America, 20,* 379-391.

Ellis, A. (1999). *Dominez votre anxiété avant qu'elle ne vous domine.* Québec : Les Éditions de L'Homme.

Farran, C.J., Herth, K.A., & Popovitch, J.M. (1995). *Hope and hopelessness: Critical clinical constructs.* : Sage Publications.

Garfield, S. L. (1994). Research on client variables in psychotherapy. Dans A. E. Bergin et S. L. Garfield (Eds), *Handbook of psychotherapy and behavior change* (4th ed.). New York : Wiley.

Goffman, E. (1968). *Asiles, Études sur la condition sociale des malades mentaux.* Paris : Les Éditions de Minuit.

Goffman, E. (1975). *Stigmate, les usages sociaux des handicaps.* Paris : Les Éditions de Minuit.

Hoffmann, H., Kupper, Z., & Kunz, B. (2000). Hopelessness and its impact on rehabilitation outcome in schizophrenia: An exploratory study. *Schizophrenia Research, 43*(2-3), 147-158.

Holmes, T. H., & Rahe, R. H. (1967). The Social Readjustment Rating Scale. *Journal of Psychosomatic Research, 11,* 213-218.

Kirkpatrick, H., Landeen, J., Byrne, C., Woodside, H., Pawlick, J., & Bernardo, A. (1995). Hope and schizophrenia: clinicians identify hope-instilling strategies. *Journal of psychosocial nursing, 33*(6), 15-19.

Kœnig, H. G. (2001). Religion and medicine III : developing a theoretical model. *International Journal Psychiatry Medicine 31,* 199-216.

Lalonde, P., Grunberg, F., & collaborateurs (1988). *Psychiatrie Clinique. Approche biopsychosociale.* Montréal : Gaétan Morin Éditeur.

Landeen, J., Kirkpatrick, H., Woodside, H., Byrne, C., Bernardo, A., & Pawlick, J.

(1996). Factors influencing staff hopefulness in working with people with schizophrenia. *Issues in Mental Health Nursing, 17*, 457-467.

Landeen, J., Pawlick, J., Woodside, H., Kirkpartick, H., & Byrne, C. (2000). Hope, quality of life, and symptom severity in individuals with schizophrenia. *Psychiatric Rehabilitation Journal, 23*, 364-369.

Landeen, J., & Seeman, M. V. (2000). Exploring hope in individuals with schizophrenia. *The International Journal of Psychosocial Rehabilitation, 5*, 45-52.

Lauzon, G., & Lecomte, Y. (2002). Rétablissement et travail. *Revue Santé mentale au Québec, 27*(1), Extrait du site : http://rsmq.cam.org/smq/santementale/

Leete, E. (1989). How I perceive and manage my illness. *Schizophrenia Bulletin, 15*, 197-200.

Lovejoy, M. (1984). Recovery from schizophrenia: A personal odyssey. *Hospital and Community Psychiatry, 35*, 809-812.

Lysaker, P. H., Campbell, K., & Johannesen, J. K. (2005). Hope, Awareness of Illness, and Coping in Schizophrenia Spectrum Disorders: Evidence of an Interaction. *The Journal of Nervous and Mental Diseases, 193*(5), 287-292.

Lysaker, P. H., Roe, D., & Yanos, P. T. (2007). Toward understanding the insight paradox: internalized stigma moderates the association between insight and social functioning, hope, and self-esteem among people with schizophrenias spectrum disorders. *Schizophrenia Bulletin, 33*(1), 192-199.

Mancini, M. A., Hardiman, E. R., & Lawson, H. A. (2005). Making sense of it all : Consumer provider's theories about factors facilitating and impeding recovery from psychiatric disabilities. *Psychiatric Rehabilitation Journal, 29*(1), 48-55.

Marková, S., & Berrios, G. E. (1995). Insight in clinical psychiatry revisited. *Compr. Psychiatry, 36*(5), 367-76.

McCubbin, M., Cohen, D., & Dallaire, B. (2003). *Obstacles à l'empowerment en travail social : vers un changement professionnel dans les interventions en santé mentale.* Groupe de recherche sur les aspects sociaux de la santé et de la prévention. Série Travaux en cours, 30. Montréal.

McCubbin, M., Dallaire, B., Lagrange V., Wallot H., Bergeron-Leclerc C., Cormier C., Nelson G. (2010). Reconstruction et rééquilibrage du lien social : une étude exploratoire sur les rôles de l'inclusion sociale, de l'appropriation du pouvoir d'agir et de l'espoir dans le rétablissement. *REVUE CANADIENNE DE SANTÉ MENTALE COMMUNAUTAIRE, 29*(1), printemps, 1-18.

Miller, J. F. (1986). Development of an instrument to measure hope. Thèse de doctorat inédite, Université de l'Illinois, .. Dans J.F. Miller (1992), *Coping with chronic illness : Overcoming powerlessness.* Philadelphia : Davis.

Miller, J. F. (1992). *Coping with chronic illness: Overcoming powerlessness.* Philadelphia : Davis.

Ministère de la Santé et des Services sociaux (1998). *Plan d'action pour la transformation des services en santé mentale.* Québec : Gouvernement du Québec.

Ministère de la Santé et des Services sociaux (2005). *Plan d'action en santé mentale 2005-2010 : la force des liens.* Québec : Gouvernement du Québec.

Noiseux et Ricard, 2008. Recovery as perceived by people with schizophrenia, family members and health professionals : A grounded theory. *International Journal of Nursing Studies, 25,* 1148-1162.

Onken, S., , J. M., Ridgway, P., Dornan, D. H., & Ralph, R. O. (2002). *Mental health recovery : What helps and what hinders? A national research project for the development of recovery-facilitating system performance indicators.* Alexandria NA : National Technical Assistance Center of State Mental Health Planning.

Onken, S. (2006a). *Rétablissement en santé mentale : les facteurs qui facilitent ou entravent ce processus.* Conférence à l'Unité d'enseignement en travail social, Université du Québec à Chicoutimi, Québec.

Quintal, M.-L. (2003). *Incursion dans le monde du rétablissement.* Présentation *powerpoint* dans le cadre des Conférences multidisciplinaires du Centre hospitalier Robert-Giffard, Québec.

Quintal, M.-L., Champoux, Y., Corriveau, S., Goudreault, M., Lamothe, C., Marchand, L. & Wallot, H. (2008). Nos pas sur le chemin du rétablissement : Le Centre de traitement et de réadaptation psychiatrique de Nemours partage son expérience. *Le partenaire, 16*(2), 4-13.

Ridgway, P. (2001). ReStorying psychiatric disability: Learning from first person recovery narratives. *Psychiatric Rehabilitation Journal, 24*(4), 335-343.

Rosenthal, R., and Jacobson, L. (1968). *Pygmalion in the classroom : Teacher expectation and pupils' intellectual development'.* New York : Rinehart and Winston.

Russinova, Z. (1999). Providers hope-inspiring competence as a factor optimizing psychiatric rehabilitation outcomes. *Journal of Rehabilitation, 65*(4), 50-58.

SAMHSA (Substance Abuse and Mental Health Services Administration) (2006). Le rétablissement tel que défini par le mouvement des utilisateurs de services américains. Traduit par C. Rice. *AGIR en santé mentale, Novembre*, 1-10.

Santé Canada. (2002). *Rapport sur les maladies mentales au Canada.* Ottawa, Agence de la santé publique du Canada. Extrait du site : http://www.phac-aspc.gc.ca/publicat/miic-mmac/chap_3_f.html.

Snyder, C. R., Harris, C., Andersen, J. R., Holleran, S. A., Irving, L. M., Sigmon, S. T., Yoshinobu, L., Gibb, J., Langelle, C., & Harney, P. (1991). The Will and the Ways: Development and Validation of an Individual - Differences Measure of Hope. *Journal of Personality and Social Psychology, 60*(4), 570-585.

Spaniol, L. (2001). Recovery from Psychiatric Disability: Implications for Rehabilitation Counseling Education. *Rehabilitation Education, 15*(2), 167-175.

Spaniol, L., Wewioerski, N. J., Gagne, C., & Anthony, W. A. (2002). The Process of Recovery from Schizophrenia. *International Review of Psychiatry, 14*(4), 327-336.

Umberson, D. (1987). Family status and health behaviors : Social control as a dimension of social integration. *Journal of Health and Social Behavior, 28*, 306-319.

Woodside, H., Landeen, J., & coll. (1994). Hope and schizophrenia : Exploring attitudes of clinicians. *Psychosocial Rehabilitation Journal, 18*(1), 141-144.

Young, S. L., & Ensing, D. S. (1999). Exploring Recovery from the Perspective of People with Psychiatric Disabilities. *Psychiatric Rehabilitation Journal, 22*(3), 219-231.

Zubin, J., & Spring, B. (1977). Vulnerability – a new view of schizophrenia. *Journal of Abnormal Psychology, 86*(2), 103-12.

Chapitre sur la pharmacologie

Velligan DI, Weiden PJ, Sajatovic M et als. The expert consensus guideline series : adherence problems in patients with serious and persistent mental illness. J. Clin Psychiatry 2009; 70(supp4) : 1-48

Bezchlibnyk-Butler KZ; Jeffries JJ. Clinical handbook of psychotropic drugs. 17ième édition, Clark Institute of Psychiatry site, 2008

Leutch S, Corves C, Arbter D et als. Second generation vs first generation antipsychotic drugs for schizophrenia : a meta-analysis. Lancet 2009; 373:31-41.

Tandon T, Nasrallah HA, Keshevan MS. Schizophrenia Just the facts : Clinical features and conceptualization. Schizophrenia Research, In Press

Kane J, Fleischhaker WW, Hansen N et als. Akathisa : an update review focusing on second generation antipsychotics J Clin Psychiatry, e1-17

Taylor D. Psychopharmacology and adverse effects of antipsychotic long-acting injections : a review. BMJ 2009; 195: s13-19.

Canadian Psychiatric Association Working group. Clinical Practice Guidelines for treatment of schizophrenia. Can J Psychiatry, 2005; 50(13): s1-56. http://www.cpa-apc.org/Publications/Clinical_Guidelines/schizophrenia/november2005/index.asp

American psychiatric association practical guideline for the treatment of patients with schizophrenia, 2004, http://www.psych.org/psych_pract/treatg/pg/SchizPG-Complete-Feb04.pdf

Lieberman JA, Stroup TS, Mc Evoy JP, et als. Effectiveness of antipsychotic drugs in patients with chronic schizophrenia. N Engl J Med 2005; 353:1209-23.

Kelly DL, Conley RR, Carpenter WT. First episode schizophrenia. A focus on pharmacological treatment and safety considerations. Drugs 2005; 65(8) 1113-1138.

Demers MF, Bourbeau J, Gauthier L, Leblanc J. Les choix du DJ : coffret d'enseignement et de soutien à l'adhésion au traitement, IUSMQ, 2010.

Novick, D. *et al.* Predictors and clinical consequences of non-adherence with antipsychotic medication in the outpatient treatment of schizophrenia. *Psychiatry research* 176, 109-113 (2010).

Stip, E., Abdel-Baki, A., Bloom, D., Grignon, S. & Roy, M. A. [Long-acting injectable antipsychotics : an expert opinion from the Association des médecins psychiatres du Québec]. *Canadian journal of psychiatry. Revue canadienne de psychiatrie* 56, 367-376 (2011).

Voruganti L, Awad AG. Neuroleptic dysphoria : towards a new synthesis. Psychopharmacology 2004 Jan; 171(2):121-32.

Chapitre sur les familles

Anthony, W. A. (1993). Recovery from mental illness: The guiding vision of the mental health service system in the 1990s. *Psychosocial Rehabilitation Journal, 16*(4), 11-23.

Ausloos, G. (1995). *La compétence des familles. Temps, chaos, processus.* Ramonville Saint-Agne : Édition Erès.

Boily, M. (2004). *Troubles mentaux et rôle parental : au carrefour de la négligence parentale et de la détresse psychologique de l'enfant.* Conférence prononcée en octobre, dans le cadre des Journées de formation continue de l'OPTSQ, Québec.

Boily, M., St-Onge, M., & Toutant, M.-T. (2006). *Au-delà des troubles mentaux, la vie familiale : regard sur la parentalité.* Montréal : Éditions du CHU Sainte-Justine.

Cormier, C. (2009). *L'espoir d'un mieux-être malgré la schizophrénie : témoignages de personnes utilisatrices de services vivant dans la communauté.* Mémoire de maîtrise en service social. Université Laval, Québec, Canada.

Fisher, D. B. (1997). Someone who believed in them, helped them to recover. *Newsletter, 3*(15).

Smith, G., Gregory, K. & Higgs, A. (2007). *An Integrated Approach to Family Work for Psychosis.* : Jessica Kinsley Publishers.

Spaniol, L., Wewioerski, N. J., Gagne, C., & Anthony, W. A. (2002). The Process of Recovery from Schizophrenia. *International Review of Psychiatry, 14*(4), 327-336.

Vaughn, C. E., Leff, J. P. (1981). Patterns of Emotional Response in Relatives of Schizophrenic Patients. *Schizoprenia Bulletin, 7*(1), 43-44, Philadelphia, USA.

Winnicott, D. W. (1992), *Le bébé et sa mère.* Paris : Payot.

Zubin, J., & Spring, B. (1977). Vulnerability – a new view of schizophrenia. *Journal of Abnormal Psychology, 86*(2), 103-12.

Chapitre sur les aspects légaux

Cooke, M. A.Peters, E. R. Kuipers, E. Kumari, V. Disease, deficit or denial? Models of poor insight in psychosis. Acta psychiatrica Scandinavica, 2005: 112, 4-17

Lisa B. Dixon, Faith Dickerson, Alan S. Bellack Melanie Bennett, Dwight Dickinson, Richard W. Goldberg, Anthony Lehman, Wendy N. Tenhula, Christine Calmes, Rebecca M. Pasillas, Jason Peer, and Julie Kreyenbuhl The 2009 Psychosocial Treatment Recommendations and Summary Statements Schizophrenia Bulletin vol. 36 no. 1 pp. 48–70, 2010

Marois MJ, Provencher M, Mérette C, Émond C, Bourbeau J, Roy M-A. La thérapie cognitive-comportementale des psychoses en début d'évolution : étude ouverte en milieu clinique. Canadian Journal of Psychiatry. 2011 Jan;56(1):51-61

Roy M-A. L'intervention précoce, une voie express vers le rétablissement? Le partenaire. 2012

Stip E, Abdel-Baki A, Bloom D, Grignon S, Roy M-A. Les antipsychotiques (IM) à action prolongée : avis d'experts de l'association des médecins psychiatres du Québec. Canadian Journal of Psychiatry. 2011 Jun;56(6) : 367-76

Chapitre sur l'organisation

Toward Recovery & Well-Being : A framework for a mental health Strategy for

Mental Health Commission of , November 2009

Anthony, W., *Recovery from mental Illness: The Guiding Vision of the Mental Health Service System in the 1990's.* Psychosocial Rehabilitation Journal, 1993, 16 (4) 11-23

MSSS (2005) *Plan d'action en santé mentale 2005-2010 : La force des liens. Guide de planification du MSSS.* Ministère de la santé et des services sociaux du Québec, 97 p.

Davidson, L., Harding, Courtenay, Spaniol, LeRoy (2005) *Recovery from Severe Mental Illness : Research Evidence and Implication for Practice.* Center for Psychiatric Rehabilitation, , Vol. 1, 448p. and Recovery Consortium, Voices. *Le rétablissement tel que défini par le mouvement des utilisateurs de services américains,* Traduit par Charles Rice, AGIR en santé mentale, du document « Voices transformation : Developping Recovery - Based Statewide Consumer Survivor Organization » (2006)

Quintal, M-L., Champoux, Y.,Corriveau, S., Goudreault, M., Lamothe, C., Marchand, L., Wallot, H. *Nos pas sur le chemin du rétablissement : Le Centre de traitement et de réadaptation de Nemours partage son expérience.* Le Partenaire, Vol. 16, no2. Été 2008.

Lecomte, Tania. Leclerc, Claude. *Manuel de réadaptation psychiatrique.* Presses de l'Université du Québec, 2006, 461p

Farkas,M., Gagne,C., Anthony,W., Chamberlin, J. Implementing *Recovery Oriented Evidence Based Programs : Identifying the Critical Dimensions.* Community Mental Health Journal, Vol. 41, no 2, April 2005.

Jacobson, Nora, *Politiques et pratiques en santé mentale. Comment intégrer le concept du rétablissement.* Santé mentale au Québec, 2007, XXXII, 1, 245-264.

Anthony, W., *Pour un système de santé axé sur le rétablissement. Douze points de repère pour l'organisation d'ensemble des services.* Le Partenaire, Vol. 9, no 2, automne 2001.

Chapitre sur les mots et les concepts

American Psychiatric Association (1994). DSM-IV: *Diagnostic and Statistical Manual of Mental Disorders*, ed.4, Washington DC, American Psychiatric Association.

Andresen, R., Oades, L., Caputi P.,(2003), «The Experience of Recovery from Schizophrenia: Towards an Empirically Validated Stage Model ». *Australian and New Zealand Journal of Psychiatry*, 37(5), 586-594.

Anthony, W.A. (2001), « Pour un système de santé axé sur le rétablissement: douze points de repère pour l'organisation d'ensemble des services », *Le Partenaire*, vol.9 no 2, 2001.

Anthony, W.A. (1993) Recovery from mental illness : the guiding vision of the mental health service system in the 1990's. Pyschological Rehabilitation Journal, vol. 16, p. 11-23.

Apollon, Willy, Bergeron, Danielle et Cantin, Lucie (1991). *Traiter la psychose*, Québec, Éditions du Gifric, Collection « Noeud ».

Apollon, Willy, Bergeron, Danielle et Cantin, Lucie (1996). « Le traitement de la psychose », *Mental : Revue Internationale de santé mentale et psychanalyse appliquée* (2 mars).

Apollon, Willy, Bergeron, Danielle et Cantin, Lucie (1996). « Le traitement de la psychose », *Mental : revue internationale de santé mentale et psychanalyse appliquée* (2 mars).

Apollon, Willy, Bergeron, Danielle et Cantin, Lucie (2002). *After Lacan/Clinical Practice and the subject of the Unconscious,* , State University of New York Press (SUNY), 197 p.

Barton, R. (1959). *Institutional Neurosis*, , John Wright and Sons Ltd.

Bédard, D., Lazure, D., et Roberts, C. (1962) *Rapport de la Commission d'étude des hôpitaux psychiatriques,* Gouvernement du Québec, Ministère de la santé.

Bleuler, E. (1950, 1ère éd. 1911). *Dementia Praecox or the Groupe of the Schizophrenias,* , International Universities Press.

Bleuler, M. (1968). A 23-Year Longitudinal Study of 208 Schizophrenics And Impressions In Regard To The Nature Of Schizophrenia. In D. Rosenthal & S. S. Kety (Eds.), *The transmission of schizophrenia* (pp. 3-12). New York: Pergamon.

Bourque, E. (1916) « Le délire chronique », *Union Médicale du Canada,* vol. 45, p. 193-198.

Calabrese, J.D., Corrigan, P.W. (2005), « Beyond Dementia Praecox : Findings from Long-term Follow-up Studies of Schizophrenia », dans Ralph, R., Corrigan, P.W., eds, *Recovery in Mental Illness: Broadening our Understanding of Wellness*, 63-84, Washington, DC: American Psychological Association.

Charcot, Jean Martin (1885-1890). *Oeuvres complètes de J.M. Charcot*, Paris, A. Delahaye et E. Lecrosnier.

Commission d'enquête sur la sante et le bien-être social, 1967-1972 *Rapport de la Commission d'enquête sur la santé et le bien-être social,* Québec, Éditeur officiel du Québec, 6 vol., 15 t.

Commission d'enquête sur les services de santé et les services sociaux (1988) *Rapport de la Commission d'enquête sur les services de santé et les services sociaux,*

Cooper David (1971), The Death of the Family, Penguin.

Corin H. (2002) « Se rétablir après une crise psychotique : ouvrir une voie? Retrouver sa voix? », *Santé mentale au Québec*, vol. 27, n° 1, p. 65-82.

Cullen, William (1789-1790). *Traité de matière médicale*, traduit par M. Bosquillon, Paris, Chez Théophile Barrois.

Deegan, P.E. (1988), Recovery : The Lived Experience of Rehabilitation, *Psychosocial Rehabilitation Journal*, 11 (4), 11-19.

Deegan P.E. (1996), « Le rétablissement, un itinéraire du cœur », Le Partenaire, vol.5, no 1, p.1-6)

Deegan, P.E (1996) Recovery as Journey of Heart, *Psychiatric Rehabilitation Journal*, 19(3), 11-24.

Deegan, P.E. (1997), Recovery and Empowerment for People with Psychiatric Disabilities, *Social Work in Mental Health*, 25 (3), 11-24.

Dejerine, J. (1977). *Sémiologie des affections du système nerveux*, 2e éd., n. éd., Paris, Masson, 2 vol.

Duquette, E. E. (1888). « La folie héréditaire ou la folie des dégénérés », *L'Union médicale du Canada*, vol. 17, p. 5-156.

Esquirol, Étienne (1814). Divers articles sur l'aliénation mentale, extraits du *Dictionnaire des sciences médicales*, tome VIII, Paris, Panckoucke.

Faris, R.E.L., et Dunham, H.W. (1939), *Mental Disorders in Urban Areas : An Ecological Study of Schizophrenia and Other Psychosis,* Chicago, University of Chicago Press.

Fisher Daniel B, (2001) « PACE : une approche qui va plus loin dans l'empowerment », Le Partenaire, vol. 9, no. 2, p. 6-10.

Freud, Sigmund (1966-1974). *The Standard Edition of the Complete Psychological Works of Sigmund Freud*, trad. angl. J. Strackey, A. Freud, A. Strackey et A. Tyson, Londres, The Hogarth Press, 24 vol.

Freud Sigmund (1926) The question of Lay Analysis, W.W. Norton & Co Inc., pp. 62,63, 81,82, (traduction française.1985)* La question de l'analyse profane (1926) et «Postface de 1927» (1927). trad. J. Altounian, A. et O. Bourguignon, P. Cotet et A. Rauzy, Paris, Gallimard, 1985.

Goffman, Erving (1961). *Asylums : Essays on the Social Situation of Mental Patients and other Innates*, New York, Doubleday.

Gouvernement du Canada (1988), *La Santé mentale des Canadiens : vers un juste équilibre*, publication autorisée par le ministre de la Santé nationale et du Bien-être Social, ministère des Approvisionnement et Services du Canada, publication no Cat. H39-128/1988F,1988.

Gouvernement du Québec (1989) Politique de santé mentale du Québec.

Harding, C.M., Brooks, G.W. Ashilaga.T., Strauss, J.S., & coll. (1987), The Vermont longitudinal study of persons with severe mental illness : II Long term outcomes of subjects who retrospectively met DMS-III criteria for schizophrenia. American Journal of Psychiatry, 144 (6), 727-735.

Harrison's Principles of Internal Medicine (2008), Mc Graw Hill Medical,

Harding, C.M. and Sahniser, J.H., (1994). Empirical correction of seven myths about schizophrenia with implications for treatment. Acta psychiatrica Scandinavica Supplementum, 90 (384, Suppl)., 140-146.

Hogarty, G.E., and Ulrich, R.F. (1977) Temporal Effects Of Drug And Placebo In Delaying Relapse In Schizophrenic Outpatients. *Archives of General Psychiatry*, 34:297-301, 1977.

Hogarty Gerard E & Richard F Ulrich (1988) "The Limited Effects Of Antipsychotic Medication On Schizophrenia Relapse And Adjustment And The Contributions Of Psychosocial Treatment" *Journal of Psychiatric Research*, 1 May p. 243-250.

Hogarty, J.D., Baldessarini, R.J., Tohen, M., Waternaux, C. & coll (1994). One hundred years of schizophrenia : A meta-analysis of the outcome literature. American Journal of Psychiatry, 151 (10), 1409-1416

Hollingshead, A.B., Redlich, F.C (1958), *Social Class and Mental Illness: A Community Study,* , John Wiley.

Kandell E. (2002a). « Un nouveau cadre conceptuel pour la psychiatrie », traduit de l'anglais (A new intellectual framework for psychiatry) paru dans le Journal of the American Psychiatric Association; version française dans L'Évolution psychiatrique, 2002, vol. 67, p. 12-39.

Kraepelin, Emil (1883, 1927). Psychiatrie, Ein Lehrbuch fur Studierende und Aertze, Leipzig, Barth J.A., 5e éd. en 1896 et 9e éd. en 1927.

Kirk, Thomas A. (2002), Recovery-Oriented Service System http://www.mindlink.org/dmhas_recovery_pol.html .

Lacan, Jacques (1955-1956; 1981). *Le Séminaire. Livre III : Les psychoses*, Paris, Seuil.

Laing R.D. (1960), Divided Self : an Existential Study in Sanity and Madness, Harmondworth, Penguin.

Le Robert : dictionnaire historique de la langue française (1992), publié sous la direction d'Alain Rey, Paris, Dictionnaires Le Robert, 2 tomes.

Lombroso, Cesare (1907). *Le crime : cause et remède*, 2e éd., Paris, Alcan.

Le Robert (1998) *Dictionnaire historique de la langue française*, sous la direction d'Alain Rey, 2 tomes.

Lichtenstein Pau (2009)l, Yip Benjamin H., Björk Camilla, Pawitan Yudi, Cannon Tyrane D, Sullivan Patrick F, et Hultman Christina M., «Common genetic determinants of schizophrenia and bipolar disoder in Swedish families : a population-based study», *The Lancet*, vol 373, janvier 17, p.234-239

Lundin Robert (2003), « Stigmatisation et rétablissement : un retour sur ma vie », *Le Partenaire*, vol.II, no.1, p.4-9.

Magnan, V. (1893). *Leçons cliniques sur les maladies mentales faites à l'asile clinique*, 2e éd., Paris, Bataille L.

McCubbin M., Dallaire, B, Lagrange V., Wallot H., Bergeron-Leclerc C, Cormier C et G Nelson, (2010). « Reconstruction et rééquilibrage du lien social : une étude exploratoire sur les rôles de l'inclusion sociale, de l'appropriation du pouvoir et de l'espoir dans le rétablissement », *Revue Canadienne de santé mentale communautaire*, vol 29, no 1, (printemps).

Morel, Bénédict Auguste (1857). *Traité des dégénérescences physiques, intellectuelles et morales de l'espèce humaine et des causes qui produisent ces variétés maladives*, Paris, J.-B. Ballière.

Overholser, W.(1956) Séance d'introduction, *Actes du Colloque international sur la chlorpromazine et les médicaments neuroleptiques en thérapeutique psychiatrique*, tenu à Paris, du 20 au 22 octobre 1955, *Encéphale,* numéro spécial.

Pagé, J.-C.(1961) *Les fous crient au secours,* postface du D' Camille Laurin, Montréal, Éditions du Jour.

Pavlov, Ivan Petrovich (1977). *Les réflexes conditionnés : étude objective de l'activité nerveuse supérieure des animaux,* traduit du russe par N. et G. Gricouroff, 2e éd., Paris, PUF.

Perrow, C. (1965). « Hospital, Technology, Structure and Goals » dans J.G. March (dir.), *Handbook of Organizations,* Chicago, Rand McNally and Co.

Pinel, P. (1801) *Traité médico-philosophique sur l'aliénation mentale ou la manie,* Paris, Richard, an IX.

Pinel, Philippe (1809). *Traité médico-philosophique sur l'aliénation mentale,* 2ᵉ édition Paris, Brosson J.A.

Provencher H. (2007), Le paradigme du rétablissement : 1. Une expérience globale de santé, Le Partenaire, vol.15, no 1, printemps 2007, p.4-12.

Provencher H. (2008), Le paradigme du rétablissement : 2. Le modèle préliminaire d'organisation des services orientés vers le rétablissement (MOPROSPCOR) : Introduction et présentation détaillée du cadre d'orientation, vol 16, no 1, printemps, 4-27.

Rapp, C.A. (2004). « Le suivi communautaire : approche axée sur les forces. » Dans Aubry T. et Émard R., *Le suivi communautaire en santé mentale : une invitation à se bâtir une vie.* Presse de l'Université d'Ottawa, 31-65.

Raymondis, L.M. (1966) *Quelques aperçus sur une réforme des services psychiatriques,* Paris, Pichon et Durant-Auzias.

Seglas, J. (1892). *Les troubles du langage chez les aliénés,* Paris, Rueff J.

Skinner, B. F. (1953). *Science and Human Behavior,* , Free Press.

Sullivan Patrick F. (2003), Kendler Kenneth S. et Neale, Michael C, «Schizophrenia as a Complex Trait, Evidence From a Meta-analysis of Twin Studies», *Archives of General Psychiatry,* vol. 60, no 12, p. 1187-1192.

Spaniol, L., Gagne, C., Anthony, W.A., (2002), The Process of Recovery from Schizophrenia, *International Review of Psychiatry,* 14(4), 327-336.

Szass, T. (1960) The myth of mental illness, American Psychologist, 15, 113-118. Traduction française: Le mythe de la maladie mentale, Payot , 1975.

Van Snellenberg Jared X et de Candia Teresa (2009), « Meta-analytic Evidence for Familial Coaggregation of Schizophrenia and Bipolar Disorder », Archives of General Psychiatry, vol. 66, no 7, p. 748-755

Vigneault L., et Cailleux-Cohen, Suzanne (1997), *Aller-retour au pays de la folie*, Éditions de L'Homme, Montréal, 1997.

Vigneault L. (2006), « La santé mentale et le rétablissement », Présentation à la Faculté des Sciences infirmières de l'Université Laval, Québec

Watson, John B. (1914). *Behavior : an Introduction to Comparative Psychology*, New York, H. Holt.

Wallot, H. (1998), *La danse autour du fou. Histoire organisationnelle de la prise en charge de la folie au Québec,* préface du Dr Camille Laurin, Beauport (Québec), Editions MNH.

Wallot H. (2006), Peut-on guérir d'un passé asilaire? Post-face de Bruno Roy, Éditions MNH, Longueuil.

Watson, John B. (1914). *Behavior : an Introduction to Comparative Psychology*, , H. Holt.

Watson, John B. (1925). *Behaviorism*, , Norton.

Young, S., Ensing, D.S. (1999), Exploring Recovery from the Perspective of People with Psychiatric Disabilities, *Psychiatric Rehabilitation Journal*, 22(3),219-231.

Visitez souvent le site pour connaître nos nouveautés :
www.performance-edition.com